thèmes et textes

collection dirigée par Jacques Demougin

Jarry

le monstre et la marionnette

par

HENRI BÉHAR

Maître-Assistant à l'Université
de Paris III

Librairie Larousse

17, rue du Montparnasse et 114, boulevard Raspail, Paris-VIe

Table des matières

Introduction

Si, de nos jours, un sphinx moderne arrêtait les passants sur le chemin de Paris pour leur poser une énigme et les dévorer s'ils ne répondaient pas, je lui suggérerais la suivante : « Quelle est l'œuvre dramatique, généralement considérée comme informe et inepte, qui est à l'origine, selon les plus éminents analystes, de catégories aussi différentes que le théâtre surréaliste, le théâtre de l'absurde, le théâtre tragique contemporain ? » Pour mettre les passants intrigués sur la voie et les aider à échapper aux griffes redoutables du monstre interrogateur, je leur préciserais que le héros de cette pièce, tenant ses traits de la caricature d'un professeur, a un corps volumineux, la tête en poire, une face porcine ornée de petites moustaches, qu'il va précédé de serviteurs caoutchoutés aux grands pieds plats sonores, qu'il est affublé d'une femelle acariâtre, et qu'il menace de tuer tout le monde avant de s'en aller, mourant d'ailleurs de peur à chaque pas. Mais les passants effarés n'auraient aucune peine à répondre, puisqu'ils qualifient communément chaque jour de leur existence d'*ubuesque,* terme qui, dans le trésor vivant de notre langue, a pris la relève de l'adjectif « kafkaïen », par un curieux glissement de sens.

Ubu Roi pose en effet une étrange énigme à l'observateur du théâtre contemporain. Cette pièce si peu jouée avant 1950 est cependant placée à la source de ce qu'on a tour à tour nommé le théâtre de l'absurde, le théâtre d'avant-garde, le nouveau théâtre ou le théâtre nouveau, et que pour notre part, nous en tenant aux auteurs et non aux œuvres, nous proposerions d'appeler la génération de 1950, ce qui éviterait peut-être de mêler des esthétiques opposées [1]...

Pour Léonard Pronko, Jarry a fondé le drame d'avant-garde avec une œuvre qui exprime sa double révolte contre la société et contre les formes établies du théâtre réaliste. *Ubu Roi* fait pressentir les pièces de Beckett et d'Ionesco par sa verve, « le grotesque de son exagération, la simplicité de personnification, la satire sociale mordante, la liberté des inventions linguistiques »

> La vision de l'absurde que Jarry revele à travers ses truculentes créations fait essentiellement partie de la manière de voir proposée par les écrivains majeurs du nouveau théâtre français d'aujourd'hui, et elle affecte aussi profondément la forme que le fond [2].

Il n'est pas évident, à nos yeux, qu'il s'agisse du même absurde chez les auteurs rapprochés, l'un pouvant être simple refus de logique, l'autre, de valeur philosophique, posant le problème de la condition humaine. Pronko nuance le parallèle en précisant que le langage de Jarry ne se met pas lui-même en cause en tant que moyen de communication, et que le père Ubu, caricature sociale et politique, suggère peu de choses sur la nature ontologique de l'homme, à la différence du théâtre qu'il étudie.

De son côté, Martin Esslin affirme que Jarry exerce une influence croissante sur le théâtre de l'absurde, car son œuvre, avec beaucoup d'autres, est une combinaison insolite de théâtre pur, de clowneries, de « nonsense » et de mythes. En fait, son analyse ne montre pas de façon précise les points communs entre *Ubu Roi* et le théâtre dont il se fait le théoricien. C'est que la pièce de Jarry lui paraît annoncer confusément certains thèmes significatifs de l'absurde, en particulier la peinture pessimiste de l'humanité :

---

1. Avant les représentations du TNP en 1958, qui accueillirent 48 500 spectateurs, *Ubu Roi* fut monté cinq fois en France : à l'Œuvre les 9 et 10 décembre 1896, au Théâtre Antoine le 28 mars 1908 (mise en scène de Gémier) et le 27 février 1922 (mise en scène de Lugné-Poe), au café Montparnasse le 3 juillet 1934, puis au Vieux Colombier en 1945 par la Compagnie Guy Renard, souvent pour des représentations uniques. A quoi s'ajoutent les spectacles de marionnettes donnés par Jarry lui-même.
2. Léonard C. Pronko : *Théâtre d'avant-garde*, Denoël, 1963, p. 17.

Ubu est la caricature féroce d'un bourgeois égoïste et stupide vu par les yeux cruels d'un écolier, mais ce personnage rabelaisien, avec son avidité et sa lâcheté à la Falstaff, est plus qu'une simple satire sociale. C'est une image terrifiante de la nature animale de l'homme, de sa cruauté et de son manque de scrupule. Ubu se sacre roi de Pologne, tue et torture à tort et à travers et finit par être chassé du pays. C'est un monstre mesquin, vulgaire et incroyablement brutal qui, tel qu'il est, parut exagéré en 1896, mais qui, depuis 1940, a été bien dépassé par la réalité. Une fois de plus l'imagination d'un poète a donné du côté sombre de la nature humaine une image théâtrale qui s'avère prophétiquement vraie. [3]

Cette dernière remarque s'inspire d'une réflexion d'André Breton, qualifiant Ubu de « satire vengeresse des temps modernes ». On a fait de Jarry l'initiateur du théâtre surréaliste, et on y a été aidé par les prises de position du mouvement en sa faveur, particulièrement celle d'Artaud, Aron et Vitrac, qui fondèrent le Théâtre Alfred Jarry en 1926.

Sans être tout à fait convaincu qu'il existe une esthétique théâtrale de type essentiellement surréaliste, Michael Benedikt pose Jarry comme le créateur d'un genre dramatique sans antécédents littéraires, auquel, par la suite, travaillèrent les poètes qu'il range dans l'avant-garde, Dada ou le surréalisme. Selon lui, *Ubu Roi* tire sa force d'une redécouverte révolutionnaire des lois du théâtre en refusant le réalisme pour explorer toutes les possibilités du jeu dramatique, à partir du guignol ou du vieux théâtre anglais : « Avec l'arrivée d'Ubu au pouvoir, à travers l'usage généreux d'une bouffonnerie naïvement infantile, s'établit une atmosphère de songe — en aucun cas la sombre atmosphère des cauchemars — pleine d'un humour étrange, grossier, invraisemblable. C'est l'atmosphère mi-comique, mi-fantastique que le futur théâtre d'avant-garde recréera souvent, particulièrement après le début du mouvement surréaliste, qui suivit la première d'*Ubu Roi* d'un peu plus de deux décades [4] » Selon lui, la filiation entre le surréalisme et Jarry s'établirait,

3. Martin Esslin : *le Théâtre de l'absurde*, Buchet-Chastel, 1963, p. 336.
4. Michael Benedikt : préface à *Modern French Theatre*, New York, Dutton, 1964, p. XIV c'est nous qui traduisons.

au théâtre, par l'intermédiaire des *Mamelles de Tirésias*. Notons à nouveau, que le rapprochement intervient à partir d'impressions plutôt qu'en fonction d'une identité précise de formes, de thèmes ou de structures.

Nous avons, pour notre part, emprunté une voie semblable en plaçant Jarry à l'origine du théâtre dada-surréaliste. C'est moins une question d'atmosphère qui nous y inclinait qu'une technique de provocation employée par Jarry pour intégrer la réaction du public à son œuvre, comme le feront après lui Tzara, Vitrac ou Artaud. Si nous accordions une place privilégiée à l'agression, nous voulions montrer qu'elle était nécessaire pour faire prendre conscience d'une formule dramatique nouvelle, une troisième voie entre le théâtre naturaliste et le théâtre symboliste, consistant, au moyen d'une certaine abstraction, à faire sentir (et non seulement montrer) l'envers de la réalité, à faire jaillir les forces inconscientes et refoulées. Ne voulant pas l'intégrer de force aux cadres rigides d'un mouvement, nous affirmions :

> *Ubu Roi* reste une œuvre libre, qui brille de toute la liberté de l'enfance. Le mérite de Jarry est de n'avoir rien ajouté à la mythologie, d'avoir fait que la création collective de plusieurs générations de collégiens rennais nous parvienne avec toute la cruauté l'ingénuité, la splendide insolence, la puissance de subversion de l'enfance[5].

Mettre Jarry à l'origine du théâtre de l'absurde, du théâtre surréaliste ou de l'avant-garde, c'est toujours le limiter au théâtre, quand bien même cette troisième voie dont nous parlions serait celle qui approche le plus de « la vraie vie », celle qui abolit les barrières entre le théâtre et la vie. Des critiques, d'esprit philosophique, n'ont pas hésité à inverser point de vue et vocabulaire, en considérant Jarry comme le prophète des temps nouveaux (et non plus du théâtre nouveau). *Ubu Roi* exprime alors le tragique moderne, non point parce que la pièce peut aussi bien se jouer au tragique qu'au comique, comme le pensait Lugné-Poe à l'origine, mais parce qu'elle marque la rupture de toute une époque avec la tradition humaniste. Pour Jean-Marie Domenach :

---

5. Henri Béhar : *Etude sur le Théâtre dada et surréaliste*, Gallimard, 1967, p. 42.

Il ne fallait rien moins, en effet, que cette rupture imprévue avec la tradition humaniste, que cette profanation d'adolescent, pour que la conscience tragique retrouvât ce point de création mythologique à partir duquel notre univers, soudain décomposé, délivre cette vérité insupportable qui est de l'ordre du tragique [6].

L'ordre du tragique, c'est la prise de conscience du non-sens universel, la révélation non de la mort de Dieu, ce qui relèverait encore du comique, mais de la blessure ressentie par cette absence. Le théâtre refuse l'histoire, c'est-à-dire la représentation d'une réalité contingente, pour atteindre l'essentiel, qui est que l'homme n'est qu'une figure bouffonne jetée dans un univers aussi dépourvu de sens que lui. Ainsi s'élimine toute esthétique classique, fondée sur la raison, la cohérence psychologique, l'anthropocentrisme enfin.

Une option semblable avait été affirmée quelques années auparavant par Micheline Tison-Braun qui, de son côté, s'efforçait de montrer que l'attitude de Jarry et son œuvre exprimaient un commun mépris envers la société haïssable. En ce sens, *Ubu Roi* exprimerait « le symbole de l'humanité folle », tout ce qui était insupportable à Jarry. Plus, *Ubu* serait la matérialisation dramatique des « valeurs » de la société contemporaine après la mort de Dieu :

> Ubu est une force aveugle, insensible, un homme robot essentiellement moderne — symbole peut-être des forces impersonnelles qui mèneraient le monde après la négation de la Providence, de la métaphysique, de la morale, de l'intelligence, de la sympathie. Et c'est sur cette vision de l'inhumain dans l'homme et de l'absurde social que se clôt le grand siècle de l'humanitarisme qui avait conçu, au terme de l'évolution, le saint, le génie, le héros, le surhomme [7].

On le voit, à partir de ces jugements — où nous n'avons pas voulu faire état des options de mise en scène, problème plus spécifique — *Ubu* est bien plus qu'une devinette littéraire. Cette œuvre fantasque et dérisoire pose en quelques traits

---

6. Jean-Marie Domenach : *le Retour du tragique*, Paris, Le Seuil, 1967, p. 260.
7. Micheline Tison-Braun : *la Crise de l'humanisme*, Nizet, 1958, tome I, p. 90.

grossiers le mystère de la condition humaine. C'est peut-être même le seul mythe qui rende compte, d'une manière assez simple, du cycle naturel de l'absorption, de la digestion, de l'évacuation après quoi tout recommence, la vie et la mort !

Le plus curieux est que ces opinions, aussi opposées qu'elles paraissent, sont vraies simultanément. Nous voudrions seulement faire remarquer qu'elles érigent *Ubu* en borne milliaire, mais que l'œuvre de Jarry, souvent mentionnée, n'est jamais traitée en elle-même. *Ubu Roi* devient une sorte de mythe fondateur de la pensée moderne, sans qu'on ait pour autant analysé sa matière de près.

D'autre part, on fait de Jarry, involontairement, l'auteur d'une pièce unique (sachant qu'elle n'est pas entièrement sienne). Or, sans parler de ses poésies et de son œuvre en prose, celui-ci est l'auteur de plusieurs pièces et de quelques essais sur le théâtre qui attestent sa qualité de dramaturge. C'est pourquoi, avant de songer à l'inclure dans un système, nous voulons analyser son œuvre dramatique, sans la séparer de sa réalisation scénique, et donc de son contexte social. Sans mépriser non plus l'œuvre « mirlitonesque » qui d'apparence plus modeste, a en réalité retenu son attention jusqu'à ses derniers jours. On verra, comme l'affirmait déjà Jarry, qu'il n'y a pas d'œuvre mineure. Bien entendu, ces textes dramatiques entretiennent des rapports évidents avec toute l'œuvre jarryque, mais nous nous en tiendrons à eux seuls pour ne pas mêler des problèmes relatifs à des genres différents. Ce qui ne signifie pas que nous refuserons d'envisager leur principe créateur commun qui, mieux qu'une métaphysique, est chez Jarry la pataphysique.

12

Le tome I des *Œuvres complètes* d'Alfred Jarry (textes établis, présentés et annotés par Michel Arrivé) est paru aux éditions Gallimard, Bibliothèque de la Pléiade, lorsque cette étude s'achevait. Pour la commodité du lecteur, nous nous sommes généralement référé à cette édition *(Pl)*.

Toutefois, compte tenu de l'exceptionnelle qualité du Livre de Poche ordonné par Maurice Saillet en 1962 sous le titre *Tout Ubu*, nous maintiendrons nos renvois à cette édition *(T.U.)*.

Dans la même collection, l'édition de *La Chandelle Verte*, établie et présentée par Maurice Saillet en 1969, n'a pas été remplacée. On s'y reportera donc sous le sigle *(Ch. V.)*.

Malgré ses défauts, l'édition des *Œuvres complètes* d'Alfred Jarry présentée en huit volumes par René Massat en 1948, rassemble un certain nombre de textes qui n'ont pas été repris ailleurs sous une forme pratique. Nous la signalerons, le cas échéant, par la référence *(O.C.)* suivie du tome en chiffres romains.

Le fond de tout, c'est qu'il n'y a pas de grandes personnes.

André Malraux

Jarry et le théâtre de son temps

Le nécessaire reclassement des valeurs auquel nous procédons de nos jours, qui tend à détacher Jarry de ses contemporains pour mettre l'accent sur ses qualités de précurseur, ne doit pas nous empêcher de le situer dans le courant artistique auquel il appartenait et qui, somme toute, sut d'emblée le reconnaître. Jarry, en excellent canotier qu'il était, sut profiter des moindres courants, mais aussi il eut la faculté, peu commune, d'aller plus loin que les autres, de sauter des barrages réputés infranchissables.

Le courant symboliste dans son époque

Sans vouloir établir un lien de causalité absolue entre la situation de la société à un moment donné et sa littérature, nous pensons néanmoins que certains rapports — d'approbation ou d'opposition — s'instaurent et nous obligent à replacer un auteur dans son époque, ne serait-ce que pour mieux en cerner l'originalité. Jarry pénètre dans les milieux littéraires parisiens en avril 1893, par la publication de « Guignol » dans l'Echo de Paris. S'il meurt en 1907, on peut considérer que dès 1904, il a pratiquement cessé d'inventer. Que se passe-t-il d'important pendant cette décennie ?

On sait que la fin du XIXᵉ siècle est marquée par un prodigieux essor économique, s'appuyant sur le développement du machinisme et de la technologie. La production s'accroît, entraînant de tragiques migrations populaires, une concentration urbaine génératrice de tensions et de luttes.

Le capitalisme concentre ses moyens pour mieux asseoir son triomphe. Parallèlement, les grandes puissances à la recherche de nouveaux débouchés et de matières premières étendent leur domination sur l'Afrique et une partie de l'Asie. La technique vient au service de cette volonté expansionniste. On invente de nouvelles matières synthétiques (bakélite, galalithe); l'électricité se répand comme source d'énergie et de lumière. L'homme part à la conquête du temps et de l'espace. Grâce au microscope, l'infiniment petit cesse d'être inconnu et dangereux. Les moyens de communication créent une nouvelle conception de l'univers, ou plus exactement changent les rapports de l'individu avec le monde. A une conception relativement statique de l'existence, le chemin de fer, la voiture à essence (Daimler-Benz, 1885), l'avion (Ader, 1897) vont substituer le sens de la vitesse et du mouvement. C'est le cinéma qui rendra le mieux compte du choc mental en rapprochant dans le même instant deux réalités totalement différentes : celle du spectateur assis dans son fauteuil et la sortie des ouvriers aux usines Lumière (1895). A la même époque, le téléphone et la radio vont dissocier l'individu de sa voix, le son apparaissant désincarné. La science met la connaissance sensible en question.

Planck développe sa théorie des quanta (1900), Einstein celle de la relativité restreinte (1905) et généralisée (1912-1917). Becquerel découvre la radio-activité (1895-1898). La géométrie euclidienne ne suffit plus à rendre compte de l'espace. Hartmann *(la Philosophie de l'inconscient,* 1877*)* révèle quelques-uns des mystères qui sont à l'origine de nos passions, tandis que Charcot, étudiant l'hystérie, ouvrira la voie aux découvertes d'un Freud, pour le plus grand scandale des bien-pensants.

En philosophie domine un renouveau du subjectivisme. Le pessimisme de Schopenhauer déterminera toute la génération symboliste qui, prenant le contrepied de l'idéologie positiviste, déclarera « le monde est ma représentation ». Jarry nous informe que, dès 1889, M. Bourdon expliquait

Nietzsche à ses élèves du lycée de Rennes, quoiqu'il ne fût pas encore traduit en français[1]. Avec Nietzsche et Kierkegaard on exaltera la personnalité individuelle pour, à la suite de Bergson (dont Jarry suivit les cours à Henri IV), primer le sentiment, l'intuition et l'élan vital.

En France, la République proclamée à contrecœur a bien du mal à se consolider. La bourgeoisie s'installe dans ce qu'elle appellera la « Belle Epoque » pour faire oublier les luttes du prolétariat qu'elle ne peut réduire tout à fait (fusillade de Fourmies, 1891). Ecrasée par la ridicule fuite du général Boulanger (1889), l'idée de revanche n'est pas morte, pas plus que le parlementarisme véreux à la suite du scandale financier du Panama (1892). La vague héroïque et sanglante des attentats anarchistes crée une psychose épouvantable (Ravachol, Vaillant, assassinat du Président Carnot à Lyon en juin 1894), tandis que les intellectuels symbolistes sont saisis d'engouement pour cette philosophie libertaire, plaçant l'humanité au-dessus de l'Etat. Remy de Gourmont n'hésite pas à déclarer, dans le Joujou patriotisme : « le désir de renouer la chaîne départementale des deux anneaux rouillés qu'un heurt un peu violent en a détachés ne nous hante pas jour et nuit. Personnellement, je ne donnerais pas, en échange de ces terres oubliées, ni le petit doigt de ma main droite : il me sert à soutenir ma main, quand j'écris ; ni le petit doigt de ma main gauche : il me sert à secouer la cendre de ma cigarette ». L'antimilitarisme caractérise les milieux d'avant-garde. Mais bientôt la France sera divisée par une bien plus grande crise. Zola publie son pamphlet J'accuse en 1898 pour défendre le capitaine Dreyfus injustement condamné en 1894. Dès lors, comme sous l'effet d'une immense lame de fond, allaient se faire jour le racisme, l'antisémitisme, le patriotisme revanchard. Jarry ne manquera pas d'en faire état, d'ubuesque manière, dans son Almanach pour 1899.

Dans le domaine artistique, le bouillonnement est à la mesure des événements. Face à l'académisme et au goût officiel, les écoles, groupes, manifestes et proclamations se mul-

1. Alfred Jarry : Albert Samain, p. 6.

tiplient. Plutôt que de les tous mentionner, nous voudrions en dégager les constantes en insistant, bien entendu, sur les traits généraux qui ont pu marquer Jarry. Ce qui frappe, c'est tout d'abord l'interpénétration des arts. A l'exemple de Wagner, dont l'influence en France ne cesse de grandir depuis Baudelaire, on rêve d'un art total, empruntant ses moyens à la musique, à la littérature, à la peinture et à la mise en scène. Faute de parvenir à la perfection du maître de Bayreuth, on entretient du moins des rapports très intimes entre créateurs. Debussy, bien que son œuvre soit irréductible à une école, réalise sur le plan musical une transposition de l'impressionnisme *(Prélude à l'après-midi d'un faune,* 1892) et du symbolisme *(Pelléas et Mélisande,* 1902, livret de Maeterlinck).

La peinture, en affirmant sa volonté de se développer de manière autonome (« Se rappeler qu'un tableau [...] avant d'être un cheval de bataille, une femme nue, ou une quelconque anecdote [...] est essentiellement une surface plane recouverte de couleurs en un certain ordre assemblées », Maurice Denis, 1890), va, au-delà des diverses tendances, refuser la simple imitation au profit de l'imagination. Au lieu de porter sur l'objet à peindre, l'accent se déplace sur la peinture elle-même; la lumière est analysée dans ses multiples chatoiements, révélant ainsi qu'elle n'est pas un attribut en soi de l'objet, mais qu'elle est fonction du regard qu'on lui porte. En d'autres termes, de nouveaux rapports s'établissent entre l'homme et l'objet : nous en verrons la conséquence à propos des marionnettes. Bien qu'il ne soit pas encore reconnu par le grand public, l'Impressionnisme est dépassé, en cette fin de siècle, par trois artistes qui donneront naissance aux révolutions esthétiques de notre temps : Cézanne recompose le paysage à partir d'un projet intellectuel; Gauguin, réagissant contre le sensualisme et l'intellectualisme de ses prédécesseurs, s'oriente vers une vision primitive du monde, qu'il traduit par de larges aplats, sans se préoccuper de style ni de modulation; enfin Van Gogh réalise une œuvre fulgurante faite d'instinct et de lyrisme. Avant même la dernière exposition des Impressionnistes (1886), Seurat et Signac, s'appuyant sur une théorie physique de la lumière, allient la science et la poésie. Mais, plus que ces contemporains exacts du symbolisme, Odilon Redon et Gustave Moreau ont incarné l'esprit de ce groupe en peinture. Le premier s'est tourné vers les espaces intérieurs, les songes et l'imaginaire, décrivant ses angoisses et ses terreurs. Le second, plus « littéraire », exprime, dans ses compositions symboliques, un étrange mystère qui dépasse l'apparence des lourdes étoffes et des pierreries dont se parent ses modèles.

Le groupe avec lequel Jarry a le plus d'affinités spirituelles est certainement celui des Nabis (prophètes). Sérusier « opéré de la cataracte » par Gauguin, comme il se plaît à dire, a soudain la révélation d'un art épuré, refusant les complications techniques et intellectuelles, annonciateur de ce qu'on appellera l'art naïf. Il initie ses compagnons Renoir, Bonnard, Denis, Vuillard, K.X. Roussel à cette conception de la peinture, souhaitant former avec eux une communauté fraternelle. Protégés par Thadée Natanson qui en octobre 1891 vient, avec son frère, de prendre la direction de *la Revue Blanche*, ils feront souvent les affiches et les décors de « l'Œuvre » que Lugné-Poe fondait avec Vuillard et Camille Mauclair en 1893.

Des Nabis aux Fauves (baptisés ainsi en 1906), la transition est aisée, par l'ivresse de la couleur jaillie du tube à l'état pur. Proche parent de l'Expressionnisme allemand, le Fauvisme marque le point extrême d'une libération de la matière picturale. Si les Nabis ont accepté de peindre la réalité contemporaine, leur manière dénonçait cette réalité, de même que les architectes et les décorateurs créateurs du Modern'Style allaient se livrer aux grâces de l'ornementation, au plaisir des vrilles et des volutes, pour réagir contre une société esclave du profit, de la machine et de la raison. La plupart d'entre eux, dans toute l'Europe, concevaient leur art à partir de positions socialistes. C'est ce que démontre amplement la littérature du temps plus que jamais sensible aux mouvances internationales de l'esprit, à un moment où les nations renforcent leurs barrières protectionnistes. Il ne faudrait pas se laisser aller à la simplification manichéenne qui consiste à représenter l'évolution des idées au rythme d'un balancier marquant alternativement l'heure du réalisme puis celle de l'idéalisme. Les choses sont beaucoup moins claires dans le détail. Naturalisme et symbolisme, qui coexistent plus qu'ils ne se succèdent, ne sont pas opposés mais complémentaires. Au non-engagement politique des uns, répond l'anarchisme et l'antipatrouillotisme des autres. Mais ce ne sont pas ceux qu'on croit communément. N'est-ce pas Breton qui trouve les Naturalistes plus poètes que les Symbolistes, alors que les premiers se sont presque exclusivement adonnés au roman et les seconds à la poésie ?

Quand, en 1891, Paul Alexis répond au journaliste « Naturalisme pas mort, lettre suit », il n'a certes pas tort : Zola et ses amis vont poursuivre leurs œuvres, et leur conception de la littérature va informer bien des romans nouveaux, de Léon Bloy à Paul Bourget et Maurice Barrès. Mais en fait le Naturalisme, dès qu'il a atteint une notoriété publique, cesse de chercher de nouvelles formes, de nouvelles théories, devient une institution ou un ensemble de recettes pour écrivains en mal d'invention. Dès 1882, Octave Mirbeau tonnait déjà contre les « ouvriers naturalistes qui travaillent en chambre, comme les ouvriers tisseurs de Roubaix ou de Saint-Etienne. Les écrivains fabriquent des romans comme on fabrique des étoffes ». C'est contre ces gens que les symbolistes dirigent leur pointe et non contre les maîtres du mouvement. Ils en ont assez du document, de la simple observation des bas-fonds de la vie contemporaine, de la vision réaliste et objectale d'une société qu'ils récusent en bloc. Avec *A Rebours* d'Huysmans (1884), le Naturalisme se retourne contre lui-même. Peu après, le Manifeste des Cinq contre *La Terre* de Zola marque l'heure de la scission et de la dispersion. C'est le moment où, sous la férule de Moréas qui en appelle aux anciens (Mallarmé, Verlaine, Baudelaire, auxquels il faudrait ajouter Rimbaud), le Symbolisme prend naissance, non sans équivoque. Il faudrait parler de groupes, au pluriel, plutôt que d'école. Unis dans une volonté commune de rompre avec le monde extérieur, d'apporter ce supplément d'âme dont se targue notre nouvelle société, ils veulent sonder l'essence secrète de l'univers, introduire les fantasmes du rêve, de l'hallucination, du souvenir. Evoquer, suggérer et non décrire. Mais les uns prolongent la mélancolie décadente de la fin du siècle, les autres se parent des sortilèges du verbe en utilisant le vers libre ou la prose. Les derniers enfin se rattachent davantage au Parnasse en exigeant une rigueur classique. Dès 1891 Moréas donne lui-même le signal de l'éparpillement en opposant l'Ecole Romane au Symbolisme. Mais celui-ci débordera, de façon diffuse et latente, sur le XXe siècle, chez Claudel, Gide et même Valéry. Si le mouvement présente une certaine unité sous forme d'une révolte spiritualiste au nom de l'art et de la sensibilité individuelle, il y a en fait autant de tendances que de salons ou de revues à Paris. Jarry fréquente les mardis du *Mercure de France* fondé en 1889 par Vallette. Il collabore à *la Revue Blanche* et à *la Plume*, dirigeant *l'Ymagier* (avec R. de Gourmont) pendant cinq numéros, *Perhinderion* n'en ayant que deux. Avec le groupe du *Mercure* il partage un certain goût pour l'anarchisme, privilégiant l'individu contre la société, et surtout un anticonformisme absolu. Une certaine tradition ésotérique, fort appréciée dans ce milieu, n'a pour lui aucun secret. Ses *Minutes de Sable mémorial* (1894) esquissent en leur « linteau » une esthétique nouvelle : « Suggérer au lieu de dire, faire dans la route des phrases un carrefour de tous les mots », rechercher « la diversité des sens attribuables », exiger « la simplicité condensée, diamant du charbon, œuvre unique faite de toutes les œuvres possibles » en précisant que, comme la pataphysique, « la simplicité n'a pas besoin d'être simple, mais du complexe resserré et synthétisé ». Bien entendu, l'ensemble de son œuvre ne saurait se réduire à une seule étiquette. Cependant, les 27 livres pairs du Docteur Faustroll marquent la place que détiennent les précurseurs et les représentants du symbolisme dans la pensée jarryque : après ses intercesseurs personnels (Cyrano de Bergerac, saint Luc, Florian, *les Mille et une nuits,* Rabelais, Jules Verne), viennent Baudelaire, Lautréamont, Rimbaud, Verlaine, Marceline Desbordes-Valmore, Mallarmé, et tous les compagnons spirituels : Léon Bloy pour *le Mendiant ingrat,* Darien, Max Elskamp, Gustave Kahn, Maeterlinck, le Sâr Peladan, Henri de Régnier, Verhaerren, et Marcel Schwob à qui sera dédié *Ubu Roi.*

Le Symbolisme au théâtre

Encore une fois, il ne faut pas faire d'erreur de perspective. Alors que les manuels de littérature, s'inspirant des travaux qui ont renouvelé notre connaissance du théâtre de l'époque (Dorothy Knowles : *la Réaction idéaliste au théâtre depuis 1890*, 1934 ; Francis Pruner : *les Luttes d'Antoine au Théâtre Libre*, 1964 ; Jacques Robichez : *le Symbolisme au théâtre ; Lugné-Poe et les débuts de l'Œuvre*, 1957 ; Denis Bablet : *Esthétique générale du décor de théâtre de 1870 à 1914*, 1965), présentent la scène parisienne sous le signe du Naturalisme ou du Symbolisme, c'est en fait le théâtre d'amour de Maurice Donnay et d'Alfred Capus, le vaudeville de Labiche, le théâtre d'idées de Paul Hervieu, de Brieux ou François de Curel qui assurent les grandes soirées du théâtre. Mais, la révolution dramatique vient avec Antoine, fondant le Théâtre Libre en 1887, où il transpose pour la scène les théories naturalistes de Zola, s'efforçant de donner au spectateur « la représentation matérielle la plus exacte possible de l'existence de tous les jours ». Avec Antoine, le metteur en scène, qui n'est pas un nouveau venu dans la création dramatique, prend conscience de son rôle et se fixe la tâche de choisir les modes d'expression et les techniques les plus appropriées au texte qu'il veut défendre. Avec lui aussi le théâtre réagit contre le mensonge envahissant la scène, le jeu des acteurs cherchant l'effet, les décors fallacieux. Le souci qu'il eut de fonder le théâtre sur la vérité des moyens de représentation d'une réalité apparente fut un apport incontestable, même s'il contribuait à créer de nouvelles confusions entre l'art et la vie. Ces équivoques furent d'ailleurs davantage le fait de ses épigones, car Antoine refusa, au Théâtre Libre, de se laisser enfermer dans l'esthétique naturaliste ; c'est lui qui représenta un drame en vers d'Emile Bergerat, qui commanda *le Baiser* à Banville, fit jouer *l'Evasion* de Villiers, *la Puissance des Ténèbres* de Tolstoï, *les Revenants* d'Ibsen. Enfin, n'oublions pas que Lugné-Poe fut son régisseur avant de se lancer dans l'aventure de l'Œuvre.

Ce n'est pas un hasard si le Naturalisme triompha à la

scène au moment même où il était contesté sur le plan littéraire : il y a un décalage normal entre deux modes d'expression dont les moyens sont d'ordre différent. Mais il ne faut pas s'étonner non plus que l'esthétique du Théâtre Libre ait été vite mise en cause par les fervents de l'idéalisme dont le symbolisme est l'expression artistique. Dès 1878, Banville assignait au théâtre la fonction de communion entre le comédien et le spectateur, faisant appel à l'imagination créatrice du public. Mallarmé rêvait d'un « spectacle futur », allusion à l'ensemble de l'univers, rejoignant le livre parfait, identifiant le livre et la pièce. « *Théâtre,* en tant que *Mystère* par une opération appelée *Poésie,* cela à la faveur du *Livre.* » Chez lui s'exprime une nouvelle ambiguïté du théâtre : il doit évoquer, suggérer, avec les moyens propres à la représentation. Pourquoi ne pas lui préférer ce spectacle idéal qu'est le théâtre dans un fauteuil, le livre ? Parce que le livre ne suscite pas cette atmosphère de communion dont rêve un dramaturge véritable. « Pièce-Office » notait Mallarmé dans ses fragments manuscrits pour *le Livre.* C'est précisément le Théâtre Libre d'Antoine qui donnera aux symbolistes l'idée exacte du théâtre qu'ils rêvaient. G.A. Aurier, jeune critique au *Mercure de France,* déclare à propos du *Canard Sauvage* d'Ibsen (1891) que ce drame inspirera

les jeunes dramaturges qui ont conscience de la nécessité d'une rénovation théâtrale. Il leur éclairera la voie de l'art synthétiste et idéaliste; il leur apprendra que l'observation réaliste n'a de valeur que comme auxiliaire de l'idée à exprimer. Et qu'aujourd'hui, ainsi que toujours, faire œuvre d'art ce n'est pas pasticher la vie, mais créer des mythes viables.

On ne saurait mieux critiquer les lacunes du Naturalisme et dégager de nouvelles perspectives. Si le Naturalisme lasse, en effet, ce n'est pas tant par ses clichés abusifs, la « tranche de vie », la viande de boucherie et le foin sur la scène, c'est parce qu'il ne donne sur rien. Maeterlinck n'hésitera pas à chasser l'acteur de la scène :

La représentation d'un chef-d'œuvre à l'aide d'éléments accidentels et humains est antinomique. Tout chef-

23

d'œuvre est un symbole et le symbole ne supporte jamais la présence de l'homme... L'absence de l'homme me paraît indispensable.

Un an après, Pierre Quillard déclare décorateurs et metteurs en scène superflus :

> La parole crée le décor comme le reste [...] le décor doit être une simple fiction ornementale qui complète l'illusion par des analogies de couleurs et de lignes avec le drame. Le plus souvent il suffira d'un fond et de quelques draperies mobiles [...] le spectateur [...] s'abandonnera tout entier à la volonté du poète et verra selon son âme des figures terribles et charmantes et des pays de mensonge où nul autre que lui ne pénétrera : le théâtre sera ce qu'il doit être, un prétexte au rêve. *(De l'inutilité absolue de la mise en scène exacte*, 1891).

Jarry n'aura pas grand chemin à parcourir pour dénoncer l'inutilité du théâtre au théâtre ! Mais il faut faire la part des choses : ces prises de position théoriques, qui en bonne logique devraient aboutir au refus de toute représentation dramatique, visent en fait à dégager la scène de tout un fatras encombrant pour l'esprit, limitant les tendances de chaque spectateur à l'évasion et au mystère. Si l'on condamne un certain luxe de détails scéniques, si on refuse le réalisme académique et l'imitation d'une plate réalité, on ne renonce pas pour autant à toute mise en scène dès lors qu'elle permet, par des moyens discrets, d'exercer l'imagination, de susciter l'illusion. D'ailleurs Paul Fort et Lugné-Poe feront appel à des peintres pour réaliser leurs décors, et ils ne refuseront pas d'utiliser l'éclairage électrique qui permet de jouer sur les ombres et apporte, en quelque sorte, une nouvelle dimension sur le plateau. Les Symbolistes doivent compter avec ces deux animateurs pour voir enfin leur théâtre atteindre un public. Paul Fort n'a que dix-sept ans quand il fonde en novembre 1890 le Théâtre d'Art, en réaction contre le naturalisme et pour « révéler toutes les pièces injouées ou injouables et toutes les grandes épopées... ». Ses programmes comporteront côte à côte des pièces et des poèmes comme *le Cantique des Cantiques* qui associera

le verbe, la musique, la couleur et le parfum. Il jouera Maeterlinck, Quillard, Laforgue, Verlaine, Remy de Gourmont, Rimbaud. De Rachilde il donne *Madame la Mort*, œuvre pleinement symbolique, dont voici, pour fixer les idées, le résumé
qui en est fourni par Dorothy Knowles :

> Paul Dartigny, âme très sensible, ayant tout essayé dans
> la vie, et dégoûté de tout, aspire à l'anéantissement
> complet de son être. Cependant quelque chose en lui
> se révolte contre cette solution, cherchant un au-delà
> païen où règne la tranquillité et où la Mort, maîtresse
> absolue, sera son amante bien-aimée. Le premier acte
> montre l'immense contraste entre le pessimisme désil-
> lusionné de Dartigny et l'optimisme joyeux du bourgeois
> Jacques Durand. Durand et Lucile, la maîtresse de Dar-
> tigny, pour servir leurs intérêts, essayent de le détourner
> de ses idées de suicide mais l'abandonnent lorsque cet
> intérêt n'existe plus. Après leur départ, celui-ci prend,
> dans la solitude de son fumoir, un cigare empoisonné
> et se met tranquillement à fumer pour la dernière fois. Le
> décor du deuxième acte représente un jardin, mais le
> véritable milieu est le cerveau du héros. Là s'objectivent
> les deux idées qui l'obsèdent depuis longtemps, les
> « moi » différents qui forment son être. Là, la vie, sous
> l'« apparence » de Lucile, dispute avec la mort, une
> femme voilée, la possession de la victime. La vie, par la
> bouche de Lucile, lui reproche de la quitter volontaire-
> ment, pour le retenir, essaie le pouvoir de tous ses
> charmes, évoquant leurs moments de bonheur. La
> femme voilée, c'est l'attendue mais aussi l'inconnue,
> car interrogée sur son être, elle répond « je ne sais pas ».
> Ces hallucinations produites par le nérium oleander
> reproduisent symboliquement, en l'esprit de l'agonisant,
> le drame dépouillé de ses contingences et réduit aux
> abstractions de la vie et de la mort se disputant le sui-
> cidé. [...]. Ne pouvant, ou ne voulant accepter le maté-
> rialisme comme solution, cette humanité préfère payer
> ses déceptions d'un mysticisme certain. [...] Le troi-
> sième acte cependant nous ramène à la vie réelle, avec
> le décor habituel qui accompagne la mort : lamentations
> hypocrites, espoir de tirer des bénéfices de l'événement,
> enfin toutes les vulgarités de la situation. Lucile n'est
> plus une « apparence » mais elle-même; comme Durand,

elle symbolise le sens commun et pratique. Ensemble ils prouvent combien le « sens commun » est souvent cruel, inconsciemment peut-être, pour les rêveurs.

Ceci donne un aspect des drames cérébraux et morbides où se complaisent les auteurs du Théâtre d'Art. Avec la volonté d'opposer le plan idéal au monde réel, ils en viennent souvent à traiter de la mort, singulièrement présente sur leur scène, de la chute et de la rédemption du pécheur. Toutefois la déliquescence maladive est compensée par des rêves intenses et servie par une mise en scène suggestive, où le décor, évocateur et non descriptif, incite le spectateur à prolonger le symbole. Par exemple *la Fille aux mains coupées* de Quillard, dans un décor synthétique de Sérusier, un simple fond d'or parsemé d'anges, est jouée derrière un voile de gaze, qui estompe les personnages aux attitudes hiératiques. Le théâtre, qui se veut de portée universelle, refuse en effet de s'incarner en un temps et un lieu précis. D'où l'accord parfait réalisé entre les peintres Nabis et les œuvres qu'ils harmonisent par un ensemble d'équivalences visuelles, l'idéal étant de parvenir à des correspondances entre les idées, les couleurs et les sons.

La simplification du décor sera la leçon que Lugné-Poe retiendra du Théâtre d'Art en reprenant le flambeau à l'Œuvre où, pour l'ouverture, il crée *Pelléas et Mélisande* (17 mai 1893), pièce réputée injouable parce que tout y est indécis et fugitif, subordonné au sentiment abstrait de la fatalité, situé dans une époque très vague, ne se prêtant guère aux reconstitutions historiques à clinquant. A son propos, Maeterlinck déclarait :

> Il me semble que la pièce de théâtre doit être avant tout un *poème;* mais comme des circonstances fâcheuses en somme le rattachent plus étroitement que tout autre poème à ce que des conventions reçues pour simplifier un peu la vie nous font accepter comme des réalités, il faut bien que le poète *ruse* par moments, pour nous donner l'illusion que ces conventions ont été respectées et rappelle, çà et là, par quelque signe connu, l'existence de cette vie ordinaire et nécessaire, *la seule que nous ayons l'habitude de voir.*

La mise en scène que le poète accepta malgré ses préventions contre le théâtre visait, par la simplicité des décors, l'harmonie des costumes, la lumière venant de la herse, à rendre l'atmosphère voilée de mystère.

En fondant le Théâtre de l'Œuvre, Lugné-Poe entendait « faire au théâtre, de quelque façon que ce soit, œuvre d'art ou, tout au moins, de remuer des idées». Pour lui, en reprenant les termes d'un des co-fondateurs, Camille Mauclair, « le décor seconde la parole comme la musique soutient le vers lyrique », alors que, nous l'avons vu, Quillard considérait que la parole devait se suffire à elle-même. Hormis cette différence, Lugné-Poe reprend à son compte tous les principes du Théâtre d'Art, ainsi que ses auteurs. Mais il ne commet pas l'erreur de Paul Fort qui mêlait dans un même programme théâtre et poésie. Pour lui, il distingue précisément théâtre et spectacle poétique. Son mérite absolu sera aussi d'avoir fait connaître le répertoire étranger, Ibsen, Strindberg, Hauptmann. Mais dès 1897, son expérience courageuse, hors des sentiers battus, paraît dépassée aux yeux de ceux qui délaissent les excès de l'idéalisme pour se tourner vers la vie. De sorte que sa rupture avec les Symbolistes, considérée par eux comme une trahison, entérine l'épuisement d'une certaine veine dramatique. De fait, les auteurs du *Mercure* n'avaient plus d'œuvre nouvelle à lui proposer. S'il jouait des pièces proches du boulevard ou du vaudeville, c'était sans doute pour équilibrer son budget, mais aussi pour couvrir une saison, et enfin pour ne pas se laisser enfermer dans une formule exclusive. La représentation d'*Ubu Roi* allait, en prolongeant le symbolisme d'une certaine manière, lui porter un coup définitif et faire éclater ses frontières.

Conceptions dramatiques de Jarry

La plupart des textes où Jarry exprime ses idées en matière de théâtre, à l'exception des comptes rendus critiques publiés dans *l'Art littéraire* en 1894 et dans *la Revue Blanche* de 1901 à 1903, ainsi que des chroniques, sous la rubrique « gestes », parues dans le même temps, ont été écrits à propos d'*Ubu Roi* en 1896-1897. Ils éclairent donc la représentation de l'œuvre de même qu'ils ouvrent des perspectives nouvelles. Le théâtre se moque du théâtre mais nécessite cependant une représentation. C'est là le premier paradoxe des positions de Jarry, fort justement souligné par Jacques Robichez[2], qui s'explique dans la perspective symboliste que nous venons d'analyser. Il s'agit en fait de rethéâtraliser le théâtre en refusant de l'assimiler à un événement quotidien, pur reflet d'une réalité apparente. Mais Jarry va plus loin, il ne veut pas, dans la réalisation d'*Ubu Roi*, qu'on se figure assister à un rituel artistique. Il ne veut pas choisir entre l'art et la vie; pour lui, ces deux concepts n'en font qu'un, et le théâtre est justement leur lieu d'intersection. Le théâtre, c'est la vie, mais à condition de le débarrasser, au préalable, de toutes ses conventions.

Si Jarry méprise le public et le théâtre (c'est du moins ce qui apparaît à la lecture de son article du *Mercure de France*[3] mais nous expliquerons ce dédain), il ne les supprime pas totalement de ses préoccupations. Il a bien conscience qu'une pièce n'existe qu'à partir du moment où il y a *création*, c'est-à-dire collaboration entre l'auteur et les spectateurs par l'intermédiaire de la scène. Ceci paraît d'autant plus évident qu'il a consacré toute son énergie à faire jouer *Ubu*. Cette œuvre n'acquiert sa portée mythique que par la représentation; le trait de génie est d'avoir transporté une légende potachique sur la scène, non plus seulement dans le castelet du guignol, mais en sachant tous les bouleversements que cela amènerait sur le plan théâtral, conduisant à une *révolution dramatique* dont les effets durent encore.

Tout d'abord, Jarry justifie l'auteur dramatique en lui assignant une tâche précise : « ne doit écrire pour le théâtre que l'auteur qui pense d'abord dans la forme dramatique[4] ». Il faut être mû par une volonté de création telle qu'on se sente obligé de rivaliser avec la vie, non à la manière de Balzac, mais plus encore, par la synthèse, en donnant l'existence

2. Cf. Jacques Robichez : « Jarry ou la nouveauté absolue », in *Théâtre populaire*, nº 20, 1er septembre 1956, p. 88-94.

3. Alfred Jarry : « De l'inutilité du théâtre au théâtre », *Mercure de France*, sept. 1896, repris dans *Tout Ubu*, p. 139-145.

4. Alfred Jarry : « Douze arguments sur le Théâtre », publication posthume, dans *Tout Ubu*, p. 148.

à un personnage tel qu'il s'impose à la conscience des spectateurs, qu'il soit une présence inoubliable :

> Il est admis par tous qu'Hamlet, par exemple, est plus vivant qu'un homme qui passe, car il est plus compliqué avec plus de synthèse, et même seul vivant, car il est une abstraction qui marche (*T. U.*, p. 149).

Sous la formulation paradoxale perce une grande vérité : le personnage dramatique est en effet plus vivant que l'homme de la rue, car il demeure à travers les siècles et peut s'incarner quotidiennement en n'importe quel comédien. Jarry a dû se sentir justifié de ses efforts lorsqu'il reçut cette appréciation de Mallarmé :

> Vous avez mis debout, avec une glaise rare et durable au doigt, un personnage prodigieux et les siens, cela en sobre et sûr sculpteur dramatique. Il entre dans le répertoire de haut goût et me hante...[5].

On voit, dès lors, la véritable ambition de l'auteur dramatique : il rivalise avec le créateur et le surpasse même en infusant la vie à des êtres impérissables. Cela exige, comme pour le Kabbaliste qui, dit-on, anima le Golem à Prague, une grande force de caractère, une connaissance de tous les pouvoirs humains et une pureté irréprochable. On comprend aussi qu'un auteur ne puisse jamais créer qu'un seul type nouveau dans son existence, compte tenu de l'effort nécessaire. Toutefois, l'auteur qui manquerait de la virilité nécessaire à toute mise au monde de ce genre, à toute synthèse, peut toujours se contenter du livre :

> Je pense qu'il n'y a aucune espèce de raison d'écrire une œuvre sous forme dramatique, à moins que l'on ait eu la vision d'un personnage qu'il soit plus commode de lâcher sur une scène que d'analyser dans un livre[6].

---

5. Lettre de Mallarmé à Jarry, citée par Jacques Robichez, in *le Symbolisme au théâtre*, p. 359-360.

6. Alfred Jarry : « Questions de théâtre », *la Revue Blanche*, 1er janvier 1897, in *Tout Ubu*, p. 153.

En présence d'une telle nécessité, les règles de la dramaturgie classique n'ont plus de raison d'être, les trois unités sont fondues et dépassées par la présentation du « personnage un » qui monopolise toute l'attention et justifie les déplacements dans le temps et dans l'espace et rend caduque, par ses seules actions, l'unité de ton. Mais tout doit graviter autour de lui, il est le centre de l'univers conçu par le dramaturge. Univers lui-même avec Ubu, sphère dont le centre est partout, la circonférence nulle part ! Suprématie du héros, au sens mythique du terme puisque né d'une déesse (l'imagination créatrice) et d'un être terrestre, en une même personne ! « Comparses, il le faut », écrivait déjà Mallarmé à propos des personnages qui entourent Hamlet. Jarry en fait de simples accessoires, liés au décor dont ils sont des éléments animés.

> Que chaque héros traîne après soi son décor [...] cela prouve sans plus que l'auteur a retourné ses créatures et mis leur âme en dehors; l'âme est un tic. [...] Et si les personnages se montrent à nous par leurs masques, n'oublions pas que personnage n'a d'autre sens que masque et que c'est le « faux visage » qui est le vrai puisqu'il est le personnel[7].

D'après cet article, postérieur à la représentation d'*Ubu*, on comprend que Jarry ait tenu à ce que ses interprètes portent le masque. Pour lui, tout personnage dramatique doit être une âme mise à nu, qui ne peut se révéler qu'à travers les tics, c'est-à-dire la gestuelle, les masques et le décor. Voilà pourquoi Jarry refuse à l'auteur la facilité d'écrire des rôles en fonction des comédiens, « parce que l'artiste mort, on n'en trouvera pas d'exactement semblable » (*T. U.*, p. 150) : la pièce risque alors de ne plus être jouée, on aura créé de l'éphémère, or un véritable dramaturge vise à l'éternel, à l'intemporel. Dans cette perspective, on comprend que Jarry puisse s'intéresser à des questions aussi pratiques que celles des droits des héritiers. « La disposition actuelle

7. Alfred Jarry : « Du mimétisme inverse chez les personnages d'Henri de Régnier », *la Revue Blanche*, 1er avril 1903, in *la Chandelle verte*, p. 289-290.

me semble la meilleure » (*T. U.*, p. 151) pense-t-il, car la famille peut bien, pendant 50 ans, faire obstacle à une représentation, mais passé ce délai, si l'œuvre est forte elle reparaîtra de manière définitive. Autrement dit, il accepte le purgatoire, mais en songeant à l'éternité. Le critère de valeur d'une création se détermine aisément si le personnage-un est vivant, s'il se répand dans le public et s'impose à son esprit au-delà du spectacle; s'il relève exclusivement du spectacle et ne peut se contenter du livre, c'est qu'il est une synthèse et par conséquent il surpasse l'humanité. Jarry doit la découverte de cette conception à l'attention qu'il a toujours portée à l'esprit d'enfance, état de facilité, de lucidité et de liberté que les surréalistes n'ont, après lui, jamais cessé de magnifier. A partir des tics de l'enseignant, l'élève forge un être nouveau, doué d'une âme puisque l'âme est un tic. Mais encore faut-il le lancer sur la scène, du théâtre ou du monde, pour qu'il puisse avoir une existence en chacun de nous. Pour cela, Jarry fait confiance au théâtre de son temps, rénové par les symbolistes qui, avec Maeterlinck, ont mis au jour un « théâtre abstrait » (*T. U.*, p. 147) où peuvent se lire sans effort de traduction les œuvres des Elisabéthains comme de Gœthe ou de Grabbe.

En effet, s'il apprécie les efforts des théâtres d'avant-garde, il ne mâche pas ses mots à l'égard de la tradition classique. Aux questions fondamentales que l'individu peut se poser sur ses origines, la raison de son être au monde, ses rapports avec la société, un théâtre ainsi conçu répond par un jeu vaniteux et flatteur que Jarry réprouve : « délassement surtout, leçon peut-être un peu, parce que le souvenir en dure, mais leçon de sentimentalité fausse et d'esthétique fausse » (*T. U.*, p. 148). L'argument vise ici un public dont les sens se satisfont vite d'un certain chatoiement visuel ou verbal, qui se complaît au spectacle de personnages qui pensent comme lui et dont il comprenne tout avec cette impression : « suis-je spirituel de rire de ces mots spirituels en présence des sujets et péripéties *naturelles,* c'est-à-dire quotidiennement coutumières aux hommes ordinaires » (*T. U.*, p. 140). Rousseau, dans sa *Lettre à d'Alembert,* avait déjà fait scandale à ce sujet en dénonçant Racine et Molière, contraints d'édulcorer leur pensée, de chatouiller la sensibilité pour complaire à leur auditoire, et, en somme, de flatter les mœurs en prétendant les réformer. Jarry portera un coup fatal au théâtre philosophique et moralisant, au prétendu « théâtre d'idées », en montant *Ubu* à la scène : le théâtre n'enseigne plus, ne défend plus rien, il se contente de montrer une action et de se prêter à l'imagination du public. Ce faisant, il allait plus loin que Rousseau n'aurait pu demander : il montrait à l'évidence que le langage se réduit, dans les sociétés policées que nous connaissons, à réclamer de la phynance :

> Les langues populaires nous sont devenues aussi parfaitement inutiles que l'éloquence. Les sociétés ont pris leur dernière forme : on n'y change plus rien qu'avec du canon et des écus; et comme on n'a rien à dire au peuple sinon *donnez de l'argent*, on le dit avec des placards au coin des rues ou des soldats dans les maisons (Rousseau, *Discours sur l'origine des langues*, chap. XX).

Mais pour Jarry, le théâtre ne saurait se limiter à une fête, à un jeu. A la fête civique proposée par Rousseau, il oppose le théâtre-création destiné à cette minorité du public pour qui il n'est « ni leçon, ni délassement, mais action; l'élite participe à la réalisation de la création d'un des siens, qui voit vivre en soi-même en cette élite l'être créé par soi, plaisir actif qui est le seul plaisir des Dieux et dont la foule civique a la caricature dans l'acte de chair » (*T. U.*, p. 148). Cette distinction peut choquer de bons esprits qui n'acquiescent pas facilement au principe élitaire, confondant d'ailleurs le plus souvent l'élite qui se forme elle-même par une lutte constante avec le savoir et l'aristocratie de l'argent ou de la culture, qui croit tout détenir par droit d'héritage. Avant la représentation d'*Ubu* (est-ce pour rassurer Lugné-Poe et désamorcer la bombe ?) Jarry pensait que l'œuvre originale, non encore divulguée et commentée, laisserait le public muet et stupide, sous l'effet de la nouveauté. Démenti par le scandale de la première, il contre-attaque : « Et puis, pourquoi le public, illettré par définition, s'essaye-t-il à des citations et comparaisons ? » (*T. U.*, p. 152). On pourrait s'étonner qu'il faille être lettré pour comprendre et apprécier *Ubu* à sa juste valeur ! Le fait est, d'ailleurs, que ce n'est pas une pièce réellement populaire, même si le type Ubu est connu de tous. Mais là n'est pas le problème. Jarry s'en prend plus exactement aux faux intellectuels, aux pseudo-savants qui, au lieu de juger une œuvre en elle-même, procèdent par comparaison et par réduction. A ceux qui veulent faire étalage de leur culture, aux critiques essentiellement, il est fort capable d'en remontrer, et il le prouve : on veut défendre la pudeur du public, le préserver des grossièretés d'*Ubu* ? mais voyez Aristophane et Shakespeare qu'on n'ose pas jouer intégralement, tant certains passages sont obscènes ! On estime la mise en scène imitée de Shakespeare à cause des écriteaux mis en place de décors ? mais c'est pure ignorance puisqu'on sait que les drames élisabéthains ont été interprétés « sur une scène relativement perfectionnée et avec des décors » (*T. U.*, p. 153). S'il fallait plaire à de tels censeurs, Jarry aurait pu facilement « mettre *Ubu* au goût du public parisien avec les légères modifications suivantes : le mot initial aurait été Zut (ou Zutre), le balai qu'on ne peut pas dire un coucher de petite femme, les uniformes de l'armée, du Premier Empire : Ubu aurait donné l'accolade au tsar et l'on aurait cocufié diverses personnes mais ç'aurait été plus sale » (*T. U.*, p. 153). Au demeurant, il refuse de se laisser juger par un public qui n'a pas compris une pièce claire comme *Peer Gynt* d'Ibsen, qui reste fermé à Baudelaire, Rimbaud, Mallarmé, Verlaine, Maeterlinck et qui enfin prend tous les artistes pour des déments. S'abaisser à la compréhension d'un tel public serait renoncer à toute création, se rapprocher de la brute au lieu d'élever l'esprit. Il ne croit pas au théâtre qui serait le fruit d'une « foule en collaboration ». Comme Rousseau l'avait déjà signalé, le théâtre renforce l'isolement des spectateurs, il ne saurait donc y avoir œuvre collective, communion, synthèse, de la part d'individus disparates. A cette foule incompréhensive, Jarry accepte de fournir la claque, pour la discipliner et l'éduquer s'il se peut. Mais à ceux qui comprennent et font l'effort de priser une œuvre sans recourir aux sempiternelles comparaisons, à ceux qui veulent agir intellectuellement et non plus subir, à ceux-là sont réservés des plaisirs infinis : « S'il y a dans tout l'univers cinq cents personnes qui soient un peu Shakespeare et Léonard par rapport à l'infinie médiocrité, n'est-il pas juste d'accorder à ces cinq cents bons esprits [...] le plaisir actif de créer aussi un peu à mesure et de prévoir ? » (*T. U.*, p. 140). Cette minorité à qui Jarry réserve les grandes œuvres n'est pas, on le voit, une élite (?) telle que prétendent en former les classes préparatoires aux grandes écoles et où lui-même allait « s'informer » du grec. Elle est la seule communauté possible des chercheurs de quintessence avec qui l'effort du dramaturge créant un personnage éternel, « le plus parfait parce que le plus rudimentaire », pourra se concrétiser pleinement. Est-ce une rêverie ? Nous ne le pensons pas. Faut-il croire que l'œuvre est définitivement réservée au petit nombre des élus ? Pas davantage. Si à l'origine elle ne touche que cinq cents personnes, la diffusion des idées, la volonté des gens avides de culture vraie, d'art véritable (et non d'imitation) doit amener l'appropriation par les masses. C'est le rôle des « théâtres à côté » — nous dirions d'avant-garde — de maintenir la recherche artistique comme le fait l'Œuvre ou, avant lui, le Théâtre d'Art. Avec le temps « ils sont les théâtres-réguliers du petit nombre » (*T. U.*, p. 150); mais Jarry les met en garde contre une sclérose possible : « leur essence est non d'être mais de devenir ». Compte tenu du contexte, il est clair qu'il songe précisément à Lugné-Poe dans ses rapports avec *Ubu Roi,* pièce où il invente « la nouveauté absolue », selon la formule de Jacques Robichez, comme d'autres le mouvement perpétuel.

Après avoir défini la fonction du théâtre, et son mode d'insertion dans le public, voyons les conditions de la représentation telles que Jarry les envisage.

Pour lui, le décor du théâtre régulier n'est que l'un de ces « quelques objets notoirement horribles et incompréhensibles, qui encombrent la scène sans utilité » (*T. U.*, p. 140). Lorsqu'il représente la nature, il n'est qu'un duplicata superflu. Il impose une vision alors que le spectateur doit rester libre d'imaginer. « Et il est juste que chaque spectateur voie la scène dans le décor qui convient à sa vision de la scène » (*T. U.*, p. 141). De même, il condamne le parti pris illusionniste, « la stupidité du trompe l'œil » qui ne trompe personne. Tout au plus accepterait-il la nature-décor, dans une représentation de plein air, qui n'est pas duplicatum ni projection d'une subjectivité individuelle. Mais dans un lieu couvert, l'absence de tout décor reviendrait à montrer les coulisses, les manœuvres des machinistes pour apporter une table ou une porte. L'envers du décor reste un décor quand même, celui de la réalité théâtrale. Jarry ne résout pas cette ambiguïté fondamentale. Qu'un comédien joue le rôle d'une porte de prison, comme cela se fit pour la représentation d'*Ubu* selon Gémier, cela revient encore à distraire le public par un à-côté du drame. Mais avant de penser à la mise en scène d'*Ubu Roi*, Jarry avait essayé de donner une interprétation scénique héraldique à un acte entier de *César Antéchrist* où justement Ubu apparaissait à la fin, accompagné de ses trois palotins : « Nous avons essayé des décors *héraldiques,* c'est-à-dire désignant d'une teinte unie et uniforme toute une scène ou un acte, les personnages passant harmoniques sur ce champ de blason » (*T. U.*, p. 141). Si, à distance, il juge l'entreprise puérile parce que simplificatrice, imposant un nombre limité de formes et de couleurs alors qu'une simple toile de fond grise éviterait d'uniformiser la vision toute personnelle du spectateur, il nous semble qu'il ne faut pourtant pas la condamner aussi vite. Certes, l'ensemble de cet acte serait un peu lourd, porté à la scène. La représentation en serait trop statique, et il n'est pas certain que le public, peu habitué au vocabulaire du blason, en saisirait immédiatement toutes les intentions, d'autant que l'apparition du Bâton à Physique doit faire songer à une mystification. Mais visuellement, l'ensemble, faisant penser à la consultation d'un armorial animé, peut être très réussi.

C'est ce qui ressort d'ailleurs de trois graphismes établis par Jarry lui-même. Le premier est une « lithographie originale à la plume » parue dans *l'Ymagier,* n° 2, janvier 1895. Il correspond à la représentation de *César Antéchrist* tel que le décrivent les indications scéniques :

> César Antéchrist est nu sous son manteau. A la scène 3 de l'Acte Héraldique, il est blasonné de la façon suivante « César Antéchrist d'or et de carnation » (d'or

pour le manteau, de carnation pour le corps). Le manteau est doublé à gauche de noir, à droite d'une double bordure de triangles. Au-dessus de César, à droite et à gauche, les signes Plus et Moins qui, multipliés l'un par l'autre, « deviennent César ». César porte à la façon d'une bannière son « écu pentagonal ». La charge de cet écu « de sable » est une double fasce ondée. En guise d'auréole, « la tête dentelée du soleil ». A la gauche de César, le Grand-Duc à « la tête auritée » posé sur « l'olivier senestre ». A sa droite, en bas, le héraut et sa corne, le Roi, vu de face, couronné. En frise autour du sujet central, une série de petits motifs : croix, ciboire, étoiles, triangle, poissons, hibou, jusqu'à un masque ubuesque (sur la partie gauche, au premier tiers de la hauteur) [8].

Le second graphisme est un dessin à la plume figurant sur le manuscrit d'Alfred Jarry pour la scène 9 de l'Acte Héraldique. Il montre que Jarry entend bien faire appel à plusieurs écus portant chacun une seule pièce. Au théâtre, ils se détacheraient d'un écu monumental donnant le ton de la scène, si nous en croyons l'indication de la scène 8 : « De pourpre à deux fasces d'argent, un chef (contrepalé) et un pairle d'or, trescheur d'or et d'argent, et à une fasce abaissée d'or. » Les virgules séparent la description de chaque écu. Comme le signale Arrivé après J.-H. Sainmont, la pièce en forme de T que Jarry désigne par l'expression « chef contrepalé » est évidemment le chef pal. Les trois écus constituent le mot TOY.

Le dessin permet de fixer les couleurs du champ des écus [...]. L'écu chargé du chef pal est à dextre (à

---

8. Michel Arrivé : *Peintures, gravures et dessins d'Alfred Jarry*, p. 1-15.

gauche du lecteur) de gueules et à senestre d'orangé.
Le trescheur qui forme la lettre O oppose la partie extérieure du champ, de gueules, à sa partie intérieure, de
pourpre. Enfin le pairle (Y) découpe dans le champ
trois parties dont l'une, à la gauche du lecteur, est de
gueules, et les deux autres, à droite et en haut, sont
de pourpre. Tous ces émaux évoquent les rougeoiements
du ciel d'aurore [9].

Le troisième dessin est un bois sans doute destiné à *Perhinderion* et représente une partie du décor de la scène 3 : « De
vair à Quatre Hérauts porte-torches », démunis de leurs
attributs héraldiques. Il est clair que la toile de fond est mi-
partie de vair (fourrure du blason composée de petites
pièces en forme de clocheton, disposées tête-bêche sur des
lignes horizontales) et de sable (noir) indiquant une tonalité
sombre, comme avant la création de l'univers.

A cette interprétation complexe et univoque du drame,
Jarry oppose, par la suite, une décoration plus naïve, qui
cadre mieux avec *Ubu,* c'est « le décor par celui qui ne sait
pas peindre » (entendons : selon les règles académiques;
faut-il s'étonner qu'il ait contribué à la reconnaissance du
Douanier Rousseau ?). De la sorte, on approche le plus du
décor abstrait en ne retenant que les accidents principaux
du lieu représenté, de tous les lieux possibles, figurés sur la
toile. C'est le parti que choisirent Sérusier et Bonnard (aidés
par Vuillard, Ranson et Toulouse-Lautrec) pour les décors
d'*Ubu Roi,* situant ainsi la pièce, selon le vœu de Jarry, à la
fois nulle part et dans l'éternité :

Nous aurons d'ailleurs un décor parfaitement exact, car
de même qu'il est un procédé facile pour situer une
pièce dans l'éternité à savoir de faire par exemple tirer
en l'an mil et tant des coups de revolver, vous verrez
des portes s'ouvrir sur des plaines de neige sous un ciel
bleu, des cheminées garnies de pendules se fendre afin

---

9. M. Arrivé, *op. cit.,* p. 116.

de servir de portes, et des palmiers verdir au pied des lits, pour que broutent de petits éléphants perchés sur des étagères (*T. U.*, p. 20-21).

Par ces procédés volontairement absurdes et incohérents, Jarry ne se contentait pas de choquer le spectateur pour le plaisir, il refusait le théâtre et ses procédés de vraisemblance pour atteindre à l'universel et l'intemporel.

En supprimant donc le décor et le metteur en scène, Jarry semblait se situer dans la vision symboliste affirmée, nous l'avons vu, par Mallarmé ou par Pierre Quillard pour qui la parole suffisait à créer le décor. Lugné-Poe, après avoir lu l'article de Jarry, s'empresse d'enfoncer le clou : il confirme son mépris pour un certain public ignorant, exprime à son tour sa confiance dans la rénovation de la scène avec une belle abnégation pour sa propre fonction :

> Pas de décor ou peu, prismique ou autre, et que le mot de mise en scène soit rayé à jamais de la liste des personnages ! Le plus fort des metteurs en scène ne peut pas être un artiste, puisque sa besogne est celle d'un ajusteur panoramique, qui recréera au mieux sa compréhension de Munckazy ou de Meissonier pour une vision commune, uniforme cependant, c'est-à-dire pour une théorie de regards différemment placés et artistes [10].

Comme Jarry, complétant ses propositions sur le décor, suggérait d'indiquer les changements de lieu par des écriteaux (« Notez, écrivait-il à Lugné-Poe, que je suis certain de la supériorité « suggestive » de la pancarte écrite sur le décor. Un décor ni une figuration ne rendraient l'armée polonaise en marche dans l'Ukraine », (*T. U.*, p. 133), Lugné-Poe y voit une certaine analogie avec les recherches de l'Elizabethan Stage Society, tout en précisant bien que le système des pancartes est une « coutume puérile prise longtemps après Shakespeare », alors que la scène élisabéthaine était relativement évoluée. Mais elle procédait par indications symbo-

---

10. Lugné-Poe : « A propos de l'inutilité du théâtre au théâtre », *Mercure de France*, oct. 1896, p. 96-97. Cet article paraît dans la livraison suivant immédiatement celle où fut imprimé celui de Jarry.

liques, comparables à celles qu'il recherchait : des jeunes filles cueillant des fleurs indiquaient au public que la scène avait lieu dans un jardin; un bruit d'orage évoquait une tempête au bord de la mer... Il y a donc là un renversement d'attitude très net : alors que les partisans du réalisme jugeaient puérils les procédés élisabéthains, tout juste bons à satisfaire un public naïf, pour Jarry et Lugné-Poe, seul un public naïf peut accepter les artifices puérils de la décoration illusionniste. Mais Jarry dépasse les symbolistes qui s'en remettaient tout de même au jeu de l'acteur traditionnel, aux accessoires réels et à la toute-puissance de la parole. Il va faire éclater tout cela en visant systématiquement à l'abstrait et à l'éternel en suscitant constamment la collaboration du spectateur. Au fond, il n'y a plus « représentation » mais création continue. Foin des drames se situant dans une atmosphère pseudo-médiévale, qui sont toujours matière de théâtre, donc d'illusion ! Foin du théâtre comme célébration culturelle ! *Ubu* doit faire table rase de tous ces préjugés.

Il est un élément caractéristique de la dualité réalité/apparence, c'est l'acteur, être de chair chargé en même temps d'incarner un être virtuel, symbole, abstraction ou idée. Si l'on supprime les acteurs, comme le suggère Jarry dans l'article du *Mercure,* non sans outrance, le théâtre devient impossible, il ne resterait qu'une scène vide, peuplée d'absences. A la rigueur, pourrait se concevoir un théâtre de voix (anticipation du théâtre radiophonique) mais, là encore, l'illusion serait factice, puisque ces voix seront toujours émises par l'appareil phonatoire de quelqu'un. Jarry imagine donc une solution moyenne, qui renforce peut-être l'illusion, mais permet du moins d'effacer l'aspect charnel du comédien : il suffit de transposer le guignol à la dimension du spectacle d'adultes. On dira peut-être qu'il pousse très loin le souci du détail par des constatations comme celle-ci : « On n'a pas pensé que les muscles subsistent les mêmes sous la face feinte et peinte, et que Mounet et Hamlet n'ont pas semblables zygomatiques, bien qu'anatomiquement on croie qu'il n'y ait qu'un homme » (*T. U.,* p. 142), ou lorsqu'il dénonce la tradition du travesti, établie depuis Beaumarchais, et consistant à faire jouer les rôles d'enfants par des femmes :

« Cela compense peu le ridicule du profil et l'inesthétique de la marche, la ligne estompée à tous les muscles par le tissu adipeux... odieux parce qu'il est utile, générateur du lait » (*T. U.*, p. 144). Sa misogynie le pousserait presque à défendre un principe réaliste ! Mais c'est ne rien comprendre aux intentions de Jarry que de les interpréter sur ce terrain. Son ambition est bien fondamentale : il s'agit d'effacer de la scène tout ce qui pourrait rappeler la dualité énoncée plus haut, et pour cela faire que l'acteur au moyen du masque dépouille la personne au profit du personnage, qui est apparence ou seule vérité. Aussitôt Lugné-Poe bondit sur l'idée et prétend se faire l'interprète de Jarry :

> Pour le comédien la leçon est plus simple, plus difficile aussi. Il doit oublier qu'il est comédien, se souvenir des premières fois où, enfant, il assistait au théâtre en pieux spectateur, et, rejetant en bloc toutes les mauvaises éducations, devenir brusquement UN — *un quelconque ! bras ballants, geste immobile* [11].

C'est évidemment une façon de rejeter la figuration naturaliste et les rôles de composition. Mais ce faisant, l'animateur de l'Œuvre déformait légèrement la pensée de son auteur. Jarry ne réclame pas des personnages immobiles et inactifs, trop conformes aux sobres conceptions du comédien Lugné, surnommé « le clergyman somnambule ». Il veut au contraire des êtres qui sachent traduire le caractère éternel d'un personnage, au moyen d'une gestuelle universellement compréhensible :

> Exemple de geste universel : la marionnette témoigne sa stupeur par un recul avec violence et choc du crâne contre la coulisse (*T. U.*, p. 141).

Le masque sera un moyen de prendre l'apparence éternelle du personnage, indépendamment des acteurs qui, successivement l'interpréteront : « L'acteur se fait la tête, et devrait tout le corps du personnage » (*T. U.*, p. 141). Mais

---

11. Lugné-Poe, article cité, *ibid*, p. 97.

à la différence du théâtre antique qui ne possède que deux catégories de masques, le tragique et le comique, exprimant des attitudes et non des caractères, Jarry souhaite que l'on fournisse un masque à l'effigie de chaque caractère, de chaque type éternel comme Hamlet ou Ubu, et qui lui soit en quelque sorte consubstantiel.

L'emploi de la lumière électrique et des projecteurs, généralisé depuis peu au théâtre, va lui permettre d'affiner son innovation. Le masque, par définition figé, ne peut traduire qu'une seule expression. Or la lumière venant de la rampe frappe le masque en six positions principales de face, autant latéralement. On obtient donc un certain nombre d'expressions différentes, simples, essentielles et universelles.

Il ne faudrait toutefois pas se méprendre sur la volonté de transposition de Jarry. Les acteurs doivent adopter la simplicité des marionnettes, mais ils ne sont pas des mécaniques reliées aux cintres par des fils, comme le suggérait Rachilde, car alors on verse à nouveau dans l'illusion factice d'un théâtre pour enfants : « Car, si marionnettes que nous voulions être, nous n'avons pas suspendu chaque personnage à un fil, ce qui eût été, sinon absurde, du moins pour nous bien compliqué, et par suite nous n'étions pas sûr de l'ensemble de nos foules, alors qu'à Guignol un faisceau de guindes et de fils commande toute une armée » (*T. U.*, p. 20).

Toujours pour résoudre la dualité entre le temps de la représentation effective et celui de la fiction dramatique, il faut que l'acteur se dépersonnalise et adopte « la voix du rôle » qui sera associée pour jamais au corps du rôle. D'où l'accent qui caractérisera chaque personnage d'*Ubu Roi* : Bordure « qui parle anglais, la reine Rosemonde qui charabie du Cantal, et la foule polonaise, qui nasille des trognes et est vêtue de gris » (*T. U.*, p. 22). On traduit ainsi l'idée d'universalité du spectacle et l'on empêche l'identification des acteurs réels. En somme, Ubu ayant atteint à la grandeur du type, ses représentations ne devraient pas varier dans le temps et il devrait toujours nous apparaître avec son masque piriforme, sa houppelande de laine philosophique et sa voix caractéristique, quels que soient les comédiens qui l'interpréteront. Enfin, Jarry aborde quelques points de détail, qui tous visent à favoriser la concentration du spectateur. On ne va pas au théâtre pour se montrer, il suffit de n'éclairer que la scène, et l'on cessera de se lorgner à travers la salle. De même il y a toujours des retardataires qui viennent troubler le spectacle, qu'on ferme les portes dès les trois coups et public sérieux ne sera plus dérangé (*T.U.*, p. 149). Ces questions matérielles, d'aspect secondaire, ne méritaient pas de figurer dans le grand article « De l'inutilité du théâtre au théâtre », mais il est clair qu'elles préoccupaient Jarry pour qui le théâtre devait retrouver sa fonction absolue : permettre l'expression de l'imagination créatrice, « et de la synthèse du complexe se refait la simplicité première [...] uniprimauté qui contient tout, comme l'un insexué engendre tous les nombres, portraiturant de chaque objet au lieu de la vie l'être ou synonymes : le principe de synthèse, (incarné particulier), l'idée ou Dieu » (article sur Filiger, *O. C.* VII, p. 168)[12].

12. Nous corrigeons le texte d'après les suggestions du catalogue de l'exposition Jarry, *CCP*, nº 10, p. 67.

Ubu Roi

Il est constant que les œuvres fortes, nettement originales, apparaissent aux yeux du public de leur époque comme une plaisanterie, une fumisterie ou une mystification. Ceci est d'autant plus sensible avec l'art moderne, qui se refuse, en règle générale, à délivrer des messages, et se contente de montrer, d'exprimer, d'agir. En acceptant la thèse de la mystification, on se trouve, de fait, enfermé dans une obligation alternative. Ou bien on parle de l'œuvre envisagée avec mépris, mais on en parle quand même et donc on entre dans le jeu du mystificateur ; ou bien on prend l'œuvre au sérieux, et là encore on tombe dans le piège tendu par l'auteur ironique. La seule solution sérieuse, dans une telle hypothèse, serait de se taire. Mais le moyen de garder le silence quand il se fait du bruit ? C'est là un processus que Tristan Tzara avait fort bien analysé, du moins implicitement, lorsqu'il déchaîna les hordes Dada. Au public de « gentils bourgeois » venus écouter ses manifestes, il lançait :

DADA NE SIGNIFIE RIEN
Si l'on trouve futile et si l'on ne perd son temps pour un mot qui ne signifie rien [1]...

Et malgré l'avertissement, ce public ne pouvait s'empêcher de gloser sur un terme sans signification.

---

1. Tristan Tzara : *Sept manifestes Dada,* Pauvert, 1963, p. 21.

Si *Ubu Roi* est bien, à l'origine, une mystification, notre entreprise vise à la consolider. A partir du néant, nous échafauderons un édifice voué immédiatement à l'effondrement. Mais, pour nous, l'affaire est bien plus complexe, et plus simple en même temps. Il est possible qu'Alfred Jarry ait voulu, au départ, s'amuser de ses compagnons symbolistes (qui eux-mêmes ont maintes fois montré leur goût pour la plaisanterie) et des spectateurs quelque peu maniérés de l'Œuvre. Or, il a été tellement dépassé par l'accueil réservé à sa création, égalée désormais aux plus grands types de l'humanité, s'échappant de la scène pour envahir la conscience universelle, qu'il a dû considérer avec sérieux le gros bonhomme. Nous serions, dans ce cas, en présence d'une mystification avec exposant ou effet retour, si l'on préfère. L'auteur de la plaisanterie se prend lui-même à son propre piège, à moins que, superbement machiavélique, il ait tendu ses filets non pas pour se gausser du public, mais pour voir quelles réactions seront suscitées par son entreprise et considérer que là sera l'œuvre définitive. L'opération reviendrait à élaborer un projet artistique en deux temps, nécessitant, en quelque sorte, une collaboration collective.

Jarry aurait ainsi introduit une révolution fondamentale dans le domaine artistique contemporain, et particulièrement au théâtre. L'œuvre dramatique n'est plus seulement le texte, tel qu'il a pu être conçu dans la solitude feutrée d'un bureau, mais essentiellement le texte représenté, intégré dans une situation théâtrale complexe, où tous les éléments comptent : lieu scénique, jeu de l'acteur, décor, musique, public... On ne peut désormais parler d'*Ubu Roi* — et de toutes les pièces qui relèvent de la même esthétique — sans faire en même temps état de l'accueil du public. De sa compréhension, de sa collaboration, de son opposition dépend le signifié d'un ensemble « texte + situation théâtrale » que nous appellerons signifiant.

On a très longtemps eu recours à l'hypothèse d'une mystification pour rendre compte du double caractère des œuvres d'Alfred Jarry, les unes hautement symbolistes, les autres particulièrement vulgaires et scabreuses. Une étude attentive de l'ensemble de sa production textuelle (hors de notre propos ici) montrerait qu'il n'y a aucune dichotomie, ni dans le contenu profond, ni dans l'évolution chronologique. Dans cette perspective, l'idée d'une supercherie provocante n'a aucun sens. *Ubu Roi* n'est pas la grossière plaisanterie d'un littérateur en mal de publicité ; c'est bien l'œuvre collective d'une ou plusieurs générations d'élèves du lycée de Rennes (cf. *infra*. chapitre 5) restituée comme telle par Jarry, associé pour la circonstance à Lugné-Poe, à l'intention d'un public adulte, avec la foi (qui n'est pas servilité) qu'il faut avoir devant ce qui émane de notre enfance, non pas pour l'embaumer ou la sanctifier, mais pour nous montrer exactement ce qu'il en est et, partant, nous faire prendre conscience du chemin parcouru, en bien ou en mal.

Une telle démonstration ne pouvait s'opérer selon des voies rationnelles. L'art naïf — c'est-à-dire naturel, non influencé par l'éducation — n'était pas coté à la bourse des valeurs, entre 1890 et 1900, comme il l'est de nos jours. On ne pouvait pas davantage dire à l'amateur de théâtre : venez voir ce dont sont capables des enfants livrés à eux-mêmes ! Celui-ci aurait exprimé le dédain caractéristique de l'adulte envers son propre passé, ou bien il serait venu avec la curiosité, faite de supériorité complaisante, du visiteur de zoo devant la cage aux singes. Restait une seule solution logique : livrer l'œuvre potachique à l'état brut, sans enjolivement ni précaution oratoire. Il fallait un spectacle qui recrée l'atmosphère, l'espace, les conditions du jeu où chaque enfant identifie la fiction et la réalité, où chaque enfant apporte sa contribution individuelle à la pratique collective, où chaque enfant manifeste clairement et immédiatement ses désirs, sans les soumettre au préalable à la censure sociale ; où enfin tout s'organise dans la liberté avec un mouvement, un bruit, un tumulte profitables à tous. C'est le parti qui fut choisi lors de la première représentation — non sans quelques concessions à l'esthétique symboliste —, comme nous le verrons ci-dessous. Auparavant, nous examinerons le texte en lui-même, pesant sa cohérence interne, analysant son langage, le rôle et la nature de ses personnages, sa dramaturgie en somme, montrant par là, selon la formule de Valéry, que « l'esprit [est] ainsi fait qu'il ne peut être incohérent pour soi-même[2] ».

Structure narrative

On peut résumer simplement la fable constitutive d'*Ubu Roi* : Ubu, capitaine au passé autrefois glorieux, poussé par l'ambition de sa femme, se décide à tuer le roi de Pologne, Venceslas, pour s'emparer de son trône. Il conspire avec le capitaine Bordure, à qui il promet le duché de Lithuanie en récompense de son aide. La famille royale est massacrée ; seul réchappe le jeune Bougrelas, qui vengera ses aïeux. Ubu installé sur le trône gouverne en dépit du bon sens. Pour accroître ses richesses, il extermine les nobles, les magistrats et les financiers qui lui résistaient. Il se charge de collecter lui-même les impôts établis de sa propre autorité. Bordure, n'ayant pas reçu le salaire de sa collaboration, rejoint le Czar qui déclare la guerre à l'usurpateur et envahit son domaine. Ubu part en campagne, confiant la régence du royaume à la Mère Ubu. Celle-ci est chassée par Bougrelas qui a pris la tête du peuple polonais mécontent. Elle rejoint son époux, lui-même défait par l'armée russe, dans une caverne d'où, poursuivis par Bougrelas, ils s'échappent vers de nouvelles contrées.

  Il apparaît clairement qu'*Ubu Roi* relate au fond l'essentiel de tout drame historique. L'usurpateur, après avoir régné par la force et la tyrannie, est chassé de son trône par le prétendant légitime. Telle est la trame de *Richard II*, de *Richard III*, de *Macbeth*, etc. C'est ce que Jan Kott intitule « le Grand Mécanisme ». Une tragédie se déroule sur le grand escalier de l'histoire, au sommet duquel chacun souhaite se maintenir :

> Dans chacune des chroniques, le souverain légitime traîne derrière lui une longue chaîne de crimes, il s'est aliéné les grands féodaux qui l'avaient aidé à conquérir

---

2. Paul Valéry : *Monsieur Teste*, Gallimard, collection Idées, 1969, p. 27.

la couronne, il a massacré d'abord ses ennemis, ensuite ses anciens alliés, il a fait périr les héritiers et les prétendants au trône. Mais il n'est pas parvenu à les exterminer tous. Un jeune prince revient d'exil : fils, petit-fils ou frère des victimes, il défend le droit violé; autour de lui se groupent les grands, repoussés par le roi; il personnifie l'espérance dans un ordre nouveau, il atteste de la justice. Mais chaque pas vers le pouvoir continue à être marqué par le meurtre, la violence et le parjure. Aussi, lorsque le nouveau prince est déjà parvenu tout près du trône, traîne-t-il derrière lui une chaîne de crimes tout aussi longue qu'il y a peu de temps encore le souverain légitime. Lorsqu'il coiffera la couronne, il sera tout aussi haï que l'autre. Il tuait ses ennemis, maintenant il tuera ses anciens alliés. Et un nouveau prétendant au trône fera son apparition, au nom de la justice violée. Le cycle est bouclé[3]...

On observera toutefois qu'ici Jarry[4] se préoccupe peu de nous montrer les actes de la royauté légitime qui ne semble pas avoir de défauts majeurs; au contraire, Venceslas paraît être un assez bon bougre, récompensant Ubu pour ses services (I, 6), et son fils Bougrelas un gentil garçon qui honore ses père et mère. Si l'auteur concentre l'attention sur le tyran, ce n'est pas, comme dans *Richard III,* pour illustrer le principe tragique selon lequel la soif de justice se transforme, par la force inéluctable du mécanisme historique, en accumulation de crimes, mais pour démontrer un phénomène analogue selon lequel l'exercice sans limite du pouvoir, provoquant l'union de tous les mécontents, conduit à la perte de ce pouvoir.

La grande force d'*Ubu Roi* réside dans la pureté absolue de ce schéma. Rien ne vient entraver son déroulement : aucune interférence aléatoire, aucune motivation psychologique. Ubu ne cherche pas à justifier son geste coupable, pas plus qu'il ne raisonne quand, infidèle à la parole donnée, il fait incarcérer Bordure ou quand il élimine tous les nobles

---

3. Jan Kott : *Shakespeare, notre contemporain,* Marabout, 1965, p. 30.
4. Bien qu'*Ubu Roi* soit une œuvre collective, nous désignerons les auteurs sous le nom de Jarry, pour la commodité.

pour accaparer leurs biens et enfin écarte de son chemin les conseilleurs qui veulent s'opposer à ses exactions. Ubu incarne l'ambition du pouvoir. Mais alors, la loi de l'action et de la réaction entraîne, *ipso facto,* sa destitution. On ne s'embarrasse pas de savoir si les circonstances permettent de réunir les forces légitimistes, si l'appui d'une puissance étrangère ne va pas à l'encontre des intérêts nationaux... C'est le principe abstrait qui s'énonce, comme il peut l'être dans un traité de morale, fort loin, on le sait, de la réalité politique et sociale. Ici, Bougrelas ne pourra être qu'un roi juste, à qui il n'arrivera pas les mésaventures annoncées dans Shakespeare. Cela nous fait songer à la simplicité morale que l'on trouve dans les œuvres dramatiques du Douanier Rousseau, légèrement postérieures, où, de la même façon, le méchant chassé n'est pas réellement puni, et rien ne l'empêche de méfaire à nouveau [5].

C'est là une différence essentielle avec *Macbeth.* Certes, l'intrigue des deux œuvres est, à peu de chose près, identique :

> Macbeth a étouffé une révolte, grâce à quoi il se retrouve tout près du trône. Il peut devenir roi; donc, il doit devenir roi. Il tue le souverain légitime. Il doit tuer les témoins et ceux qui soupçonnent le crime. Il doit tuer les fils et les amis de ceux qu'il a tués précédemment. Après quoi il doit tuer tout le monde, car tout le monde est contre lui :
> « Battez toute la contrée. Pendez ceux qui parlent de peur !... Donnez-moi mon armure » (V, 3).
> A la fin, lui-même sera tué. Il aura parcouru tout le grand escalier de l'histoire [6]

D'ailleurs, le rapprochement est indiqué par Jarry lui-même qui, dans l'épilogue, fait par deux fois allusion au château d'Elseneur (V, 4, p. 130) et, dans sa dédicace à Marcel Schwob, souligne la parenté d'Ubu avec le dramaturge élisabéthain : « Adonc le Père Ubu hoscha la poire, dont fut depuis nommé par les Anglais Shakespeare, et avez de lui sous ce

5. Voir Henri Rousseau : *la Vengeance d'une orpheline russe* et *Une visite à l'exposition;* ainsi que notre *Etude sur le théâtre dada et surréaliste,* Gallimard, 1967, p. 63-74.
6. Jan Kott : *Shakespeare notre contemporain, op. cit.,* p. 97.

nom maintes belles tragœdies par escript » (*T. U.*, p. 30)[7].

Pourtant, malgré similitude et renvois d'une pièce à l'autre, *Ubu Roi* brille par son autonomie. D'une part, parce que le Père Ubu poursuivra ailleurs son existence, d'autre part parce que la pièce, loin de s'inspirer de tel ou tel modèle, est l'archétype des œuvres épiques et dramatiques de tous les pays et de tous les temps.

C'est ce que souligne l'analyse actantielle, selon le modèle de Propp et de Greimas[8], par laquelle nous entendons montrer que tout drame historique peut, succinctement, se ramener à trois séquences essentielles (prise du pouvoir, exercice du gouvernement, éviction) quels que soient le nombre et la nature des personnages mis en scène, qui assurent toujours une fonction identique, ou encore quels que soient le lieu et l'époque envisagés. Nous postulons, en somme, que le récit d'*Ubu Roi* s'intègre et s'identifie au schéma général d'une narration illustrant le mécanisme reconstitué par Jan Kott. En voici la composition, sous forme de tableau (Tableau I : modèle actantiel d'*Ubu Roi*) :

Séquence	I	II	III
Destinateur	Mère Ubu	Père Ubu	Aïeux
Destinataire	Mère Ubu-Père Ubu	Père Ubu	Bougrelas
Sujet	Père Ubu	Père Ubu	Bougrelas
Objet	Royauté	Exercice de la royauté	Royauté
Adjuvant	Bordure	Palotins	Czar, Bordure, Polonais
Opposant	Venceslas et sa famille	Nobles, paysans	Père Ubu, Mère Ubu, Palotins.

Ce tableau appelle remarques et commentaires. Au début de la pièce, la première séquence, qui va jusqu'à la fin de la scène 5 de l'acte II, c'est-à-dire immédiatement avant le couronnement d'Ubu, narre la prise de pouvoir du capitaine félon. Flattant ses basses ambitions, la Mère Ubu lui suggère de s'emparer de la couronne (« A ta place, ce cul, je voudrais

---

7. L'orthographe archaïsante de cette formule rappellerait aussi Rabelais, auteur fort apprécié par le dédicataire.
8. Voir V. Propp : *Morphologie du conte,* Ed. du Seuil, 1970, collection Points, ainsi que A.J. Greimas : *Sémantique structurale,* Larousse, 1966. Nous empruntons la terminologie de ce dernier quant au modèle actantiel.

l'installer sur un trône », I, 1, p. 35). Le bénéficiaire de l'opération (ou destinataire) serait en apparence le Père Ubu qui pourrait augmenter indéfiniment ses richesses, se goinfrer et se vêtir à sa guise (I, 1, p. 35), mais en réalité c'est la Mère Ubu qui tirera tout le profit du bouleversement (« *Mère Ubu, seule.* — Vrout, merdre, il a été dur à la détente, mais vrout, merdre, je crois pourtant l'avoir ébranlé. Grâce à Dieu et à moi-même, peut-être dans huit jours serai-je reine de Pologne », I, 1, p. 36).

On le voit, la fonction de destinataire est répartie entre deux personnages, ce qui annonce déjà quelques conflits possibles, sur le plan dramatique. Dans sa (mauvaise) foi simpliste, la Mère Ubu n'oublie pas d'associer Dieu, ordonnateur de toutes choses, à sa propre fonction de destinateur. Le sujet est incontestablement Ubu lui-même, qui cède à la tentation (I, 1) et désire exercer le pouvoir pour son compte. Pour parvenir à destituer le roi Venceslas, au demeurant bien vivant et pourvu d'héritiers directs, il lui faut obtenir l'appui de Bordure, lequel prête son concours moyennant attribution du duché de Lithuanie (I, 4, p. 43). Ubu conquiert le trône, il massacre la famille royale, à l'exception du jeune Bougrelas, qui parvient à lui échapper. Dès ce moment s'amorce le renversement final, qui verra le triomphe de l'héritier légitime. En effet, l'ombre de l'aïeul fondateur de la dynastie le charge de la vengeance et lui remet une épée, don magique, symbole de sa mission. Ainsi s'annonce (II, 5) la fonction de destinateur qui apparaîtra dans la troisième séquence, et s'affirme le rôle d'opposant que Bougrelas assumera au cours de la deuxième séquence.

Dans celle-ci, Ubu ayant obtenu la royauté montre comment il exerce le pouvoir pour la plus grande satisfaction de ses désirs. Non content d'être un usurpateur, il est un tyran, ce qui explique qu'il réunisse en une seule personne la triple fonction de destinateur, destinataire et sujet. Son ambition est très simple; il entend s'approprier toutes les richesses de la Pologne, après quoi il pourra s'en aller. L'objet réel est donc la possession de la « phynance » à travers l'exercice du pouvoir. Les termes appartenant au champ sémantique de l'argent scandent tous ses propos :

Encore une fois, je veux m'enrichir, je ne lâcherai pas un sou (II, 6, p. 61).

J'ai l'honneur de vous annoncer que pour enrichir le royaume je vais faire périr tous les Nobles et prendre leurs biens (III, 2, p. 69).

D'abord, je veux garder pour moi la moitié des impôts (III, 2, p. 74).

Avec ce sytème, j'aurai vite fait fortune, alors je tuerai tout le monde et je m'en irai... (III, 4, p. 78).

Pour accomplir son terrifique projet, Ubu dispose de l'aide de ses Palotins et des Larbins de Phynance qui, d'après le répertoire des costumes dressé par Jarry lui-même, sont les mêmes (*T. U.*, p. 26); tandis que Nobles, Magistrats, Financiers et même Paysans, constituent l'opposant. Il est à noter que la Mère Ubu, reléguée au second plan, a perdu tout rôle actif. Tout au plus tente-t-elle, sans succès, d'être un élément modérateur. Elle met son royal époux en garde contre Bougrelas (III, 1), l'adjure de tempérer sa convoitise (« De grâce, modère-toi, Père Ubu », III, 2, p. 69), de se réformer avant que l'usage du pouvoir ne devienne impossible, faute de sujets (« Mais enfin, Père Ubu, quel roi tu fais, tu massacres tout le monde », III, 2, p. 75). Quant à Bordure, il a été mis aux arrêts de forteresse dès qu'il a cessé d'être utile.

On peut hésiter à fixer les limites de la deuxième séquence. Ou bien elle traite du gouvernement d'Ubu, et alors elle s'achève au moment où le Czar lui déclare la guerre afin de rétablir Bougrelas dans ses droits (III, 7), ou bien elle illustre le principe selon lequel le tyran ne peut se maintenir au pouvoir que par une accumulation de crimes, et intègre la guerre. La troisième séquence relate alors uniquement la fuite du potentat et son remplacement. Selon le cas, on place le nœud de l'action à la scène 7 de l'acte III ou bien à la scène 4 de l'acte IV, quand Ubu est contraint à quitter le champ de bataille. Quoi qu'il en soit, cela revient au même puisque les faits ne sont pas modifiés. Il nous paraît plus judicieux de faire débuter la troisième séquence à l'annonce du conflit avec le Czar puisque, alors, s'exprime le renversement historique qui fera de Bougrelas le sujet, plus ou moins central, de cet épisode.

C'est alors qu'apparaît une transformation décisive dans le modèle actantiel. Si Ubu reste le héros principal vers lequel convergent tous les regards, il cesse de déterminer l'action pour la subir. Afin de conquérir sa couronne, Bougrelas assume les fonctions de destinataire et de sujet, avec le concours de Bordure et du Czar. Ces derniers affirment nettement leur intention de rétablir Bougrelas et de tuer Ubu (III, 8, p. 84). Ici, le récit se subdivise : d'une part, la Mère Ubu, qui s'est vu confier la régence, se met à la recherche du trésor des anciens rois de Pologne, mais elle est chassée par Bougrelas lui-même, à la tête du peuple polonais (non sans emporter l'or volé, malgré la frayeur que lui cause la voix d'un aïeul sépulcral); d'autre part, Ubu, qui a accepté le combat sur les conseils intéressés de Mère Ubu (III, 7, p. 84) est battu par le Czar, bien qu'il ait « déchiré » *(sic)* Bordure. Les deux époux en fuite se rejoignent, Bougrelas triomphe. Nous nous retrouvons à la situation initiale, sans que pour autant le récit soit achevé. On sait que « Bougrelas est allé se faire couronner » (V, 3, p. 127), mais la boucle n'est pas absolument fermée. Il faut, en effet, que nous soyons fixés sur le sort des Ubu. Il apparaît alors que ce n'est pas le problème du pouvoir qui préoccupe le dramaturge, mais simplement la personne d'Ubu, dont il convient de sauvegarder l'existence afin de le faire intervenir dans de nouvelles aventures, comme il arrive dans le roman-feuilleton.

En dépit des apparences, *Ubu Roi* dont la structure narrative ressemble à celle du conte merveilleux, ne lui est pas totalement assimilable. L'œuvre appartient nettement au genre dramatique, d'abord en fonction de sa nature propre, ce que nous nous efforcerons de montrer ci-dessous, ensuite parce qu'elle est centrée sur un personnage agissant, qui ne se conçoit que sur une scène, parce que, enfin, toute l'action s'organise en fonction du renversement dramatique que nous venons d'analyser. Bien entendu, rien n'interdit de porter *Barbe Bleue, le Petit Poucet,* ou *le Chat botté* à la scène, et cela se fait couramment. Mais tout est question de langage et de genre. Il y a une exigence théâtrale qui n'est pas celle du conte. Voilà pourquoi nous n'avons pas cru pouvoir souscrire entièrement à l'analyse du « récit dénoté » telle qu'elle a été menée par Michel Arrivé[9].

Celui-ci distingue en effet quatre séquences (et non trois), dont la dernière est assez confuse et ne constitue pas un ensemble cohérent mais un groupement de quatre syntagmes où le véritable sujet (le rétablissement de Bougrelas) disparaît. Cela manifeste clairement son refus de considérer *Ubu Roi* comme un drame. D'autre part, il articule ainsi la « structure de l'archirécit dans la troisième séquence (archirécit regroupant les deux fils de l'intrigue relative aux Ubu) :

> Destinateur, destinataire-sujet : Mère Ubu.
> Objet : Trésor.
> Opposant : présence d'Ubu.
> Adjuvant : l'absence d'Ubu.

Ce schéma a le mérite de mettre l'accent sur les velléités de la Mère Ubu, mais de la sorte on escamote le mécanisme essentiel du drame qui oppose nécessairement l'usurpateur au prétendant légitime aidé de ses alliés (son « cousin » le Czar) et de tous les mécontents.

Loin de condamner la méthode d'analyse, les divergences dont nous faisons état mettent en évidence l'intensité — ou la liberté — de la structure dramatique. Il est de fait que c'est la Mère Ubu qui incite son époux à partir en guerre, pour pouvoir, croit-elle, s'emparer du trésor et en disposer toute seule. Mais Ubu devait, à un moment ou un autre, affronter la coalition de ses ennemis. Mieux valait justifier son départ par deux raisons plutôt qu'une ! De la même façon, l'ensemble de la pièce souligne l'enchaînement logique par lequel une révolution de palais entraîne toujours le regroupement des mécontents et leur victoire, à plus ou moins longue échéance; mais, en même temps, elle présente les aventures légendaires du Père Ubu, héros dont les origines se perdent dans les vases marécageuses, et dont le destin ne s'épuise jamais. Il apparaît alors que l'auteur a renoncé à la magnifique pureté du schéma-archétype au profit du personnage principal à qui est confié le soin d'assurer la continuité dramatique.

---

9. Cf. Michel Arrivé : *les Langages de Jarry,* thèse pour le doctorat d'Etat, dactylographiée, Sorbonne W 1970 (81) 4°, chapitre v.

Au lieu d'un néant structurel, nous nous trouvons en présence d'un trop-plein ! L'épure, telle que nous l'avons dégagée, explicite la puissance de l'imagination enfantine qui se porte, tout naturellement, vers les grands mythes de l'humanité et, lorsqu'ils ont disparu de la mémoire des hommes, est capable de les recréer.

Dramaturgie

Par principe, il faut se méfier des résumés et des schémas réducteurs ou trompeurs. Jan Kott rend parfaitement compte des bévues qui peuvent se produire, en matière littéraire, si on se limite à énoncer le plan du drame. *Macbeth,* en effet, « ne montre pas l'histoire sous la forme du Grand Mécanisme. Il la montre sous forme de cauchemar[10] ».

Le fait poétique essentiel n'est pas le déroulement fascinant parce que inéluctable du mécanisme, mais l'immense métaphore que constitue le cauchemar, qui va de la prémonition au remords. De même, *Ubu Roi* est à lui seul une métaphore, celle du vorace avaleur de mondes, qui engloutit tout ce qui se présente à lui, au sens propre en le faisant transiter vers sa gidouille, au sens figuré en le jetant « à la poche ». Dès lors, il faut abandonner les voies de l'analyse actantielle et, reprenant notre examen, en venir à d'autres aspects qui rendront mieux compte, globalement, de la nature originale d'*Ubu Roi* en tant qu'œuvre dramatique. En d'autres termes, il nous faut aborder sa dramaturgie ou « technique propre à l'auteur dramatique » (J. Schérer).

Structure interne

Reprenant la méthode et la terminologie proposées par Jacques Schérer dans sa *Dramaturgie classique en France* nous étudierons d'abord la structure interne de l'œuvre, laquelle concerne « les problèmes de fond qui se posent à l'auteur dramatique quand il construit sa pièce, avant même de l'écrire ». Cela ne veut pas dire, malgré la formulation pré-

10. Jan Kott : *Shakespeare notre contemporain, op. cit.,* p. 97.

cédente, que pour nous Jarry se soit clairement posé des problèmes de construction, qu'il ait adopté une « technique » définie avant de rédiger son drame. Nous sommes évidemment très loin de la rhétorique classique qui enseignait, après l'invention des idées, à porter son attention sur la *dispositio* ou composition; il est peu probable que quelqu'un (Jarry ou d'autres condisciples) se soit interrogé sur ce point *a priori*. Il n'en demeure pas moins qu'*Ubu Roi*, loin d'être absolument incohérent ou désordonné, présente une construction d'une certaine logique, qu'il convient d'étudier de près, comme nous l'avons pressenti par l'analyse de la narration. Notre référence aux travaux de Jacques Schérer ne suppose pas davantage qu'il puisse y avoir des rapports entre les solutions apportées aux problèmes dramatiques par les écrivains du Grand Siècle et celles que Jarry adopta. Mais la méthode d'analyse demeure utile, quitte à la rejeter dès qu'elle nous semblera inadaptée à notre objet.

L'étude conduite dans les pages précédentes a voulu montrer l'enchaînement des fonctions accomplies par les principaux personnages, sans se préoccuper de leur ordre d'apparition dans le texte, ni de leur adaptation au spectateur. Celui-ci, ne sachant rien au départ, doit pouvoir apprécier une action dramatique qui suppose un dynamisme interne, une progression constante dont chaque élément s'éclaire par le contexte, autrement dit la situation. Il faut, dès le début, définir la situation initiale et, autant que possible, y faire pénétrer le public : c'est l'exposition. Ne disons pas, comme Michel Arrivé, que « le mot » intervient à l'initiale absolue du texte « sans le moindre élément de vraisemblance psychologique ». Si l'œuvre méprise ou abolit la psychologie, comme nous le verrons par la suite, il faut toutefois convenir que l'explication est des plus simples : le rideau se lève sur une conversation en cours, particulièrement échauffée. Le public peut croire que l'interjection lui est destinée, alors qu'elle s'adresse à la Mère Ubu. L'équivoque est volontaire. N'oublions pas la nature particulière du dialogue dramatique, qui établit une communication entre personnages tandis que l'auditoire, situé à l'extérieur de la chaîne parlée, se comporte en voyeur ou intercepteur, mais non en récepteur.

L'exposition intervient donc au moyen d'un dialogue saisi *in medias res,* qui nous permet de connaître, avec le maximum d'économie, la situation actuelle d'Ubu, son passé (mais on ne sait pourquoi il a perdu sa couronne d'Aragon) et son ambition présente. Remarquons que, comme dans toute légende héroïque, le personnage central souffre d'un manque; mais il n'y a pas de lien logique entre le souci qu'il a de retrouver sa splendeur passée et l'agression à laquelle la Mère Ubu lui conseille de se livrer sur un souverain qui n'est pas responsable de son malheur, bien au contraire. Voilà pourquoi Ubu hésite : il n'est pas mû par la vengeance. La fin de la première scène le laisse seulement ébranlé.

Sans transition, la deuxième scène s'ouvre sur une sorte de banquet. On peut comprendre que le repas avait été prévu à l'avance par la Mère Ubu, véritable âme damnée du complot. Son époux réticent se laisserait attendrir par la bonne chère, adoptant ensuite les mesures nécessaires à la subversion, avec Bordure qui, comme par hasard, se trouve être l'ennemi mortel du roi Venceslas. Le pacte est rapidement conclu dans les scènes suivantes.

Voici pourtant qu'Ubu est appelé par le roi (I, 5). L'acte pourrait s'achever sur ce coup de théâtre qui, comme dans *Cinna,* accroît l'inquiétude des conjurés. Le complot serait-il éventé ? En fait, le roi veut récompenser Ubu, ce qui pourrait avoir pour conséquence immédiate d'anéantir l'entreprise séditieuse, d'autant plus que ce dernier, bafouillant, dénonce ses complices. Heureusement, Bordure veille; il détourne l'attention du roi; à la scène suivante, le complot est arrêté.

A la fin du premier acte, nous avons fait connaissance avec les principaux personnages de la pièce; nous savons qu'une conjuration s'est formée et que le roi ne se doute de rien. Tout est donc parfaitement clair et classique; l'exposition, quoique brève et concentrée, est parfaitement agencée. Sans aucun récit, par des dialogues ou des actions, elle nous apprend l'essentiel. Nous percevons même les éléments d'un conflit psychologique constant, puisque la Mère Ubu excite l'ambition de son époux et annonce qu'elle tire les ficelles du drame. On s'attend qe le Père Ubu échappe à la tutelle qui lui est imposée, soit par la trahison, soit par la révolte.

L'intrigue principale ainsi annoncée va se développer rapidement puisque dès la deuxième scène du deuxième acte, le roi est assassiné. Ubu s'empare de la couronne. Mais la pièce ne s'arrête pas là car, comme l'indique le titre, il s'agit surtout de montrer un long épisode de la geste ubique, celui où Ubu exerce ses talents royaux. En outre, et c'est là un rebondissement qui nous conduira jusqu'au cinquième acte, un des fils du roi, Bougrelas, a échappé au massacre; il va chercher à reconquérir son trône en éliminant l'usurpateur. Dans cette perspective, les épisodes marquants sont l'intervention du Czar, la trahison de Bordure et la double défaite d'Ubu : son armée détruite en Ukraine (IV, 4), lui-même chassé par Bougrelas (V, 2). Deux actes montrent le potentat au pouvoir. Il fête son joyeux et sanglant avènement, dirige, de manière expéditive, le conseil royal, et s'en va percevoir lui-même les impôts.

Drame historique, *Ubu Roi,* signale deux règles impératives pour qui veut gouverner sans partage : honorer ses promesses (Bordure, trompé, passe à l'ennemi); ne laisser subsister aucun adversaire, aussi jeune et débile soit-il (Bougrelas rassemble tous les mécontents au nom de sa légitimité). De fait, ces deux mesures peuvent se réduire à une seule : exterminer tout ce qui fait — ou est susceptible de faire — obstacle.

Sur l'intrigue principale se greffe une intrigue secondaire, annoncée depuis la scène initiale, et qui se développe au quatrième acte. La Mère Ubu, manœuvrant son gros pantin d'époux, espère être la seule bénéficiaire de la révolution de palais. De même qu'elle s'enrichit en économisant sur la nourriture de la monture royale, elle pense s'emparer discrètement du trésor des anciens rois (IV, 1). Son ambition est anéantie par l'irruption du jeune Bougrelas qui tue le palotin Giron. Chassée de Varsovie, elle erre à la recherche de son mari, lui-même en fuite. Tous deux, renouant le fil de l'intrigue majeure, finissent par se rencontrer miraculeusement à l'acte V. Ils se réconcilient pour ne plus se quitter. En réalité, leur séparation était purement accidentelle, car le Père et la Mère Ubu forment un couple indissoluble, même s'il s'alimente de querelles et d'injures. Le tableau de la présence en scène des différents personnages nous permettra de mieux saisir cette réalité (Tableau II : présence scénique dans *Ubu Roi*) :

Acte	I							II							III								IV							V			
Scène	1	2	3	4	5	6	7	1	2	3	4	5	6	7	1	2	3	4	5	6	7	8	1	2	3	4	5	6	7	1	2	3	4
Ubu	―	―	―	―	―	―	―	―	―	―	―	―	―	―	―	―	―	―	―	―	―	―	―	―	―	―	―	―	―	―	―	―	―
Mère Ubu				―																													
Palotins										―						―																	
Bordure												―				―																	
Venceslas			―															―															
Reine			―															―															
Bougrelas																													―				
Czar																																	
Ours																											―						

Ici se confirme le postulat précédent : le sujet de l'œuvre est bien Ubu lui-même, présent dans vingt-sept scènes sur trente-trois. Le drame est centré sur son unique personne si l'on admet avec nous que la Mère Ubu, qui témoigne des mêmes ambitions, lui est consubstantielle, ainsi que la trinité palotine.

Pour soutenir l'intérêt du spectateur durant cinq actes, alors que l'intrigue est sommaire et qu'on ne s'attarde ni sur le complot, ni sur les négociations d'alliances, l'auteur accumule les « scènes à faire » ou « scènes à effet ». Nous désignons ainsi les passages ayant obtenu un succès de public dans d'autres œuvres, dramatiques ou non. Bien entendu, nous ne chercherons pas à identifier les scènes parodiées par les lycéens rennais, qu'elles viennent des grands classiques, du vaudeville ou des *Deux Orphelines*. Qu'il nous suffise, pour l'instant, d'affirmer que le songe prémonitoire de la reine Rosemonde (II, 1), sa mort pitoyable (II, 5), la conjuration d'Ubu et de Bordure, la convocation par le roi, l'apparition des spectres des aïeux [11], etc., sont des échos, plaisamment traités, d'œuvres célèbres.

Mais le mode parodique ne suffit pas aux joyeux colla-

11. Qui voudrait se livrer au jeu de la recherche des sources ou des influences pourrait, sur ce point précis, regarder du côté des *Aïeux* d'Adam Mickiewicz.

borateurs : il leur faut bousculer toutes les conventions. Si le théâtre de bon goût ne s'en tient qu'aux événements essentiels de l'existence, ils vont, quant à eux, montrer longuement le trivial et le quotidien (le déjeuner I, 3; l'orgie II, 7; le sommeil IV, 7) sans parler de l'obscène, que nous aborderons à travers l'étude des accessoires et du langage. De la même façon, l'usage voulait qu'on ne montrât pas au public les scènes les plus émouvantes ou les plus atroces (c'est encore le cas du « décervelage », III, 2). Mais ce souci des bienséances ne trouve pas grâce auprès de Jarry qui s'ingénie, au contraire, à mettre sous nos yeux des scènes mouvementées, des combats et des massacres. Nous verrons plus bas l'intérêt dramatique de tels épisodes. Contentons-nous d'indiquer ici qu'ils font partie du projet initial de l'œuvre, et qu'ils apparaissent comme les pierres essentielles de l'édifice, car on ne conçoit pas le règne d'Ubu sans festin de couronnement, sans cérémonie du trône, sans bataille chevaleresque et sans trappe. Ceci justifie, nous semble-t-il, la place particulière que nous accorderons à la structure gestuelle.

Reconnaissons que le dénouement traîne quelque peu en longueur, ce qui contraste avec la rapidité du début. Après la défaite d'Ubu (IV, 4) interviennent des épisodes complémentaires, nécessaires à la fable, mais non à l'action. Ainsi le Père et la Mère Ubu se trouvent réunis, non sans qu'un combat ait, au préalable, opposé un ours au glaive spirituel du Père Ubu. Cette scène, en apparence superflue, insiste sur la sottise du héros, mais surtout elle permet d'en terminer avec Bordure, seulement « déchiré » à la scène 4 de l'acte IV, et maintenant réincarné en ours, comme l'a bien vu Michel Arrivé. Il suffisait d'ailleurs de s'en rapporter au texte lui même : « *Ubu*. — Mais va-t-en, maudit ours. Tu ressembles à Bordure » (IV, 7, p. 111). Ainsi serait bouclé le cycle de la trahison : après s'être opposé à Ubu, l'ours-Bordure deviendrait son auxiliaire dans sa lutte contre Bougrelas surgissant dans la caverne. C'est d'ailleurs au même moment (V, 2) que les palotins, ayant abandonné leur maître pendant son sommeil, reviennent auprès de lui. Il était nécessaire qu'Ubu, son épouse, ses hommes liges soient tous réunis pour assurer le triomphe entier de Bougrelas. Son rétablissement est ironiquement commenté par Ubu (V, 3) :

> *Mère Ubu.* — Oui, Bougrelas est allé se faire couronner.
> *Père Ubu.* — Je ne la lui envie pas, sa couronne.

Une fois de plus, le drame pourrait s'achever ainsi. Mais il nous faut savoir que le héros est disponible pour de nouvelles aventures. D'où deux scènes, sans grande nécessité dramatique, consacrées à sa fuite à travers la Livonie et à sa navigation. Les exploits d'Ubu ne sont pas terminés, d'autres épisodes peuvent intervenir, indéfiniment.

C'est que l'intérêt, centré sur le destin d'Ubu, se subordonne tous les autres problèmes dramaturgiques. L'auteur veut montrer son héros dans tous les actes de son existence, le suivre dans tous ses déplacements, être son chroniqueur fidèle. De ce parti pris découle un principe qui aura d'importantes conséquences pour la mise en scène : Ubu, dont les agissements et les déplacements ne sont limités par aucune considération d'ordre pratique, entraîne son décor avec lui. Il est par conséquent logique que la représentation du temps et du lieu n'obéisse à aucun souci traditionnel.

Le lieu évoqué est, comme le héros, parfaitement mythique. Pas totalement abstrait, comme il arrive dans le théâtre actuel, mais suffisamment imprécis pour n'être pas repérable sur les cartes de géographie, il rappelle malgré tout un pays possible, ayant existé dans la conscience des peuples. C'est exactement ce que l'on nomme un pays légendaire, comme le signale Jarry dans sa présentation :

> L'action se passe en Pologne, pays assez légendaire et démembré pour être ce Nulle Part, ou tout au moins, selon une vraisemblable étymologie franco-grecque, bien loin un quelque part interrogatif (*T. U.*, p. 22).

L'énoncé met exactement l'accent sur le couple dévoilement-occultation qui est à la base des arts contemporains. S'il y a surprise, il faut qu'elle se prolonge en questionnement et non en explication. Ainsi l'attention se fixe sur un possible, sans que l'on puisse préciser davantage. Pologne désigne n'importe quel pays où Ubu pourrait développer ses exploits.

Dans le détail, certains noms évoquent des lieux d'Europe Centrale, mais il ne viendrait à l'esprit de personne de reconstituer l'itinéraire exact du Père Ubu, pas plus que le spectateur de *Macbeth* n'exige un atlas pour pouvoir situer la ville d'Elseneur !

Fort de ce principe général de localisation, le dramaturge s'est donné le plaisir de situer l'action au lieu réel où elle est supposée se passer (à une exception près : la scène trois du deuxième acte appelle un deuxième lieu, le roi étant massacré sous le regard de son fils, mais non devant les spectateurs). Disons, pour être plus près de la vérité, qu'au moment de la composition, il ne s'est pas soucié de savoir si la mise en scène ne présenterait pas des obstacles techniques insurmontables. C'est ainsi qu'*Ubu Roi* n'offre pas moins de vingt-quatre changements de décor, allant du palais royal au champ de bataille, en passant par deux cavernes et une crypte, pour finir sur un navire. Ce n'est pas le moindre paradoxe que la liberté de conception d'un dramaturge de quinze ans — ou, mieux encore, son absence de réflexion — ait amené une véritable révolution scénique, comme nous le verrons par l'étude de la représentation.

Ce que l'on vient de dire pour le lieu est valable pour le temps du drame. Les noms de princes polonais authentiques, s'ils n'avaient vécu à des époques différentes, pourraient égarer les spectateurs. En fait, Jarry se moque de la chronologie comme de la géographie : « Nous ne trouvons pas honorable de construire des pièces historiques » dit-il (*T. U.*, p. 22). L'essentiel, pour lui, est que l'époque de référence soit aussi mythique que l'espace, à la fois présent et absent, abstrait et concret, réel et fictif. Dans cet absolu légendaire, s'inscrit la chronique d'un règne, fort bref en raison de sa nature violente, non point concentré artificiellement en 24 heures cependant. Sans qu'on puisse marquer de repères précis (deux nuits sont indiquées : à la fin du deuxième acte, au début du cinquième ; d'autre part la Mère Ubu affirme avoir mis quatre jours pour traverser la Pologne, et Bordure annonce à Ubu que, depuis cinq jours qu'il règne, le sang versé appellera vengeance), il est sûr que l'action se déroule selon des délais conformes au temps réel pendant lequel un homme aurait pu prendre le pouvoir, régner jusqu'au mécontentement de ses sujets, combattre l'ennemi et s'enfuir. Certes, nous n'avons là que les épisodes saillants de l'histoire, mais on n'a jamais demandé à un chroniqueur de relater la vie d'un prince dans ses moindres détails. A quoi l'on objectera, d'ailleurs, qu'il ne s'agit pas d'un récit mais d'un discours dramatique. Ce faisant, on aura montré, une fois de plus, combien *Ubu Roi* se moque des règles de composition dramatique. La vraisemblance n'est pas une catégorie logique dans un domaine qui, par définition, relève de l'imaginaire.

Quels que soient ses rapports avec la poétique du théâtre, *Ubu Roi* présente à nos yeux une composition originale, novatrice et signifiante en elle-même, qui se déroule un peu comme une spirale, celle qui orne la gidouille du Père Ubu dans le « Véritable Portrait de Monsieur Ubu » gravé par Jarry lui-même (voir la couverture de *T.U.*). Mais il nous faut trouver une image qui intègre la troisième dimension temporelle. C'est alors celle de l'hélice qui s'impose à nous, ou, pour tenir compte du dynamisme interne de l'œuvre et de la nature du personnage considéré, celle du ressort à boudin. L'étude de la structure gestuelle, à laquelle nous réserverons une place particulière compte tenu de son importance dramaturgique, justifiera notre métaphore.

Structure gestuelle

Ubu Roi, né dans la cour de récréation d'un lycée, a gardé les traits caractéristiques des jeux de l'enfance. Ces derniers n'ont pu nous parvenir, préservés de toute retouche, que dans la mesure où Jarry était sensible à la valeur du geste comme élément majeur d'un spectacle. Dans sa chronique de *la Revue Blanche,* en 1902-1903, il entretient ses lecteurs des différents spectacles de la vie quotidienne : les batailles d'apaches sur la zone, les tramways hippomobiles, la pendaison, etc. Il faudrait citer intégralement, pour sa justesse de ton, l'article qu'il écrivait en inaugurant cette rubrique :

> C'est une étrange partialité que de consacrer dans les journaux et revues un grand nombre de pages, voire tou-

tes les pages, à enregistrer, critiquer ou glorifier les manifestations de l'esprit humain : cela équivaut à ne tenir compte que de l'activité d'un organe arbitrairement choisi entre tous les organes, le cerveau. Il n'y a pas de raison pour ne point étudier aussi copieusement le fonctionnement de l'estomac ou du pancréas, par exemple, ou les gestes de n'importe quel membre [...]. Tous ces gestes et même tous les gestes sont à un degré égal esthétiques et nous y attacherons une même importance. Une dernière au Nouveau-Cirque réalise autant de beauté qu'une première à la Comédie-Française[12].

Ces lignes, postérieures à *Ubu Roi,* manifestent clairement une philosophie unitaire où la pratique corporelle est égale à l'activité spirituelle, en réaction contre les préjugés contemporains. La même philosophie nous paraît caractériser le drame qui nous occupe. Dans un article annonçant la représentation, Jarry insistera sur l'expression corporelle et opérera une distinction très productive pour la mise en scène entre geste conventionnel et geste universel :

> Comme ce sont des expressions simples, elles sont universelles. L'erreur grave de la pantomime actuelle est d'aboutir au langage mimé conventionnel, fatigant et incompréhensible. Exemple de cette convention : une ellipse verticale autour du visage avec la main et un baiser sur cette main pour dire la beauté suggérant l'amour. Exemple de geste universel : la marionnette témoigne sa stupeur par un recul avec violence et choc du crâne contre la coulisse[13]

En réalité, la différence n'est pas dans les mimiques elles-mêmes, mais dans leur contenu. Les unes transmettent un message : pour être comprises de tous, elles exigent l'adoption d'une convention ou code; c'est le cas de l'affirmation qui en Occident s'exprime par un hochement de tête de

12. Alfred Jarry : « Barnum », *La Revue Blanche,* 1er janvier 1902, repris dans *La Chandelle verte,* Paris, Livre de poche, 1969, p. 149-150.
13. Alfred Jarry : « De l'inutilité du théâtre au théâtre », *Mercure de France,* sept. 1896, repris dans *Tout Ubu,* p. 143.

haut en bas, tandis qu'en Extrême-Orient on oscille la tête de gauche à droite; de la même façon, je me désigne en pointant l'index sur ma poitrine, alors que le Chinois le porte sur le bout de son nez... Les autres mimiques, ne comportant pas de signifié direct, sont des indices, de simples réactions à un stimulus quelconque, c'est pourquoi elles sont universelles : j'admire — j'ouvre de grands yeux, j'ai sommeil — je bâille, j'ai peur — je tremble. Un témoin peut interpréter tous ces symptômes, mais ils ne lui sont pas destinés, ils ne constituent pas les éléments d'une communication.

D'ailleurs Jarry ne proscrit pas les attitudes conventionnelles de son œuvre dramatique, où, au contraire, elles abondent, mais toujours marquées au coin de la dérision. Les pantomimes traditionnelles y sont nombreuses, comme si l'auteur de ce drame prétendument historique s'était cru obligé d'insérer des scènes dont on ne pourrait frustrer le public. Ainsi tout ce qui concerne la famille de Venceslas fait l'objet de mimiques stéréotypées : la reine Rosemonde prie Dieu dans la chapelle royale (II, 3), puis elle s'enfuit par un escalier dérobé (accessoire obligatoire depuis *Hernani*), tandis que son fils protège sa retraite (II, 4); elle meurt dans la neige (II, 5), laissant un orphelin éploré qui « tombe en proie au plus violent désespoir » (p. 60). Autre exemple de langage mimé conventionnel : celui où les paysans polonais, menacés de mort s'ils ne paient pas à nouveau les impôts dont ils se sont déjà acquittés, implorent la pitié du Maître des Phynances. En l'absence d'indications scéniques, on peut se reporter, pour l'interprétation de cette scène, à l'affiche de Jarry dessinée pour la première représentation (*T.U.*, p. 77). Elle montre deux paysans agenouillés, mains jointes, dans une attitude qui rappelle les orants de l'art médiéval[14].

Pour rester dans la même atmosphère, citons encore l'acte de soumission de Bordure, marqué, conventionnellement, par la remise de son épée d'aventurier au Czar (III, 6). Ou, dans le sens opposé, le don symbolique d'une épée au jeune Bougrelas (II, 5) chargé de venger ses aïeux.

---

14. On trouvera trois états de cette lithographie dans Michel Arrivé : *Peintures et dessins d'Alfred Jarry, op. cit.*, pl. 54, 55, 56.

En fait, toute cette iconographie traditionnelle est présentée dans une intention parodique qui éclate lorsque le Père Ubu partant au combat perd une à une chaque pièce de son armement ou, davantage encore lorsque, perché sur un rocher pour que sa prière ait moins de distance à parcourir vers le ciel, il débite des patenôtres qui vont aider les palotins à vaincre l'ours (IV, 6). Autre geste parodique : les conjurés devant prêter serment jurent sur la Mère Ubu — à défaut de prêtre — de s'escrimer vaillamment (I, 7).

Il est, par ailleurs, un geste qui peut sembler absolument gratuit, sinon dérisoire : c'est celui par lequel Ubu présente un mirliton au roi (I, 6). « Que veux-tu que je fasse d'un mirliton ? » lui demande ce dernier. Simple *indice,* au sens précis que les sémiologues donnent à ce terme, ce cadeau aura valeur de *signal* quand nous saurons le rôle qu'il joue dans l'ensemble de la dramaturgie jarryque (voir *infra,* chapitre 6). Nous verrons alors qu'il manifeste le sens profond et unique de l'œuvre comme comédie guignolesque.

Ceci nous permettra de mieux saisir certains gestes épars dans la pièce, à peine indiqués, qui nous acheminent vers le guignol et ne se justifient que dans ce spectacle. Les attitudes de guignol, pour exprimer toutes sortes de sentiments, ont été codifiées de manière à peu près invariable : il témoigne sa douleur en ramenant les bras au visage pendant que le corps, secoué de bas en haut, sanglote; le rire s'exécute de la même façon, bras écartés comme pour applaudir; le rire fou donne lieu à des roulades sur la planchette. Guignol, en colère, baisse la tête, bras en avant, ou bien agite son célèbre bâton... Nous ne dresserons pas ici une grammaire du geste universel dans *Ubu Roi*, nous contentant de montrer que Jarry s'est efforcé, soit par le texte, soit par les indications scéniques, de donner à ses personnages le même relief qu'à la marionnette. Pour marquer son mépris, la Mère Ubu hausse les épaules; le Père Ubu ayant une idée se frappe le front : voilà des gestes courants, que tout le monde comprend, et qui renforcent simplement ce qui est exprimé oralement. Mais Ubu a une façon tout à lui de montrer sa joie : il se jette sur Bordure, de toute sa masse, pour l'embrasser (I, 4); de même, chez lui la peur a un effet physique immédiat, elle le fait chuter (I, 6); sa colère atteint son comble quand la Mère Ubu le nargue par son indifférence : « il l'empoigne et la jette à genoux », la menace du grand supplice avec décollation et « la déchire » (V, 1, p. 124). En règle générale, la colère se traduit de la même façon, quelle qu'en soit la cause. Quant au rire, il s'accompagne d'une agitation physique extrême : « Tous se tordent... Plusieurs agonisent de rire... » (V, 4, p. 129).

Outre ces violentes expressions du sentiment, il y a dans *Ubu Roi* un grossissement comique propre à la farce. Ubu dévore un poulet entier; désirant s'emparer d'une rouelle de veau, il détourne l'attention de sa femme en l'envoyant guetter l'arrivée des invités (I, 2), etc. Ne cherchons ici aucune finesse !

Certaines scènes révèlent le caractère proprement enfantin de l'œuvre où l'imagination fantastique et l'ivresse du corps s'exercent librement. Paradoxalement, l'enfant qui se parle à lui-même pour meubler le silence et chasser ses angoisses, se plaît à inventer d'invraisemblables scènes de revenants, délicieusement effrayantes, se déroulant dans des cavernes obscures ou des cryptes profondes (II, 5; IV, 1; V, 1). De même que l'enfant n'est pas dupe de ses propres imaginations, Jarry ne reste pas longtemps dans l'espace sacré du rituel initiatique. L'apparition surnaturelle (V, 1) est bien vite identifiée par Ubu. Elle l'aura du moins mis au fait des malversations de son épouse. La fantaisie juvénile s'exprime davantage dans l'organisation de querelles et de combats qui rythment toute la pièce et constituent l'ossature de chaque acte. Traduisant la brutalité du Père Ubu, ils montrent surtout chaque participant (ou interprète) désireux de s'agiter et de déployer sa force. Souvent, un personnage frappé à mort refuse de s'étendre, comme font les enfants dans leurs jeux. On meurt et ressuscite comme dans un bois, ou plutôt comme dans la cour de récréation.

L'amateur de théâtre fera toutefois observer que tous les gestes analysés ici ne sont guère comiques. Ils dénotent un sens inné de la mimique, mais finalement sont plus appréciés par celui qui les exécute que par celui qui les regarde. L'abondance de mouvements physiques n'est pas seulement difficile à organiser scéniquement, elle est surtout lassante pour les spectateurs. Reste que la pièce, inscrite au répertoire contemporain, est une tentative à peu près unique pour libérer le geste, le laisser aller à son dynamisme propre. Mais, paradoxalement, c'est la parole, le maître-mot, qui a marqué l'auditoire. Avant d'aborder ce point, nous analyserons la structure externe d'*Ubu Roi*, indissolublement liée, on s'en doute, à sa technique gestuelle.

Structure externe

« Il s'agit là des problèmes de mise en œuvre et en plus de conception [...] les différentes formes que peuvent prendre, par suite des traditions théâtrales ou des nécessités scéniques, la pièce dans son ensemble, l'acte, cette subdivision de l'acte qu'est la scène, et enfin certains aspects privilégiés de l'écriture théâtrale. »[15] Comme l'annonce cette définition, on n'envisagera pas ici les solutions techniques relevant du metteur en scène (fonction différente de celle du dramaturge, même quand toutes deux sont assurées par une seule personne), mais seulement la conception artistique qui, informant l'œuvre, l'insère dans une situation théâtrale unique. Nous pensons, en effet, que chaque œuvre résulte d'un projet artistique précis où l'idée trouve et se subordonne les moyens nécessaires à sa perfection. Il n'y a, en matière dramatique, qu'une seule structure externe, correspondant à la structure interne mise en évidence ci-dessus, alors qu'il peut y avoir plusieurs mises en scène très différentes de la même pièce, variant selon les lieux, les époques et la sensibilité de la communauté théâtrale.

La mise en scène n'est qu'un ensemble de configurations relatives et opportunistes, liées au texte de façon plus ou moins lâche, tandis que la structure interne est partie intégrante de l'œuvre, c'est le courant qui va faire coïncider la situation dramatique et sa figuration spatio-temporelle.

On objectera, dans le cas présent, que l'auteur n'a pas procédé lui-même à la toilette du texte et que, par conséquent, certaines indications, l'ordre des scènes, peuvent ne

---

15. Jacques Schérer : *La Dramaturgie classique en France, op. cit.,* p. 12-13.

pas correspondre à ses intentions inititiales[16]. Malgré les attentions du directeur du *Livre d'Art* et de ses amis, il est d'ailleurs resté des traces de l'imperfection initiale dans le texte qui nous est parvenu : la scène 3 du premier acte s'achève sur l'indication « Ils sortent avec la Mère Ubu » (p. 42). Or, cette charmante personne est encore présente à la scène suivante, sans que rien n'ait signalé son retour, et son départ n'était nullement justifié par des nécessités dramatiques, puisqu'elle était au fait du complot qu'Ubu devait fomenter avec Bordure. A la fin de cette scène, une indication du même ordre (I, 4, p. 44) ne s'impose pas davantage puisque les Ubu restent dans leur salon pour recevoir le message du roi. Seul Bordure est parti (on le trouvera dans la suite royale, à la scène 6) ; c'était la seule indication qu'il fallait porter sur le manuscrit.

Ceci amène à penser que le texte a pu être composé par scènes juxtaposées, voire interchangeables, et ne se reliant pas nécessairement entre elles, ce qui expliquerait les difficultés contées par Paul Fort. Mais il n'en demeure pas moins que le projet artistique — ce terme ne portant pas jugement de valeur — imprime sa marque à toute l'œuvre, quelles que soient les négligences de détail. La liberté de composition est alors partie intégrante du projet.

La conception scénique d'*Ubu Roi* est marquée au sceau de la liberté, et de la fantaisie d'imagination. C'est pour justifier ces principes essentiels à l'esprit d'enfance que Jarry, élabora, *a posteriori,* les théories examinées dans notre premier chapitre.

Quelle que soit la solution apportée par un metteur en scène, le décor d'*Ubu Roi* doit situer l'œuvre dans un univers mythique, intemporel et aspatial. Cependant, il doit suggérer les changements de lieu et le déroulement d'une geste épique. L'absence totale de décor serait, dans ce cas, un contresens : il faut pouvoir indiquer au spectateur la longue marche de l'armée polonaise à travers l'Ukraine, au besoin sous la neige. De même, il est important que soit suggérée une atmosphère

16. Voir à ce sujet le témoignage de Paul Fort : *Mes mémoires,* Flammarion 1944, p. 52, où il laisse entendre que Jarry, hostile à l'édition d'*Ubu,* allait brûler le manuscrit et ne le laissa partir pour l'impression qu'après un violent combat.

mystérieuse quand la Mère Ubu explore la crypte de la cathédrale de Varsovie, à la recherche du trésor, ou encore qu'un air de fête accompagne la revue militaire, la distribution des récompenses... Il faut donc un décor « synthétique », qui soit un compromis entre le réalisme et l'abstraction totale, qui puisse donner l'impression d'une multitude de lieux rassemblés simultanément.

Le décor sonore, dont rien, dans le texte, n'indique à quel moment précis il intervient, contribuera à renforcer cette impression de liberté et d'explosion spontanée. Nous n'avons pas à juger, ici, la musique de Claude Terrasse (publiée avec le fac-similé autographique d'*Ubu Roi* en 1897). Disons simplement que Jarry semble avoir recherché les instruments les plus rares, aux noms cocasses (cervelas, sacquebutes, galoubets, oliphans verts) produisant des effets sonores très contrastés comme le hautbois et la bombarde, la flûte et les grandes orgues (*T.U.*, p. 28). Notons qu'instruments à vent et à percussion éliminent les cordes. L'important est que l'on atteigne à une intensité maximum de bruit, qui dénote l'aspect martial de cette chronique royale.

Le répertoire des costumes, dressé par Jarry, révèle les mêmes soucis de contraste et de synthèse. Contraste dans la tenue de Bougrelas, « petit sagouin de quatorze ans » III, 1, p. 67), vêtu « en bébé en petite jupe et bonnet » (*T.U.*, p. 26) ; incohérence dans celle de Bordure qui, malgré son accent anglais, portera un « costume de musicien hongrois très collant, rouge. Grand manteau, grande épée, bottes crénelées, tchapska à plumes » (*T.U.*, p. 25). La tenue de la mère Ubu, certainement héritée d'un personnage de *Turcaret,* doit garder les marques de sa rapide ascension, comme les couches géologiques superposées nous disent l'histoire de notre planète : « Costume de concierge marchande à la toilette. Bonnet rose ou chapeau à fleurs et plumes, au côté un cabas ou filet. Un tablier dans la scène du festin. Manteau royal à partir de la scène VI, acte II » (*T.U.*, p. 25). De la même façon, le costume d'Ubu ne change pas, il se modifie par accumulation d'éléments hétérogènes, à partir d'une tenue de base qui rappelle ses origines hébertiques : « Complet veston gris d'acier, toujours une canne enfoncée dans la

poche droite, chapeau melon. Couronne par-dessus son
chapeau à partir de la scène II de l'acte II... » (*T.U.*, p. 25).
Jarry résume ces préceptes dans une lettre à son metteur en
scène : « Costumes aussi peu couleur locale ou chronologique
que possible (ce qui rend mieux l'idée d'une chose éternelle),
moderne de préférence, puisque la satire est moderne ;
et sordide, parce que le drame en paraît plus misérable et
horrifique » (*T.U.*, p. 133). La tenue des palotins « très barbus,
houppelandes fourrées couleur merdre » (*T. U.*, p. 26) devait
contribuer pour une large part à cet effet.

La synthèse intervient dans la représentation des foules.
Dès qu'il songe à l'opportunité d'une représentation, Jarry
prévoit que les armées russe et polonaise, le peuple, l'équipage, seront figurés par un ou deux acteurs seulement. Ainsi
se trouve levée, en partie, l'ambiguïté que nous signalions :
au théâtre, une masse de figurants s'agitant sur la scène est
peut-être étourdissante, mais elle a tendance à rejeter le
spectateur dans son isolement. C'est un fait de langue qui
apporte la solution : quand je dis « le soldat français s'ennuie »
je veux parler de toute la collectivité militaire en France,
l'article défini au singulier a valeur globalisante. Il est logique
que Jarry représente de la sorte « toute l'Armée Russe » et
« toute l'Armée Polonaise », comme il l'indique dans la liste
des personnages (*T.U.*, p. 32). Voilà un effet de littéralité
que nous retrouverons à mainte reprise dans la dramaturgie
jarryque.

Les accessoires jouent aussi un grand rôle dans la pièce,
à tel point que certains (le cheval à phynances, la Machine
à décerveler) se trouvent sur la liste des personnages ! Nous
n'en ferons pas un dénombrement exhaustif. Les seuls qui
nous intéressent ici se rapportent au Père Ubu dont ils
constituent, pour ainsi dire, la personnalité. Tout d'abord le
« balai innommable » qu'Ubu lance sur le festin (I, 3). Il
figure dans l'édition autographe[17], dessiné de la main de
Jarry, et représente bien l'objet incongru par excellence,
scandaleux parce que sorti du lieu assigné pour envahir la

---

17. Reproduit dans : Michel Arrivé, *Peintures, gravures et dessins d'Alfred Jarry*,
planche 57.

scène de sa nauséabonde présence. Accessoire capital, il est le seul élément « réaliste » dans un ensemble plutôt stylisé. Alors que l'œuvre entière peut apparaître comme un jeu verbal, il nous ramène pesamment à l'imagination concrète des potaches. Le croc à merdre qui, selon un principe d'équivalence courant chez Jarry, peut devenir croc à finances ou crochet à nobles, revêt le même caractère que le balai, auquel il est techniquement associé, bien que ne bénéficiant pas du privilège d'être adorné de la main du maître. Plus qu'un symbole, il est l'instrument qui destitue la noblesse, transforme l'or en boue — et réciproquement. Il concrétise le rire irrespectueux des enfants, saccageant les conventions sociales, jetant tout ce qu'il y a de plus sérieux en pâture à la Machine à décerveler.Ici, cachée dans les sous-sols, elle exerce une fonction menaçante. C'est l'objet « terrifique » en soi. Lucie Delarue-Mardrus raconte, dans ses *Mémoires*, que Jarry se plaisait à torturer de jeunes condisciples, au lycée, en leur faisant croire qu'il allait les décerveler. Après leur avoir bandé les yeux, il frappait d'une bûche contre le plancher, lançait une pomme de terre cuite sur le mur, et leur montrait le résultat sinistre de l'opération...

Malgré le parti pris, déjà signalé, de montrer les actions dans leur succession normale, Jarry accumule les hiatus. Il se soucie peu de « préparer » les scènes importantes, et n'explique jamais la présence d'un personnage là où on ne l'attend pas. Ainsi, il faut supposer que Bordure et ses partisans ont été invités avant le début de la pièce. A l'acte III, scène 5, rien ne justifie la visite d'Ubu à Bordure interné, qui pourrait être relatée dans un récit, ou bien, à la scène suivante, l'audience que le Czar accorde à l'aventurier échappé. On notera aussi la solution de continuité entre ces deux épisodes. On le voit, l'enchaînement rigoureux des scènes entre elles ne constitue pas un problème pour l'auteur dont l'objectif est plutôt de faire ressortir les événements marquants. Nous l'avons déjà remarqué, il reste quelques incohérences dans le texte : le Roi déclare « Monsieur Bougrelas, vous avez été ce matin fort impertinent avec Monsieur Ubu... » (II, 1, p. 51), alors qu'il ne peut s'agir que de la veille. Mais, à côté de ces menues imperfections, il y a des désordres volontaires, qui découlent du projet artistique et nous conduisent à parler du montage, comme au cinéma.

En fait, Jarry préfigure les possibilités du montage cinématographique sous deux formes : l'enchaînement accéléré, la succession alternative de plans. Dans le premier cas, une coupure chronologique permet de rapprocher la cause et son effet, par exemple. Si un personnage écrit une lettre, la scène suivante nous montrera la mine épanouie du destinataire. Ici, Ubu convoqué par le Roi annonce « Eh ! j'y vais de ce pas » (1, 5, p. 45) et, sans transition, la scène suivante le montre aux pieds de son prince. De la même façon, la Mère Ubu émettant des doutes sur ses capacités d'administration : « Ne crains rien, ma douce enfant », dit-il, « j'irai moi-même de village en village recueillir les impôts » (III, 2), ce qui ne manque pas de se produire aussitôt après (III, 3). La succession de ces deux répliques, d'une scène à l'autre, produit un effet semblable :

> *Bougrelas :* Oh ! ce Père Ubu ! le coquin, le misérable, si je le tenais... (II, 3, p. 56).
> *Père Ubu :* Eh ! Bougrelas, que me veux-tu faire ? (II, 4, p. 56).

Mais ici, il s'agit plutôt d'une réalisation immédiate d'un vœu à peine formulé, exaucé avant que d'être proféré.

Dans la deuxième catégorie, nous rangerons les scènes qui montrent alternativement Venceslas et la Reine Rosemonde, la Mère Ubu et le Père Ubu. Ces deux derniers étant séparés, il est logique qu'on se préoccupe de chacun à tour de rôle en attendant qu'ils se rejoignent, infailliblement. A ce moment-là (V, 1), Jarry fait durer le plaisir en inventant une sorte de « troisième lieu », à la fois actuel et virtuel, qui permet à la Mère Ubu de jouer les apparitions.

Notre analyse dramaturgique d'*Ubu Roi* s'achèvera par une étude des formes du langage dramatique, formes dont l'auteur dispose quand il se met à écrire sa pièce, alors que le langage en est la matière première, le tissu organique.

La forme privilégiée du drame est le dialogue, succession

de répliques entre partenaires, dont l'ensemble fait sens. Un bon dialogue de théâtre se distingue par la rapidité de son rythme, la cohésion de ses répliques, la concentration de ses effets. En ce sens, *Ubu Roi* est un modèle du genre ; familièrement, nous dirions que « ça ne traîne pas ». Prenons quelques exemples variés, pour nous en convaincre :

> Acte II, scène 5 : *une caverne dans les montagnes. Le jeune Bougrelas entre suivi de Rosemonde.*
> *Bougrelas :* Ici, nous serons en sûreté.
> *La Reine :* Oui, je le crois ! Bougrelas, soutiens-moi ! *Elle tombe sur la neige.*
> *Bougrelas :* Ha ! qu'as-tu, ma mère ?
> *La Reine :* Je suis bien malade, crois-moi, Bougrelas. Je n'en ai plus que pour deux heures à vivre.
> *Bougrelas :* Quoi ! le froid t'aurait-il saisie ?
> *La Reine :* Comment veux-tu que je résiste à tant de coups ? Le roi massacré, notre famille détruite, et toi, représentant de la plus noble race qui ait jamais porté l'épée, forcé de t'enfuir dans les montagnes comme un contrebandier.
> *Bougrelas :* Et par qui, grand Dieu ! par qui ? Un vulgaire Père Ubu, aventurier sorti on ne sait d'où, vile crapule, vagabond honteux ! Et quand je pense que mon père l'a décoré et fait comte et que le lendemain ce vilain n'a pas *eu honte de porter la main sur lui* [...].

Ici, la tension dramatique résulte de la concentration : ce sont les derniers instants de la Reine, marqués concrètement par sa faiblesse physique et sa chute. La catastrophe survient soudain, inattendue Les répliques se rapportent exactement à la situation. Elles se succèdent rapidement, brèves d'abord, s'allongeant progressivement, alternant interrogations et exclamations. Les tournures participiales employées par la Reine marquent l'achèvement de son destin d'une manière pressante ; l'accumulation adjectivale chez Bougrelas, sa colère, témoignent de sa détermination à venger sa famille.

Il est inutile de citer la scène de la trappe (III, 2) qui se trouve dans toutes les anthologies en raison de ses qualités dramatiques. Elles tiennent, là encore, à la brièveté du dialogue, à la concentration des effets, à la rapidité du rythme. Cinq fois le même modèle se répète (qui es-tu - quels sont tes revenus - condamné). Les réponses tombent, sans phrases, et chaque fois, un noble passe à la trappe.

> Acte V, scène 1 :
> *Père Ubu :* Ah ! c'est trop fort. Je vois bien que c'est toi, sotte chipie ! Pourquoi diable es-tu ici ?
> *Mère Ubu :* Giron est mort et les Polonais m'ont chassée.
> *Père Ubu :* Et moi, ce sont les Russes qui m'ont chassé : les beaux esprits se rencontrent.
> *Mère Ubu :* Dis donc qu'un bel esprit a rencontré une bourrique !
> *Père Ubu :* Ah ! eh bien, il va rencontrer un palmipède maintenant. *(Il lui jette l'ours.)*

Ce dernier passage, comme, finalement, l'ensemble du texte, se caractérise par l'absence d'analyse, la concision des énoncés, le refus du récit au profit du discours. Les réponses sont directes, du tac au tac, et suivies immédiatement d'un passage aux actes. Le ton est soutenu par les tournures assertives ou exclamatives, renforcé par la qualification péjorative. Mais ce qui fait la force du dialogue, ce n'est pas son naturel apparent, ni l'impropriété du terme « palmipède » appliqué à un ours, c'est son rythme [18] : parallélisme des formules, reprise des termes, prose nombreuse, alexandrin (« Giron est mort / et les Polonais m'ont chassée » : 4-8), formule gnomique. Tous ces caractères rendent parfaitement compte de la nature violente des personnages.

Négligeant apparemment tout effet de style — sauf pour s'en moquer — Jarry découvre, comme par inadvertance, une prose nerveuse, qui utilise la rhétorique, au bon sens du terme. A certains moments, apparaissent des répliques stichomythiques (V, 1, p. 123), compliquées même par une énumération assonancée (V, 2, p. 125). On trouve aussi des pointes, soigneusement préparées, ainsi (V, 1, p. 118) :

---

18. Nous désignons ainsi « tout effet de répétition » au sens qu'indique Pierre Larthomas : *le langage dramatique*, Paris, A. Colin, 1972, p. 309.

> *Mère Ubu :* Tout ceci sont des mensonges, votre femme est un modèle et vous quel monstre vous faites !
> *Père Ubu :* Tout ceci sont des vérités. Ma femme est une coquine et vous quelle andouille vous faites !

L'exact parallélisme des deux répliques met en évidence la faute de grammaire initiale, qui n'est là que pour soutenir l'opposition saucisson *vs* andouille !

Au théâtre, le monologue, accepté de tous temps par convention, alterne avec le dialogue. S'il tend à disparaître de nos jours, il assume dans *Ubu Roi* une fonction ambiguë. Inaugurant l'acte IV, il est redondant, puisqu'il ne fait que verbaliser les actions de la Mère Ubu qui parle pour se tenir compagnie dans le noir. Ailleurs, à l'acte IV, scène 7, il représente le délire du Père Ubu qui, en dormant, donne un aperçu sur ses angoisses et son obsession aurifère. Enfin, le long soliloque de la Mère Ubu (V, 1) a une fonction classique : il fait le point de la situation, résume les aventures de l'héroïne depuis le départ de son époux. Malgré son allure de récit à la première personne s'adressant directement à l'auditoire, marqué linguistiquement par l'emploi du présent historique et du parfait, il ne nous apprend rien de neuf. Il apparaît alors comme une forme du langage dramatique variant avec le dialogue, introduisant une sorte de pause avant un échange de répliques de tension croissante. Certains monologues jouent, comme les apartés, sur la complicité du spectateur. Ils permettent de préciser les intentions secrètes d'un personnage, ou de réorienter l'attention vers l'essentiel. Ainsi les honneurs dont le roi comblait Ubu pouvaient nous faire croire que ce dernier renoncerait à son entreprise, c'est pourquoi il annonce : « Oui, mais, roi Venceslas, tu n'en seras pas moins massacré » (I, 6, p. 48). Dans le même ordre d'idées, la Mère Ubu devait, à la fin de la première scène, prendre une option sur la couronne royale.

Sans doute parce qu'elle est une forme naturelle du langage dramatique, la tirade, chez Jarry, revêt toujours une connotation emphatique. Elle est le théâtre qui s'avoue comme tel, et en même temps se divertit de lui-même. Cela tient au contexte et au personnage qui s'exprime par ce moyen. Les trois tirades que nous avons relevées sont articulées par Ubu et, curieusement, groupées dans trois scènes successives : au moment d'agir, le Maître de la Pologne bavarde. Dans la première (IV, 3, p. 95), le chef donne ses instructions avant la bataille, de façon à introduire la plus extrême confusion. On voit ici la parodie du discours militaire, ne serait-ce que par l'allusion au désordre d'Azincourt. Dans la seconde, Ubu explicite, sans en comprendre le mécanisme, la transformation soudaine, chez lui, du courage en terreur. Son verbiage est si peu en situation qu'il constate lui-même : « Tout ceci est fort beau, mais personne ne m'écoute. » Enfin, la dernière tirade accumule les fleurs de rhétorique pour honorer la mémoire du pauvre Rensky (IV, 5, p. 104). L'oraison funèbre, partant sur une belle période, chute sur la répétition d'un même radical et sur la vulgarité de la métaphore.

Comme l'éloge du défunt Rensky, certaines phrases méritent de passer à la postérité; frappées telles des médailles, elles se gravent dans la mémoire des spectateurs. Jarry aime ces formules équilibrées, à valeur éternelle, dont la vigueur étaie son dialogue et qui sont un écho du meilleur Corneille. Tout en souscrivant à la définition que Pierre Larthomas donne de la sentence, nous ajouterons que, pour nous, intégrée à la situation dramatique, elle n'est pas forcément impersonnelle[19]. En voici quelques-unes :

Mère Ubu, tu es bien laide aujourd'hui. Est-ce parce que nous avons du monde ? (I, 2, p. 37).
Le mauvais droit ne vaut-il pas le bon (III, 1, p. 68).
J'aime mieux être gueux comme un maigre et brave rat que riche comme un méchant et gras chat (I, 1, p. 36).
S'il n'y avait pas de Pologne, il n'y aurait pas de Polonais ! (V, 4, p. 131).

19. Cf. Pierre Larthomas : le Langage dramatique, op. cit., p. 394 : « il s'agit toujours d'une idée générale exprimée en une phrase qui, du point de vue syntaxique, est pleinement autonome : ce qui implique [...] l'absence de liaison formelle avec le contexte, une valeur générale et non référentielle des substantifs et des représentants [nous soulignons] un emploi particulier de certains temps [, :] ». Cf. aussi Jacques Schérer : la Dramaturgie classique, p. 325-327. Bien entendu, pour ces deux auteurs, la sentence, à la différence de la maxime, est liée au contexte.

On observera qu'outre la vérité générale qu'elles comportent, elles sont toutes d'une rigoureuse symétrie sémantique ou syntaxique ; c'est pourquoi elles ponctuent fortement l'énoncé, la dernière se trouvant à l'ultime réplique, comme un point d'orgue. Ainsi, Jarry utilise à peu près toutes les formes classiques du langage dramatique, mais leur contenu ou leur place dans le contexte les font exploser, à l'image des palotins qui ne cessent pas pour autant d'exister.

Le maître-mot : le langage dans « Ubu Roi »

Chaque spectateur en aura fait l'expérience : le rideau à peine retombé, tout le monde se met à « parler Ubu ». Le verbe haut, chacun rudoie sa compagne, mêle vulgarismes, archaïsmes et incongruités. Ce phénomène de contagion n'est pas dû seulement au dynamitage interne des formes du langage dramatique. C'est qu'il y a un langage particulier à *Ubu Roi,* fortement théâtral, dont chaque réplique est scandée comme la parole[20] ; c'est surtout que, mettant l'accent sur sa fonction ludique, il est très communicatif, au point que Jarry lui-même, nous disent les témoins, se mit à s'exprimer comme sa créature après l'avoir plantée sur la scène. Ce langage exclamatif, disant les réactions primaires, paraît commode, facile et naturel ; il est une réalité en soi. Voyons les caractères de cette création verbale.

Le premier trait, comme il apparaît par le mot initial, est la déformation, acte toujours volontaire au théâtre, dans la mesure où le texte est écrit avant d'être dit. Les trente-trois occurences du mot « merdre », soit seul, soit en composition, ont donné lieu à des interprétations diverses et contradictoires. Pour les uns (Charles Chassé, Louis Perche), l'adjonction intervient par bienséance ; pour les autres (Rachilde, Paul Chauveau) dans un souci d'expressivité. Le public y a vu une volonté de scandale ; les érudits une forme populaire[21],

---

20. On relèvera les très nombreux « appuis du discours » : « Je vais bien en venir à bout, *tout de même* » (II, 4) ; « *Cornegidouille,* je suis le roi, *peut-être* » (III, 4) ; « Ce n'est pas ma faute, *moi, bien sûr* » (V, 1), etc.
21. Cf. A. Carey Taylor : « le Vocabulaire d'Alfred Jarry », *C.A.I.E.F.,* mai 1959, n° 11, p. 307-322.

comme au Moyen Age *robre* pour *robe*; d'autres enfin (Michel Arrivé, Pierre Larthomas), refusant de se prononcer sur l'origine de cette formation, ont mis l'accent sur la valeur ludique de l'épenthèse. Que l'on rapproche cette formation des jurons du type *morbleu*, soit, mais l'important, comme le souligne justement Pierre Larthomas[22], est de constater que *merdre* est une création personnelle qui ne camoufle pas la grossièreté et attire plutôt l'attention, en donnant le ton de la pièce. Le processus est donc complexe : il permet d'effacer, de dérober un terme et, par le même mouvement d'affirmer sa présence consolidée. Déformer un mot, c'est le créer à nouveau.

Ce jeu phonique et graphique sur « merdre » est à mettre en relation avec les termes « phynance » et « physique », dont l'un comporte une modification (il alterne d'ailleurs avec le simple « finance »), l'autre non. Ils sont cependant équivalents dans l'esprit d'Ubu (« Nos armes tant à merdre qu'à phynances et à physique ») et Jarry signale qu'elles sont toujours parallèles (*T.U.*, p. 23). A la Conscience qui s'étonne qu'il ne soit pas séduit par la réforme de l'orthographe, Ubu explique avec colère :

> J'écris *phynance* et *oneille* parce que je prononce *phynance* et *oneille* et surtout pour bien marquer qu'il s'agit de *phynance* et d'*oneilles,* spéciales, personnelles, en quantité et qualités telles que personne n'en a, sinon moi[23].

La fantaisie graphico-phonique est donc le témoin d'une appropriation du vocabulaire. Si le langage est à tout le monde, il est normal qu'afin de s'en servir à bon escient on commence par le faire sien. Humpty Dumpty ne répondra pas autrement à Alice : « Le problème, c'est de savoir qui commande, rien de plus[24] ».

---

22. Pierre Larthomas : *le Langage dramatique, op. cit.*, p. 241. A noter la valeur particulière de la lettre R qui, comme dans la ballade de Villon, exprime la colère, l'impatience, la méchanceté; Ubu l'affectionne (rastron, bouffre, bougre...).

23. Alfred Jarry : *Almanach illustré du Père Ubu*, 1er janvier 1901, *T.U.*, p. 407.

24. L. Carroll. *De l'autre côté du miroir*, Pauvert, p. 235.

Notons, que ces chiquenaudes verbales, somme toute peu nombreuses[25], sont extrêmement productives en entrant dans plusieurs mots composés; elles « font sens » par un système complexe de dérivation étymologique et d'alternance avec le terme usuel. Ainsi, *tuder* (IV, 7) vient en relation avec tuer, dans une série de syntagmes verbaux exprimant l'idée de menace : « Décervelez, tudez, coupez les oneilles, arrachez la finance... »; d'autre part, c'est une forme provençale classique, à rapprocher du château de Mondragon (V, 4, p. 130).

Certaines déformations sont affectées à un seul personnage. Ainsi la trinité palotine grogne plus qu'elle n'articule, et insère un yod à chaque mot : « Hon, Monsieuye Ubu... Par conseiquent de quoye... ». Ici se profile la caricature d'une diction magistrale défectueuse. Il en va de même pour Ubu dont la prononciation marque davantage un parler spécifique : « Ji lon mets dans ma poche » (III, 8); « Ji ton tue au moyen du croc à merdre et du couteau à figure... ».

Chez Jarry, accents personnels et déformations ne sont pas comiques; ils témoignent que, dans certaines limites de sens, le langage peut se prêter au jeu du créateur, mais n'entraînent pas une modification de la situation dramatique. Inversement, l'accident oratoire « j'ai des oneilles pour parler et vous une bouche pour m'entendre » (III, 7, p. 83) fait rire le Conseil et l'auditoire parce qu'il est irruption du hasard dans une série déterminée, il est rupture d'équilibre, parodie involontaire de soi-même.

Parodie et rupture de ton sont des manipulations verbales courantes chez l'enfant qui, d'une façon plaisante, facilite son entrée dans la vie. Au théâtre, cela suppose une complicité du spectateur devant identifier le thème original et s'en détacher suffisamment pour s'en moquer. Il faut croire le public et les critiques d'*Ubu Roi* excellents, puisqu'ils ont détecté à peu près toutes les formules parodiées :

> Grâce au Ciel j'entrevoi
> Monsieur le Père Ubu qui dort auprès de moi.
> (V, 1, p. 114)

---

25. On en trouvera le détail dans : Michel Arrivé, *les Langages de Jarry, op. cit.*

provient directement de Racine :

> Quelle horreur me saisit ? Grâce au ciel, j'entrevoi...
> Dieux ! quels ruisseaux de sang coulent autour de moi.
> (*Andromaque* V, 5, v. 1627-28)

« Bien tuer le roi » (I, 7, p. 50), « tue bien le Czar » (III, 8, p. 88) serait, selon Michel Arrivé, une expression empruntée à *Don Juan* (I, 2) : « Ne l'ai-je pas bien tué ? ». Le « combat des voraces contre les coriaces », plaisanterie scolaire courante, viendrait, si l'on en croit Paul Jacopin, du titre d'une parodie d'un opéra de Salieri et Guillard : *les Horaces*. Le même auteur a soigneusement comparé les textes de *Macbeth* et d'*Ubu Roi* pour voir ce qui, du premier, avait pu passer dans le second. Empruntons-lui ses rapprochements[26].

> a) *Le Soldat :* Il [Macbeth] ne prend congé de lui [Mac Donald] qu'après l'avoir fendu depuis la tête jusqu'au nombril (*Macbeth*, I, 2).
>
> *Bordure :* Moi je suis d'avis de lui ficher un grand coup d'épée qui le fendra de la tête à la ceinture (*Ubu Roi*, I, 7, p. 48).
>
> b) *Macbeth :* Le thane de Cawdor est vivant, seigneur prospère... (*Macbeth*, I, 3).
>
> *Ubu :* ... le roi Venceslas est encore bien vivant... (*Ubu Roi*, I, 1, p. 34).
>
> c) *Lady Macbeth :* Quand vous aviez osé, alors vous étiez un homme (*Macbeth*, I, 7).
>
> *Mère Ubu :* Ah ! bien, Père Ubu, te voilà devenu un véritable homme (*Ubu Roi*, I, 1, p. 36).
>
> d) *Macbeth :* Venez, revêtez-moi de mon armure. Donnez-moi mon bâton de commandement (*Macbeth*, V, 3).
>
> *Père Ubu :* Ah ! Mère Ubu, donne-moi ma cuirasse et mon petit bout de bois (*Ubu Roi*, III, 8, p. 85).

Sans penser pour autant qu'il y ait imitation d'une pièce à

---

26. Paul Jacopin : *l'Originalité du langage théâtral dans Ubu Roi*, D.E.S. 1966-67, 104 ff. dactyl., cote D 111 à l'Institut d'Etudes Théâtrales.

l'autre (les différences seraient plus importantes que les ressemblances), il faut avouer que la parodie surgit du parallélisme, surtout si l'on songe à l'identité de certaines situations, comme la scène de la tentation, au début. Nuançons toutefois cette constatation en rappelant qu'*Ubu Roi* épousant le schéma de tous les drames historiques, l'auteur rencontrera automatiquement des formules épiques qu'il lui suffira d'insérer dans un contexte à peine différent pour les ridiculiser.

Après les grands classiques, c'est incontestablement la voix de l'Eglise qui a toujours été le plus parodiée. Dès lors que la Mère Ubu, imitant saint Gabriel (et Bossuet) annonce l'heure du jugement dernier (« ... On parle, en effet, et la trompette de l'archange qui doit tirer les morts de la cendre et de la poussière finale ne parlerait pas autrement ! Ecoutez cette voix sévère... », V, 1, p. 115), il est logique qu'Ubu fasse étalage de sa science théologique et de ses qualités de latiniste : « Je le sais maintenant de source sûre. Omnis a Deo scientia, ce qui veut dire : Omnis, toute ; a Deo, science ; scientia, vient de Dieu... » (V, 1, p. 120).

Ajoutons, pour mémoire, que le souhait initial de la Mère Ubu, pourrait bien être une réminiscence des *Essais* de Montaigne : « au plus haut trône du monde, si ne sommes nous assis que sur notre cul ». Enfin l'exclamation d'Ubu : « O les braves gens, je les adore » (IV, 3, p. 96) rappelle curieusement une parole historique de 1870, celle de Guillaume Ier à Sedan.

Plus que l'irrévérence à l'égard de la tradition scolaire, le mélange des tons marque le divertissement potachique. Ravi de certaines tournures bizarres, l'oreille enchantée par des sonorités rares, l'élève parle une langue archaïque, pour le plaisir. Ainsi le Nous de majesté, les alexandrins et hémistiches qui parcourent le récit de la Mère Ubu (V, 1), les inversions « que ne vous assom'je », « je te vais arracher les yeux », la prononciation datée de « Vous estes », les exclamations grandiloquentes « De par Dieu », ou encore des termes employés dans un sens classique « penser » pour faillir, « perdre » pour faire périr, « construire » pour agencer, et l'intensif « fort » (20 occurences) à la place de « très ».

Dans le même ordre d'idées, mais explorant un autre aspect de la langue, l'enfant s'enivre de mots vulgaires ou argotiques, qui ont l'attrait du fruit défendu. Enumérons : fiole, binette, capon, carottes (argent), cochon, sagouin, gueuler, foutre-ficher le camp, rond (saoûl), etc. L'attraction est d'autant plus grande que la langue populaire n'est pas d'une syntaxe compliquée, comme dans le cas précédent, et que les images y abondent : « brouter de l'arsenic », « se brosser le ventre », « se tirer des pieds »...

En fait, c'est ce contraste, joyeusement modulé, entre style noble et vulgaire, voire scatologique, qui fait la puissance de la langue ubuesque. Le lecteur appréciera des conseils comme celui-ci : « Vous pourriez faire succéder sur votre fiole la couronne de Pologne à celle d'Aragon », des équivalences verbales comme « Mon amour... madame ma femelle... madame de ma merdre », ou encore « garçon de ma merdre... seigneur garçon » à propos de Nicolas Rensky, décidément très affectionné par Ubu.

En général, le stylisticien parle de rupture de ton quand un mot, une expression, une réplique, interfèrent dans une série qui, selon un usage implicitement admis par tous, doit être isotonique, dans quelque cas que ce soit, au théâtre ou à la ville. C'est la règle poétique la moins discutée, sans doute parce qu'elle est inconsciente. Mais dans *Ubu Roi*, il est difficile d'appeler rupture de ton ce qui est constant. Nous dirons que l'œuvre prouve sa liberté en refusant à nouveau une des unités dramatiques.

Malgré cette constatation, il faut dire que le langage reste d'une étonnante cohérence interne. Cela tient certainement à l'invention verbale et à l'unité de l'univers ubuesque, ces deux aspects étant inséparables.

La gloire d'*Ubu Roi* vient d'abord de la découverte d'un nom magique, nom-écrin, unité phonique primitive, parfaitement équilibrée, symétrique par rapport à son axe, lisible de gauche à droite ou de droite à gauche, se prêtant à certaines modifications pour les besoins de la rime : « Vive le Père Ubé, notre grand financier ! » (V, 2, p. 125), adoptant la marque du pluriel (les Ubs), mais revenant toujours à sa plénitude première, à sa rondeur vocalique et consonantique, symbole parfait de l'être qu'il désigne. Le monde artistique ne connaît, à notre avis, qu'un seul cas de nomination semblable, rompant avec l'arbitraire du signe parce que le référent est lui-même arbitraire, c'est Dada. Certes, on parlera, comme Jarry l'a fait, non sans humour, des étymologies possibles, des patrons déformés (Hébert, Béhu), de la ritournelle inspiratrice (« Ce roi barbu qui s'avance — bu qui s'avance... »), mais on ne saura dire la perfection de ce nom. A côté de lui, les autres font l'impression de pénibles inventions : Giron, Pile, Cotice et même Bordure proviennent du Littré; ils n'ont pas le charme de la trouvaille, même s'ils impliquent de multiples sens, à la croisée de l'héraldique et du scatologique. Seul Bougrelas, peut-être, aurait une certaine allure au milieu d'une énumération de prénoms polonais, mais tous ces noms inventés, nous en sommes certains, par Jarry (la geste rennaise parlait du Père Hébé, du capitaine Rolando, d'une suite espagnole) ne valent pas Ubu.

Autour d'Ubu gravitent un certain nombre de satellites, hommes ou choses. Les « palotins » tiennent, verbalement, du pal (voir *Ubu Cocu*) du phalle (voir « Visions actuelles et futures ») et même, car cela existe, d'un ordre monastique polonais; ils sont une extension trinitaire du Père Ubu. Plus personnelle est sa « gidouille », autrement nommée « boudouille »; « bouzine », « giborgne », c'est le lieu des appétits inférieurs, ventre et postérieur, indifféremment. Le terme, néologisme pur, entre en composition, particulièrement dans l'exclamation « cornegidouille »[27]. Quant aux synonymes, « bouzine » provient de Rabelais, chez qui il désigne une sorte de cornemuse, « giborgne » serait une altération de l'argotique « giberne » ou bas des reins, « boudouille » désignant déjà la même partie physique du mufle vitupéré par L. Tailhade. Comme Ubu est inséparable de son vocabulaire

<hr>

27. Pour toutes ces questions de vocabulaire, nous nous aidons de la thèse de Michel Arrivé, *les Langages de Jarry*, sans toutefois souscrire à l'interprétation sexuelle de l'auteur qui, pour intéressante qu'elle soit, ne nous paraît pas rendre suffisamment compte de l'invention langagière. Voyant *Ubu enchaîné* à la télévision, Agnès (deux ans) sachant à peine parler, en retenait, jutement le célèbre « cornegidouille », avec l'intonation ! Je veux croire ma fille précoce, mais je la sais sensible aux sonorités plus qu'au sens intime (comme on dit les parties) des mots !

truculent, on ne peut l'imaginer sans les objets, constitués en série homogène, qui forment son univers : bâton à physique, cheval (casque, sabre, voiturin) à fi/phynances, croc à merdre. Mystérieux, chaque terme porte la marque personnelle d'Ubu dans sa graphie ou sa constitution, l'objet est d'abord d'appartenance royale avant d'être une arme, un instrument de torture, etc. Ces mots disparaissent au cinquième acte, puisqu'Ubu, déchu, est dépossédé.

L'énumération des supplices dont Ubu menace ses adversaires culmine à l'acte V, scène 1, lorsqu'il « déchire » son épouse. Il y a là une sorte d'ivresse verbale, une chaleur d'imagination saisissantes.

Par jeux de mots nous entendons, à l'intérieur de la fonction ludique du langage, un mécanisme qui souligne l'homophonie ou la polysémie de certains termes en faisant varier le contexte. Dans ce cas, il n'y a pas exactement invention verbale, comme ci-dessus, mais invention de rapports. Cette définition nous permettra de ne pas juger de la valeur (comique, plaisante, profonde) du jeu verbal : prendre la fuite — avoir la fuite (IV, 5) ; « on ne sait par où la prendre. — Il faut la prendre par la douceur » (V, 1) ; « la Vénus de Capoue — qui dites-vous qui a des poux ? » (V, 1) ; nœuds marins qui ne se défont pas, et, pour finir, équivoques, à partir d'un vocabulaire maritime obscur pour Ubu.

Par la puissance d'un mot, l'enfant se procure de délicieux frissons, comme avec le masque de carnaval qui le fascine et l'effraye. Telles sont les particularités de la machine à décerveler, de la pôche à bretelle, de la trappe. Les mots se déforment, s'enchaînent, s'accumulent, en viennent à prendre une signification étrange, comme dans ce menu où se mêlent plats réels et fariboles (I, 3). Y paraissent des « côtelettes de rastron » qui se transforment en projectiles. On a donné de bien savantes et compliquées explications là où il faudrait d'abord s'arrêter à la matière sonore du mot, aux échos possibles.

C'est alors qu'intervient le problème de la connotation de ce langage. Il est certain qu'il évoque des sujets tabous : matière fécale, sexualité. Il affirme surtout sa nature de langage enfantin, libéré du souci de signifier directement, mais signifiant de surcroît. Le langage ubuesque n'est jamais incompréhensible. Ce qui étonne, c'est sa fraîcheur, son actualité. Ce trait est encore plus évident si on le compare au langage symboliste de son temps. En laissant parler son enfance, Jarry a trouvé la jeunesse éternelle de la langue.

Si Jarry n'écrit pas demain qu'il s'est moqué de nous, il ne s'en relèvera pas.

Jules Renard, dans son *Journal,*
le soir de la première d'*Ubu Roi*

3

Ubu sur la scène et dans le monde

La première d'« Ubu Roi »

Malgré ce que nous avons dit sur l'importance d'*Ubu Roi* qui marque, en quelque sorte, un point de non-retour dans l'histoire de notre littérature, il faut bien convenir d'une réalité première : Ubu ne hanterait pas tant la conscience universelle s'il n'avait été porté par Jarry lui-même sur la scène du Théâtre de l'Œuvre et, quotidiennement, dans chacun des actes de son existence.

Jarry « fait avancer le pion Ubu »

Nous avons déjà noté comment l'esthétique dramatique de Jarry, s'inscrivant dans le cadre des préoccupations symbolistes (pour les dépasser), il était logique que celui-ci rencontrât Aurélien Lugné-Poe, animateur de l'Œuvre, qui, soutenu par les Symbolistes, et singulièrement par le groupe du *Mercure de France*, avait pris, nous l'avons vu, la relève de Paul Fort et de son Théâtre d'Art. Sans reprendre en détail l'historique des rapports du dramaturge et du metteur en scène[1], nous noterons brièvement ici les éléments permettant d'affirmer que le premier a manœuvré en pleine conscience pour que l'œuvre recueillie au lycée de Rennes devienne un événement théâtral, seul moyen possible de mettre Ubu

---

1. Cela a été magistralement traité par P. Lié : « Comment Jarry et Lugné-Poe glorifièrent Ubu à l'Œuvre », in *Cahiers du collège de Pataphysique*, n° 3-4, p. 37-51.

à sa juste place et de faire rendre hommage, par un peuple adulte, à la création enfantine.

Dès ses débuts littéraires à Paris, Jarry avait pris contact avec Lugné-Poe, lui disant l'estime qu'il portait à son entreprise : « Je serais très heureux d'applaudir cette seconde année de « l'Œuvre » après vous avoir accompagné, de loin seulement, dans votre voyage septentrional...[2] »

Les réalisatins de Lugné-Poe sont proches de ce qu'il voulait voir au théâtre : en témoignent ses critiques dramatiques parues dans *l'Art littéraire,* rendant compte des représentations *d'Ames solitaires* de Hauptmann et de *Solness le Constructeur* d'Ibsen[3]. Lugné faisait de la pauvreté de ses moyens un postulat artistique qui rejoignait les préoccupations de Jarry. Ses décors sont de simples toiles de fond, imprécis, dépourvus de tout détail réaliste ou anecdotique; peints par Vuillard, Ranson ou Sérusier, ils sont aussi vagues que possible, afin de laisser libre champ à l'imagination poétique. Ils ont surtout l'avantage de pouvoir servir pour des scènes très différentes. Afin d'éviter les frais de location, on joue en costume moderne. Les figurants sont vêtus à leur guise, sans aucun souci de couleur locale. Ainsi Jarry trouve-t-il une réponse concrète à son souci d'universalité et d'intemporalité : l'anachronisme était à ses yeux le meilleurs moyen d'atteindre à l'éternel. De même, la mise en scène, répondant à des impératifs identiques, use d'un faible éclairage, la rampe dégageant et projetant sur le décor-écran la silhouette fantomatique des acteurs. Compte tenu du goût particulier de Lugné pour la sobriété des gestes et la monotonie des voix, on est assez près finalement d'un théâtre abstrait, côtoyant le théâtre d'ombres que Jarry manipulait en son enfance rennaise.

Les théâtres d'avant-garde, ou « théâtres à côté » comme disait alors A. Aderer dans *Le Temps,* étant les seuls à pouvoir jouer *Ubu Roi,* Jarry se devait de s'adresser à l'Œuvre. Cette originale entreprise s'était assuré une solide réputa-

2. Lettre de Jarry du 30 octobre 1894, in Lugné-Poe : *Acrobaties,* p. 160.
3. Respectivement dans *l'Art littéraire,* janvier 1894, p. 21-25 et mai-juin 1894. p. 85-86, (*Pl.* p. 1003-1006 et 1008-1009).

tion de non-conformisme[4] durant les trois saisons que Jarry la suivit de près. Mais il y a loin entre une convergence de vues et la représentation d'une pièce comme *Ubu Roi*. Pour que Lugné-Poe l'inscrive à son répertoire, Jarry, qui savait exactement où il voulait en venir, n'hésita pas à se faire le secrétaire-factotum du metteur en scène. Présenté par A.-F. Hérold, il obtint d'être engagé au printemps 1896 pour remplacer Van Bever :

> Jarry m'attirait, d'autre part je savais qu'il travaillait à une pièce en vue de « l'Œuvre »; cependant, lorsque je le priai de prendre des fonctions chez nous, j'étais à mille lieues d'imaginer le genre de pièce qu'il me préparait. Il se sentait attiré par le théâtre; même, nous confiait-il, il avait joué la comédie au collège avec ses camarades et avait réussi à faire jouer les marionnettes. Il me remit, puis il me retira un essai schématique d'imagination poétique : *les Polyèdres*. Auparavant, il m'avait communiqué non achevé *Ubu Roi*, que je ne savais par quel bout prendre pour le réaliser à la scène.[5]

Lugné fait ici allusion à deux lettres de Jarry (*T.U.*, p. 132 - 134) où, usant d'un balancement très habile, celui-ci avançait d'abord une œuvre pour faire retenir l'autre. Jarry entre donc à l'Œuvre, et toujours il fait avancer le pion *Ubu,* comme le constate Lugné dans ses souvenirs (p. 163). Devenu secrétaire, régisseur, acteur même (il remanie la scène des Trolls de *Peer Gynt* et interprète le rôle du premier troll de cour et du Vieux de Dovre), Jarry flatte son directeur tout en se démenant sérieusement pour l'entreprise commune dès que Lugné a accepté le principe d'une mise en scène d'*Ubu*.

Cependant, après avoir promis, Lugné-Poe se montre réticent, il allègue ses difficultés, l'incompréhension du public... C'est Rachilde qui plaide la cause d'*Ubu* avec des arguments qui ne manquent pas de situer l'état d'esprit exact des partisans de la pièce :

---

4. Comme le démontre Jacques Robichez dans sa thèse : *le Symbolisme au théâtre...* Paris, l'Arche, 1957.
5. Lugné-Poe : *Acrobaties*, p. 160.

Si vous ne sentiez pas un *succès* quand vous avez accepté cette pièce, pourquoi vous, directeur de théâtre sachant de quoi se forme le succès, qui est, quelquefois, simplement un grand *tapage*, l'avez-vous prise ? [..] Et après le succès de *Peer Gynt*, c'est le plus sage parti que de donner une œuvre extravagante, si vous la donnez tout à fait en guignol, surtout.[6]

Elle insiste sur l'attente de la jeune génération et de quelques vieux amateurs de blague. Loin de s'annoncer comme une révolution, *Ubu* n'est à ses yeux qu'un divertissement, une bonne plaisanterie à faire au public de l'Œuvre trop amateur de symboles ; c'est un jeu dramatique avant tout, par lequel les acteurs devront atteindre au geste stylisé de la marionnette.

Quant au public, il faut dire que Jarry avait spécialement veillé à le préparer. Ubu, dont nous étudierons les apparitions et les réincarnations au chapitre V, s'était fait connaître dans *l'Echo de Paris littéraire illustré* du 28 avril 1893, il avait été « divulgué » de bien absconse manière dans « Visions actuelles et futures » (*l'Art littéraire*, mai-juin 1894) avant de se manifester sur terre dans *César Antéchrist* publié d'abord en partie dans le *Mercure de France* et repris en volume aux éditions du même nom. Les amateurs de revues étaient déjà au fait de ce sinistre personnage quand Paul Fort donna *Ubu Roi* dans le *Livre d'art* d'avril et mai 1896 et quand parut l'édition originale du *Mercure* qui suscita les comptes rendus de Romain Coolus (*la Revue blanche*, 1er juillet 1896), de Verhaeren (*l'Art moderne*, juillet 1896), de Louis Dumur (*Mercure de France*, septembre 1896) qui signalait la vitalité du type découvert par Jarry et sa manière originale de comprendre le théâtre, développée d'ailleurs dans le même numéro sous le titre « De l'inutilité du théâtre au théâtre » — et reprise par Lugné-Poe (qui y voyait d'étranges analogies avec les préoccupations de l'Elisabethan Society) dans le numéro suivant. Ainsi les noms des trois protagonistes : Jarry, Ubu, Lugné, reviennent-ils souvent asso-

6. Cité dans Lugné-Poe, *ibid.*, p. 174.

ciés et répétés par les journalistes amis, surtout Catulle Mendès et Henry Baüer.

Ubu Roi entre en répétition. Les récriminations de Lugné-Poe dans ses mémoires nous laissent entendre que Jarry y veilla de près, le poussant à des dépenses somptuaires : « Finalement, je m'attelle à *Ubu,* mais comme Jarry est animé d'une sorte de génie tourmenté, mille difficultés plus irritantes les unes que les autres naissent sous nos pas ».[7]. En effet, si l'auteur accepte d'emblée l'idée proposée par Lugné d'adopter des mannequins pour la scène de la trappe et des ombres de taille décroissante pour figurer les âmes des ancêtres[8], c'est bien lui cependant qui impose sa conception de la mise en scène, dans l'esprit de guignol, avec des procédés visant à la plus grande abstraction. Il les avait d'ailleurs annoncés au directeur de l'Œuvre dans une lettre du 8 janvier 1896 (*T. U.,* p. 132), avant d'en dégager les principes dans son article « De l'inutilité du théâtre au théâtre ». Concrètement, ils se résument ainsi :

1) *Dépouillement et simplification :* un seul figurant pour représenter toute une foule (l'armée, les paysans, l'équipage...) ; une tête de cheval en carton pendu au cou de l'acteur pour les scènes équestres; une pancarte changée à vue pour indiquer le lieu de l'action.

2) *Synthèse :* un seul décor, ou plus exactement une toile de fond, synthèse de tous les paysages sous tous les climats possibles; des costumes anachroniques ou intemporels.

3) *Jeu de guignol :* « Masque pour le personnage principal » (*T. U.,* p. 133); « adoption d'un accent » ou mieux d'une « voix » spéciale pour le personnage principal » (*T. U.,* p. 133); enfin jeu mécanisé et stylisé des comédiens comme marionnettes.

Lugné-Poe, qui n'avait pu entrer dans le rôle d'Ubu, était parvenu à décider Firmin Gémier, alors sacré premier comédien de composition par Henry Baüer et fidèle du Théâtre de l'Œuvre. Gémier hésitait, craignant que l'aventure ne compromette la place qu'il tenait à l'Odéon. Ne sachant

---

7. Lugné-Poe : *Acrobaties,* p. 175.
8. Cf. la lettre de Jarry citée par Lugné-Poe, *Acrobaties,* p. 165.

comment jouer Ubu, Lugné lui conseille : « Imite le parler de Jarry, sur deux notes, ce sera comique, ne crains pas d'insister, comme lui articule avec l'exagération du monsieur ou de l'« homais » sûr de son fait, machine à broyer les humanités !... »[9] Gémier comprit si bien son personnage que, selon Lugné, il s'identifia à lui. Quant à Louise France, elle aussi spécialiste des rôles de composition, elle apprit, par sa rondeur, à compléter le Père Ubu et à « grandir la république », selon l'expression de Lugné-Poe.

Pour la musique, ce dernier avait fait appel à Claude Terrasse, beau-frère de Bonnard, qui allait devenir un des meilleurs amis de Jarry. Il devait diriger l'orchestre lui-même, derrière la scène.

Comme pour tous ses spectacles, Lugné fait appel à l'élite des peintres nouveaux, ses vieilles connaissances Sérusier et Bonnard, assistés dans la préparation du décor par Vuillard, Toulouse-Lautrec et Ranson.

La répétition générale eut lieu le 9 décembre 1896 à 20 h 30, au Nouveau Théâtre (actuellement Théâtre de Paris). Contrairement à l'opinion généralement répandue, il convient de noter que cette séance se déroula normalement jusqu'au troisième acte. Au témoignage de Gémier, le public riait, soit de satisfaction, soit pour « emboîter », mais il riait, et les principales scènes passèrent très bien.

> Mais l'hostilité éclata tout d'un coup et complètement à la scène qui se déroule dans la casemate des fortifications de Thorn. Pour remplacer la porte de la prison, un acteur se tenait en scène avec le bras gauche tendu. Je mettais la clé dans sa main comme dans une serrure. Je faisais le bruit du pêne, « cric, crac », et je tournais le bras comme si j'ouvrais la porte. A ce moment, le public trouvant sans doute que la plaisanterie avait assez duré, se mit à hurler, à tempêter [...][10]

Gémier eut alors l'idée d'esquisser une gigue, ce qui calma l'auditoire. Le lendemain, il prit la précaution de se munir

9. Lugné-Poe, *ibid.*, p. 176.
10. F. Gémier, interview à *Excelsior*, 5 novembre 1921. Ce témoignage est confirmé par V. Mandelstam, « Dans la coulisse d'*Ubu Roi* », Fantasio, 15 avril 1908.

d'une trompe d'omnibus ! L'équivoque sur ces soirées troublées provient d'une confusion, souvent entretenue par la presse, entre la générale et la première représentation, celle du 10 décembre 1896, agitée, quant à elle, dès le début.

Malgré le prudent conseil de Rachilde, Lugné-Poe ne put éviter la conférence préliminaire de Jarry où celui-ci, vêtu de manière extravagante, outrageusement maquillé « petit homme noir en habit trop grand, les cheveux plaqués à la Bonaparte, le visage pâle et les yeux sombres, des yeux d'encre ou de mare profonde »[11] , surgit d'une table recouverte d'une grossière toile de jute pour remercier les glorificateurs d'Ubu, mettre le public en garde contre les interprétations excessivement satiriques (tout en le laissant libre de choisir) et le prévenir des conditions étranges du spectacle. De fait, sa voix était si faible et blanche que, selon la critique, seules quelques phrases parvinrent aux oreilles de l'auditoire.

Mise en scène

Il faut prêter plus d'attention que ne put le faire le public de la première au discours de Jarry (*T.U.*, p. 19-21) pour comprendre le décalage qu'il y eut entre les vœux du dramaturge et sa réalisation. Alors qu'il fallait un grand nombre de répétitions pour régler le minutieux mécanisme d'acteurs jouant en marionnettes, on le sent désemparé devant l'impréparation des comédiens, retenus par d'autres engagements. La pièce n'est pas jouée intégralement : « J'ai fait toutes les coupures qui ont été agréables aux acteurs (même de plusieurs passages indispensables au sens de la pièce) et j'ai maintenu pour eux des scènes que j'aurais volontiers coupées » (*T.U.*, p. 20). Ubu n'a pas son masque véritable, ses comparses ne correspondent pas à l'idée que Jarry s'en fait, les chevaux de carton grandeur nature, alors qu'il voulait des chevaux-jupons, ont été peints à la dernière minute; faute d'un orchestre de foire adéquat aux marionnettes, on se contentera d'un piano et de cymbales. Dans ces conditions, il est difficile d'affirmer, comme le fait le Collège de

---

11. Rachilde : *Alfred Jarry*, p. 71.

pataphysique, que les deux représentations de 1896 furent les « vraies » ![12]

Il apparaît, d'après sa conférence, que Jarry dut consentir quelques concessions. Toutefois, ses intentions purent se réaliser en grande partie. Effarant pour le public, le décor était bien, comme il le désirait, une synthèse. Toile hybride et monstrueuse, source de toute originale beauté (comme il l'affirme à propos des chimères dans *l'Ymagier*, nº 1), elle représente, côté cour, un paysage torride avec un palmier autour duquel s'enroule un gigantesque boa; au fond, un terrain vallonné planté de maigres arbustes, dominé par un soleil d'hiver, et sur lequel tombe la neige; on entrevoit une fenêtre surmontée de hiboux; au centre, une cheminée ornée d'une pendule et de deux candélabres s'ouvre à deux battants pour les acteurs; côté jardin, un lit drapé de rideaux jaunes s'accompagne de l'indispensable pot de chambre; sur le côté, un gibet supporte le squelette d'un pendu[13]

Si l'on imagine qu'un tel décor était censé situer l'intérieur d'un palais royal, l'appartement des Ubu, un champ de bataille, deux cavernes, etc., on comprendra la nature de la révolution scénographique introduite par Jarry. S'opposant au trompe-l'œil naturaliste et, en fin de compte, au décor utilisé dans les mises en scène symbolistes, trop lourd de significations et imposant une vision univoque, il découvre le décor naïf, « décor parfaitement exact » selon lui, puisqu'il suggère un pays de nulle part.

Gémier ne supportant pas le masque s'était couvert d'un crâne piriforme et d'un faux nez aux rudes moustaches.

> Les personnages principaux portaient des masques dont le faux nez leur contractait les narines, de façon qu'ils eussent l'enchifrènement du rhume de cerveau qui fait dire badame pour madame, ibbonde pour immonde; ou plus encore l'accent, le hénissement puritain et clai-ronnant des passagers du May Flower[14]

12. P. Lié : « Notes sur la seconde représentation d'*Ubu Roi* », *Cahiers du Collège de pataphysique*, nº 20, p. 52.

13. En l'absence de document iconographique, nous nous sommes reporté aux articles de presse pour reconstituer cette description.

14. Georges Rémond : « Sur Jarry et quelques autres », *Mercure de France*, avril 1955.

Des comptes rendus plus précis du spectacle confirment que les acteurs avaient pris l'accent et la voix voulus par Jarry.

Les acteurs jouèrent en tenue civile, à quelques variantes près comme de retrousser leur pantalon jusqu'aux cuisses; ce n'était certes pas le costume souhaité par Jarry dans son répertoire, mais la pauvreté des moyens conduisait pourtant à la découverte du costume intemporel, le moins daté puisque actuel, dérisoire, sordide.

Le jeu des comédiens ne laissait aucun doute; ils étaient bien ces fantoches que voulait Jarry : Louise France « a pris le parler spécial et traditionnelles (*sic*), gestes anguleux et convenus des marionnettes » confirme un journaliste peu suspect de sympathie pour l'œuvre [15]

Il faudrait pouvoir mentionner toutes les inventions scéniques de Jarry qui voulait que l'Œuvre monopolisât les innovations (*T.U.*, p. 135). Faute d'un hypothétique cahier de régie (fort peu en usage à l'époque), nous glanerons dans les comptes rendus critiques les éléments de ce ton théâtral nouveau qu'annonçait *Ubu Roi*. A travers le témoignage de Gémier, nous avons pu remarquer la suppression du praticable dans le dispositif scénique, au profit du figurant assurant, au moment opportun, la fonction de porte de prison. Ajoutons ce vénérable vieillard, fort apprécié du public qui voyait en lui le vieux Chronos, venant, entre chaque tableau, accrocher une pancarte mentionnant le lieu de la scène. Les Palotins défilaient, le buste droit, cachés à mi-corps par un paravent, ils donnaient l'impression de descendre une côte en fléchissant progressivement les genoux, jusqu'à disparaître [16]. Toute la gestualité de la pièce était rendue par de semblables procédés :

> Le décor ne changeant pas, il s'agissait d'*évoquer* au lieu de le représenter directement, les divers lieux où évoluait l'action; pour cela on a eu recours à un certain nombres de *signes* susceptibles de suggérer ce qu'on ne

15. Robert Vallier, *la République française*, 12 décembre 1896, cité in H. Robillot : « La presse d'*Ubu Roi* », *Cahiers du Collège de pataphysique*, n° 3-4, p. 74.
16. Cf. G. d'Houville, *le Figaro*, 27 janvier 1932.

> pouvait montrer : quelques actions en raccourci très
> expressivement synthétiques — la course, la montée de
> la colline, la bataille — constituent une sorte de langage
> théâtral nouveau sur lequel il y aura lieu de revenir[17].

La volonté de transposer le théâtre en marionnettes n'avait
pas échappé à la plupart des critiques, sinon des spectateurs.
En un discours fictif prêté à Jarry, R. Coolus montrait
comment pouvait s'éviter la méprise qui causa le scandale :
il suffisait d'annoncer clairement que, loin de vouloir révo-
lutionner l'esthétique théâtrale, on pensait seulement ressus-
citer la passion pour les farces guignolesques. Peut-être ce
partisan de la sagesse se trompe-t-il, en croyant que la
substitution des principes du guignol aux formes traditionnelles du théâtre n'est pas un bouleversement radical. Il reste
que, en dépit des difficultés évoquées, les interprètes ont
servi la pièce de leur mieux, ce dont conviennent tous les
critiques : « Gémier a fait du roi Ubu, de cette outre pleine
d'excrément et de vin, de ce Falstaff de la petite Pologne,
une sorte de création — tout ce que lui a permis le texte et
même plus » (*la Lanterne,* 12 déc. 1896). « Le public a
applaudi les artistes après avoir sifflé la pièce et l'avoir
égayée de ses lazzi » (*le Soleil,* 11 déc. 1896). C'était là
l'opinion de deux adversaires; voici celle d'un ami :

> Gémier, avec cette volonté rageuse de créer que nous
> admirons en lui, a fait du Père Ubu un type inoubliable.
> Il a eu des trouvailles de voix, de gestes, de maintien,
> des contradictions de mains et de pieds vraiment extra-
> ordinaires. Je ne sache pas d'acteur qui eût su présenter
> avec un pareil relief ce personnage horrifique. La mère
> Ubu-France s'est vers la fin surtout, montrée digne
> femelle du gros père; le personnage de la reine Rose-
> monde a mis en relief les qualités auvergnates de
> Mme Irma Perrot. Quant au capitaine Bordure, il a été
> simplement exécrable... (Romain Coolus, article cité).

Est-ce à dire qu'ils aient été fidèles aux intentions de
l'auteur ? Certes non, car la réaction du public leur rendit

17. Romain Coolus, *la Revue Blanche,* janvier 1897.

toute l'initiative et les livra à eux-mêmes au lieu d'être les
fidèles rouages d'une mécanique, au point qu'on a pu
écrire : « Ubu au contraire est la revanche des comédiens . »

L'accueil du public

Le comportement de la salle, lors de la représentation du
10 décembre 1896, a été si souvent décrit [19] qu'on a scrupule
à y revenir. Chacun sait qu'il y eut des sifflets, des hurle-
ments de rage, que la foule était prête à faire le coup de
poing, à bondir sur la scène pour, dans l'ivresse du geste
libéré, assouvir sa fureur. Ce n'est pas un vain goût de
l'anecdote qui nous a fait relire les souvenirs, critiques,
témoignages des participants : cette soirée n'est pas seulement devenue historique pour le scandale perpétré, elle fut
l'acte de naissance d'Ubu, type qui ne prend son existence
que sur la scène : on ne peut plus lire la pièce sans songer à
l'aura tumultueuse dont la pare la légende.

Dès le premier mot « l'assistance frappée à la poitrine
et au nez, réagit comme un seul homme. Désormais les
personnages s'agitèrent et parlèrent en vain : le spectacle
fut la salle même[20] ». La chronique montre Sarcey jaillissant
de son fauteuil pour sortir méprisant; Ferdinand Hérold, dans
la coulisse, éclairant tour à tour la scène et la salle afin
d'obtenir un calme proviroire; Jules Lemaître interrogeant :
« C'est bien une plaisanterie, n'est-ce pas ? ». Jean de Tinan
applaudit à grands fracas tout en sifflant. Des cris fusent :
« Tas d'idiots, vous ne comprendriez pas mieux Shakespeare »,
« C'est plus fort qu'Eschyle », « Vous avez sifflé Wagner ».
« Mangre » fait écho au terme initial; le Sâr Péladan appelle
à lui les races latines; Willy, estimant que le théâtre est
surtout dans la salle, clame au public « Enchaînons », tandis
que Rachilde crie « Assez » aux siffleurs. Dans son *Journal*,
Jules Renard aigri note « Si Jarry n'écrit pas demain qu'il
s'est moqué de nous, il ne s'en relèvera pas [21] ». Un partisan

18. Jacque Robichez; *le Théâtre symboliste, op. cit.,* p. 365.

19. Et même intégré à une vague intrigue romanesque dans : Guillaume Hanoteau,
Ces nuits qui ont fait Paris, Fayard, 1971, p. 40-65.

20. Georges Rémond « Souvenirs sur Jarry et quelques autres », *Mercure de France,*
mars et avril 1955.

21. Jules Renard : *Journal* (1887-1910), Gallimard, Pléiade, p. 363.

fervent comme Baüer écrira : « Comment certains spectateurs ne comprenaient-ils pas qu'A. Jarry se moquait de lui et de nous ? » (L'Echo de Paris, 12 déc. 1896).

La presse fut exactement à l'image de ce public. Tous les journaux parlèrent de la soirée dans leurs « premiers Paris » et les critiques les plus éminents tinrent à se prononcer sur l'Œuvre. Le gros Sarcey se félicite de voir son public réagir selon son goût, et annonce le déclin d'une entreprise par trop mystificatrice :

> J'ai vu avec plaisir que le public (ce public pourtant très spécial des soirées de l'Œuvre) s'est révolté enfin contre cet excès d'ineptie et de grossièreté. Malgré le parti pris d'indulgence sceptique qu'il apporte à ces représentations, il a vertement sifflé. C'est le commencement de la fin. Il y a trop longtemps que ces farceurs se moquent de nous, la mesure est comble. (Le Temps, 14 déc. 1896).

Les uns annoncent la venue d'un type nouveau, qu'ils rapprochent d'ailleurs de différentes figures historiques. D'autres réagissent plutôt au spectacle lui-même et rendent compte de l'agression qu'ils ont subie : tous les indignés révèlent qu'ils attendaient une hardiesse de l'art nouveau et se sont heurtés à la grossièreté, l'ineptie, l'incohérence. Seul parmi les critiques, Romain Coolus reproche à l'auteur son manque de fantaisie, d'invention, de liberté créatrice ! On sait par ailleurs que la représentation se prolongea en un duel littéraire entre Henry Baüer, critique célèbre de l'Echo de Paris, et Henri Fouquier du Figaro, qui obtint sa destitution. Mais, comme le note justement Henri Robillot, « Baüer, avec désintéressement et vaillance, a sacrifié sa position influente, non à Ubu Roi mais aux conventions de l'anarchisme littéraire du temps [22] ». Quant à Lugné-Poe, que Jarry avait abandonné après la représentation de sa pièce, il estima qu'Ubu Roi était un échec, à cause des dettes et de la critique, une partie des abonnés « lâchant pied », malgré l'immense succès de

---

22. Henri Robillot : « La presse d'Ubu roi », Cahiers du Collège de pataphysique, nº 3-4, p. 73.

scandale où chacun voulait être (Colette supplia Vallette de lui « donner un moyen quelconque d'entrer ce soir, fût-ce au Paradis »). C'est l'un des éléments qui le conduisirent, à la fin de cette saison, à prendre ses distances avec le Symbolisme, déclarant, en somme, que son entreprise n'avait pas rencontré le chef-d'œuvre espéré. A quoi Pierre Quillard, auquel s'associèrent de nombreux écrivains dont Jarry, répliqua que le Symbolisme ne pouvait être rendu responsable de certaines pièces manifestement montées à compte d'auteur, et que ce mouvement n'avait « rien à voir avec M. Lugné-Poe, entrepreneur de représentations théâtrales ».

Trente ans après, Lugné-Poe regrette qu'*Ubu* ne se soit pas imposé comme la pièce révolutionnaire qu'elle devait être, tant il est vrai qu'on passe souvent à côté de l'histoire sans la voir. Henri Ghéon procédera à un juste classement des valeurs au cours d'un bilan du théâtre d'avant-guerre établi pour le public du Vieux-Colombier en 1923 :

> Savez-vous quel est, à mon sens, le titre principal de l'*Œuvre* à la reconnaissance des amis de l'art dramatique ? La représentation d'*Ubu Roi* [...]. Qu'on lui attribue le sens qu'on voudra, *Ubu Roi* de Jarry, c'est du théâtre pur, synthétique, poussant jusqu'au scandale l'usage avoué de la convention, créant, en marge du réel, une réalité avec des *signes*. Il convenait de saluer ici Alfred Jarry, le précurseur. Il ne fut pas suivi [23].

Scandale, mystification ou provocation ?

Le résultat immédiat du spectacle, Lugné le note, est qu'il fut un scandale. Il convient cependant de remettre les choses au point : *Ubu Roi* n'est pas une œuvre scandaleuse en elle-même; elle comporte une logique propre, un certain nombre de thèmes directement parvenus de l'univers enfantin, au mépris de toute censure rationnelle et bienséante. Le scandale est en nous et non dans le texte. La preuve en est que le texte, édité à plusieurs reprises et sous diverses formes, n'a jamais provoqué de réaction indignée; personne n'a requis contre lui pour outrage aux mœurs ou à la raison. A la lecture,

---

23. Henri Ghéon : *Dramaturgie d'hier et de demain*, Lyon, Vitte 1963, p. 109-110.

on ne s'insurge pas devant une vérité, aussi crue soit-elle. Il n'en est pas de même dans une salle de spectacle, où interviennent des phénomènes collectifs, où règnent surtout des principes esthétiques différents, quoique non codifiés. Si *Ubu Roi* entraîna un scandale ce fut, nous semble-t-il, pour deux raisons majeures, liées à la tradition historique. D'une part l'insertion d'un terme grossier à l'initiale d'un spectacle, sa répétition constante agrémentée de bruits évocateurs, étaient incontestablement le signe d'un bouleversement choquant : la scène, lieu privilégié de conservation du beau langage, qui a toujours été au-dessus de la pratique courante en préservant un certain charme archaïque, subissait l'agression d'une langue vive et spontanée, puisant sa richesse verbale aux sources les plus naturelles. Le saccage du langage théâtral a incité les spectateurs à réagir. Mais l'exemple de la générale montre qu'à lui seul ce fait n'eût pas suffi. Il fallait d'autre part ce renversement total des propositions scéniques traditionnelles introduit par la pratique de guignol dans un spectacle d'adultes, comme le remarque justement un adversaire : « Mais autre chose est de faire parler des hommes comme des mannequins ». (*La Critique*, 20 déc. 1896). Le public de la générale a réagi sur un point de mise en scène et non à propos d'un terme outrageant.

Cependant le comportement différent du public lors de ces deux soirées, le calme accueillant chaque reprise d'*Ubu* par la suite, nous induit à penser que, le 10 décembre 1896, une provocation avait été organisée. A la différence de la surprise, le scandale n'arrive que lorsqu'on l'attend. A juste titre, Laurent Tailhade parle de bataille d'Hernani; c'est affirmer d'emblée que le combat ne se livrait pas entre la scène et la salle, mais entre deux parties du public :

> Le soir de cette première, les couloirs trépidaient, l'assistance était houleuse comme aux plus beaux jours du romantisme. C'était, toute proportion gardée, une bataille d'*Hernani* entre les jeunes écoles, décadentes, symbolistes, et la critique bourgeoise incarnée avec une lourdeur satisfaite dans la graisse du vieux Sarcey...[24].

24. Laurent Tailhade : *Quelques fantômes de jadis*, p. 219.

Sans surestimer son importance, il faut accorder quelque attention au témoignage de Georges Rémond d'après lequel Jarry avait prémédité un scandale qui « devait dépasser celui de *Phèdre* ou d'*Hernani*. Il fallait que la pièce ne put aller jusqu'au bout et que le théâtre éclatât ». Le camarade d'infortune de Jarry poursuit :

> Nous devions donc provoquer le tumulte en poussant des cris de fureur, si l'on applaudissait, ce qui après tout n'était pas exclu, des hurlements d'admiration et d'extase si l'on sifflait [25].

Le sabotage découlant de telles pratiques ne nous paraît pas contredire les efforts menés par Jarry en qualité de régisseur de l'Œuvre pour faire monter sa pièce : il fallait en effet pouvoir s'assurer une place stratégique. D'autre part, l'usage courant de la « claque », à l'époque, ne devait pas surprendre. Les instructions que Jarry lui donna de se manifester à contre-courant indiquent bien que, pour lui, *Ubu Roi* avait besoin d'un chahut de type scolaire pour frapper les imaginations. Il était si peu convaincu du pouvoir de provocation d'une œuvre originale comme *Ubu* (« celle-ci bénéficiera au moins le premier jour d'un public resté stupide, muet par conséquent », *T.U.*, p. 139) qu'il lui adjoignait le bruyant renfort de ses compagnons montparnassiens !

Tirant la conclusion de l'échec (relatif) d'*Ubu Roi*, dans ses « questions de théâtre », il accepte le tort d'avoir attaqué directement la foule, mais se défend en disant qu'elle a fort bien compris, en dépit des apparences, et se justifie ainsi :

> C'est parce que la foule est une masse inerte et incompréhensive et passive qu'il la faut frapper de temps en temps, pour qu'on connaisse à ses grognements d'ours où elle est — et où elle en est. (*T. U.*, p. 154).

A écouter les défenseurs de Jarry (à l'exception peut-être de Rachilde, qui parlait de blague) on se demande si celui-ci n'a pas voulu mystifier ses propres amis, les symbolistes.

25. Georges Rémond : « Sur Jarry », article cité, p. 664.

Involontairement, ils en vinrent à louer le contraire de ce qu'ils recherchaient. Eux qui aimaient la Beauté, l'Idéal, le mystère, eux qui tendaient vers l'Absolu à travers un théâtre de l'Ame, fait pour évoquer et suggérer, abusés par certaines apparences symbolistes (primauté du héros, multiplicité des sens possibles), ils applaudirent une œuvre fruste, un personnage grossier et dégoûtant. Rêvant d'un théâtre de la parole créant son propre univers, ils pénétrèrent dans un théâtre du geste et se laissèrent prendre au jeu.

Si l'anarchisme littéraire avait leurs faveurs, ils plaidèrent pour un héros qui, loin de représenter un idéal humain de liberté et de fraternité, incarne les instincts les plus primitifs. En somme, conquis par une esthétique dramatique proche de la leur, ils valorisèrent tout ce qu'ils méprisaient dans leurs spéculations éthérées. C'est ce que constata, l'amertume aux lèvres, le poète W. B. Yeats qui assista à l'historique représentation :

> Nous sentant tenus à soutenir le groupe le plus animé, nous avons crié en faveur de la pièce, mais cette nuit à l'hôtel Corneille, je suis très triste... Je dis... après Stéphane Mallarmé, après Paul Verlaine, après Gustave Moreau, après Puvis de Chavannes, après notre poésie, après toute notre subtilité de couleurs, notre sensibilité de rythme, après la douceur des tonalités de Condor, qu'y-a-t-il encore de possible ? Après nous le dieu sauvage[26].

Alors que l'adulte, croyant obéir à un processus normal d'éducation, méprise sa jeunesse et ôte à son tour la parole à ses enfants (« Tais-toi, ne pose pas de questions, tu sauras cela plus tard mon enfant, laisse parler les grandes personnes... »), alors que le même adulte, au soir de sa vie, se retourne sur son enfance, pour la parer artificiellement de toutes les grâces, la grande nouveauté de Jarry est d'avoir soufflé toute littérature en donnant la parole à l'enfance, plus même, en lui faisant place :

---

26. W. B. Yeats : *Autobiographies*, Londres, Mac Millan, 1955, p. 348-49. Cité ici d'après la traduction donnée dans : Martin Esslin, *le Théâtre de l'absurde*, Paris, Buchet-Chastel, 1963, p. 337-338.

Jarry fut artiste en ceci surtout qu'à ses vingt ans il sut n'ajouter rien à cette œuvre d'enfance. On voit très bien comment la simplicité enfantine fait profondeur : c'est que l'observation découvre la nature rageuse qui est l'explication de tout. La mécanique, alors substituée aux intentions, est ce qui fait rire et ce qui dissout l'importance. Ainsi Ubu est vivant à la manière des contes. On peut essayer de les comprendre mais il faut d'abord les accepter. Comme le sphinx, vous y pouvez accrocher toutes les pensées du monde, mais l'œuvre existe en attendant[27].

Le type Ubu

Ubu, on l'a dit, s'est imposé à tous après la représentation de 1896, hantant les plus grands littérateurs. Tout le monde convient que « le type Ubu existe », voulant dire par là qu'il s'est échappé de l'univers scénique pour envahir notre monde quotidien. De quoi est-il fait, dans la représentation collective, quand on parle d'un « père Ubu » comme d'autres d'un Rastignac ou d'une Madame Bovary ? La pièce, avec ses allures de pochade, n'a certes par l'étoffe des romans de Balzac ou de Flaubert. On a du mal à croire qu'elle ait pu donner naissance à un personnage qui nous côtoie comme une sorte de héros à l'envers.

Et pourtant, malgré tous ses traits négatifs, son inconsistance psychologique, sa bassesse de caractère, Ubu donne unité à l'œuvre. Cela tient à l'extraordinaire cohérence de son langage, qui imprègne ses comparses et même ses adversaires, à la perfection synthétique du schéma dramatique, à l'homogénéité de son univers matériel, et surtout à la rigoureuse simplicité de sa constitution.

Ubu ne se définit pas seulement par son avarice, sa soif du pouvoir, son ambition, sa cupidité, mais, plus généralement, par un ensemble de désirs qui ne souffrent pas d'être réprimés. Une fois admise l'idée que, prenant la place de Venceslas, il pourra posséder une grande capeline, augmen-

---

27. Alain : *Préliminaires à l'esthétique*, Gallimard, 1939, p. 109. Ces propos sont du 8 décembre 1921.

ter indéfiniment ses richesses, manger fort souvent de l'andouille et rouler carrosse par les rues, sa passion ne connaît aucune limite, il n'écoute aucun conseil de modération. Il exprime tous les désirs en même temps — à l'exception de l'instinct sexuel. C'est un ventre, une outre, un avaleur de mondes. Il engloutit tout ce qui est à sa portée, nourriture aussi bien que trésors. Son système de gouvernement, fort simple, consiste à dépouiller tout le monde puis à s'en aller. Les réformes vont bon train, toujours dans le même sens : les amendes, les bien des condamnés à mort, les impôts, tout ira accroître sa fortune : « Messieurs, nous établirons un impôt de dix pour cent sur la propriété, un autre sur le commerce et l'industrie, et un troisième sur les mariages et un quatrième sur les décès, de quinze francs chacun » (II, 2). Dans ce cas, il n'hésite pas à payer de sa personne, passant lui-même de village en village pour ramasser les impôts. Un symbole résume cette passion, c'est la pôche, dont Charles Morin expliquait[28] qu'à l'origine il s'agissait d'un sac qu'Ubu traînait derrière lui et où il fourrait tous ses biens. Objet inquiétant et mystérieux pour toutes les victimes du Père Ubu, il semble être à l'image d'un sac de chiffonnier ou de Père Fouettard dont on menace les enfants désobéissants. Jarry lui donne pour équivalent le voiturin à phynances, dont le nom indique clairement la fonction spécifique. On objectera qu'Ubu se laisse aller parfois à quelque générosité; en fait, c'est dans la perspective de récupérer au centuple ce qu'il a donné : « Au moins promettez-moi de bien payer les impôts » (II, 7). Et si la lutte devient inévitable, il l'accepte, à condition de ne pas débourser un sou.

Il faut insister sur sa bêtise. A trop vouloir étudier son caractère, on risquerait d'en faire quelqu'un de cohérent, alors que sa seule logique est celle de l'instinct. « Quel sot homme, quel triste imbécile », dit de lui la Mère Ubu. Comme le fait remarquer Jarry[29], il ne peut donc pas dire de mots d'esprit, à moins de considérer comme tels ces propositions

---

28. Voir Charles Chassé : *Dans les coulisses de la gloire, d'Ubu Roi au Douanier Rousseau*, Paris, Ed. de la Nouvelle Revue critique, 1947, p. 29.
29. Dans « Questions de théâtre », *la Revue Blanche*, 1er janvier 1897, *T.U.*, p. 153.

déconcertantes : « monter sur un rocher fort haut pour que les prières aient moins loin à arriver au ciel » (IV, 6, p. 107), ou bien « allumer du feu en attendant qu'il apporte du bois » (IV, 6, p. 108).

L'instinct, chez Ubu, n'étant pas tempéré par l'intelligence, le porte vers la méchanceté. Ses rapports avec autrui sont toujours placés sous le signe de la menace, aussi bien pour sa femme que pour ses amis ou ses ennemis. Méchanceté radicale, qui ne s'embarrasse pas de scrupules : Ubu massacre la famille royale, dépouille les malheureuses populations, répand l'incendie, la misère, la désolation : « De tous côtés on ne voit que des maisons brûlées et des gens pliant sous le poids de nos phynances » (III, 7).

Bête et méchant, Ubu est aussi l'image personnifiée de la peur. Chez lui, chaque trait spécifique est contredit par un trait qui, loin d'être complémentaire, lui est opposé. L'ambition pourrait aller loin si elle était aidée par l'intelligence. La férocité pourrait entraîner une certaine admiration si elle servait une cause moins personnelle et s'accompagnait du courage physique du héros. Or, ici, tout est subordonné à la couardise, à une peur si constante et affirmée qu'elle en devient presque une valeur positive. Ubu préfère le poison à l'épée, il serait même tenté de dénoncer la conspiration qu'il fomente lui-même, pour en tirer quelque récompense ! Chaque coup de feu, même chargé à blanc, l'effraie. Quand il affronte les Russes, il abandonne sa position dès le deuxième coup de canon et pousse des cris de goret qu'on égorge dès qu'un danger approche : « Ah ! oh ! je suis blessé, je suis troué, je suis perforé, je suis administré, je suis enterré » (IV, 4, p. 98). On observera la gradation des termes.

Pourtant, sa cruauté devrait le porter à quelques actions d'éclat : il aime « déchirer » ses adversaires; dans la fureur des combats, on le croit prêt à abattre le Czar, mais le retournement ne tarde guère « Tiens, toi ! oh ! Aïe ! Mais tout de même. Ah ! monsieur, pardon, laissez-moi tranquille ! Oh ! mais je n'ai pas fait exprès ! » (IV, 4, p. 100). On assiste avec lui à une perpétuelle débandade, entrecoupée de fanfaronnades, naturelles chez ce genre d'individu. Le comble est qu'il n'a même pas la dignité élémentaire de se taire :

« Oui, je n'ai plus peur, mais j'ai encore la fuite », reconnaît-il. Et plus loin, lorsqu'il est assailli dans sa caverne par Bougrelas il constate « Ah ! j'en fais dans ma culotte. » On voit que sa terreur est bien physique !

Ubu apparaît donc comme l'anti-héros, doué de qualités négatives qui s'annulent entre elles. Il est surtout l'instinct à l'état pur, un instinct qui s'avoue clairement, sans aucune concession aux bienséances. En ce sens, il participe un peu de chacun d'entre-nous, il est le négatif que l'éducation, les principes moraux, le souci de la vie sociale nous font refouler. C'est moins une caricature qu'une radiographie profonde.

Cependant, Ubu a tous les dehors du héros de bande dessinée [30]. Ses origines sont mythiques, son destin illimité. Il mène une vie dangereuse, faite de prouesses (dans la fuite) et, comme les personnages de notre enfance, il est sans nuance. Sa potion magique, la « merdre », provoque un effet double : grâce à elle, il obtient la force qui lui permet de vaincre, et à cause d'elle il prend la fuite. Ainsi s'explique la terreur qui, à son grand étonnement, vient combattre les effets de son courage.

La représentation physique du personnage, comme celle d'Astérix par exemple, n'a pas peu contribué à sa vulgarisation. Né de la caricature d'un professeur, il serait vain de rechercher en lui les traits de l'original. La création collective a pris des ailes et s'est éloignée du modèle pour s'incarner dans les dessins de Jarry, les marionnettes du théâtre des Phynances, le masque et le costume de l'acteur Gémier. On en trouvera trace, toutefois, dans les dessins des frères Morin [31] et dans une peinture sur panneau de Jarry [32]. Comme il apparaît dans l'ensemble de l'iconographie reproduite, le Père Ubu a connu deux types de représentations parallèles, dès le lycée de Rennes : d'une part la silhouette au complet

---

30. Selon Charles Chassé, Ubu serait la version civile des *Cahiers du Colonel Ronchonot*, publication populaire, illustrée ; cf. Robert Laulan : « Le vocabulaire d'Alfred Jarry et ses surprises », *Mercure de France*, nov. 1959, p. 521-524. Voir aussi, ci-dessous, la confraternité de vision avec Rodolphe Töpffer.

31. Reproduits dans : Charles Chassé : *Dans les coulisses de la gloire, op. cit.*, p. 29, 45, 75...

32. Voir Michel Arrivé : *Peintures, gravures et dessins d'Alfred Jarry, op. cit.*, pl. 45.

veston gris d'acier décrite dans le répertoire des costumes (*T. U.*, p. 25); d'autre part l'image, plus célèbre, figurant sur les programmes et diverses éditions du texte, d'un gros bonhomme à tête piriforme, vêtu d'une robe « en laine philosophique » frappée d'une spirale. Le bras gauche quintuplement articulé dont on le voit muni sur certaines gravures (*T. U.*, p. 77), terminé par un croc à phynances porteur de bourse, ressemble assez à celui de Karagheuz. Les spécialistes affirment que chez la marionnette grecque et turque il était devenu le substitut du phallus [33]. Le réseau métaphorique se complète si l'on considère que le bras droit, d'une représentation plus classique, brandit une torche incendiaire en forme de langue de dragon qui pourrait bien être la « chandelle verte ». A la suite de Michel Arrivé, on notera que certains motifs de l'œuvre graphique ne se retrouvent pas dans l'œuvre littéraire (par exemple un Ubu libidineux regardant à travers des lorgnons la poitrine généreuse d'une jeune femme). Les figurations visuelles, qui ne sont pas de simples illustrations, ont acquis une sorte d'autonomie, empruntant de nouveaux attributs à d'autres thèmes de l'auteur.

Ainsi doué d'une personnalité et d'un physique écrasants, Ubu s'est répandu dans le public grâce au théâtre. Il est important de voir quelle signification lui a été accordée d'emblée, pour essayer de comprendre comment il a pu acquérir le statut de type.

L'appréciation du personnage est difficilement séparable de l'œuvre qui ne tient qu'à lui. Essayons toutefois de dégager, parmi les comptes rendus de la première représentation, l'image qui s'est imposée. Henry Baüer en fait la synthèse de tous les despotes :

> Si j'avais été de quelque conseil au guignol de ce gargantuélique bouffre, j'eusse tâché d'éclairer sa mise en scène et d'en préciser toute la signification. Au 1er acte, il aurait eu le masque de l'incorruptible Maximilien; au

---

33. Voir : Louis Roussel, *Karagheuz ou un théâtre d'ombres à Athènes,* Athènes, 1921, tome I, p. 10.

second sa face se serait auréolée des lys de la royauté légitime…; sa grimace eût contenu pour le IIIᵉ acte les béatitudes du Père La Poire et de la dynastie de Juillet; enfin le dénouement au bâtiment transport des exils, à l'heure des mots historiques, aurait montré le bonhomme en petit chapeau avec l'aigle sur l'épaule de la redingote grise…[34]

Pour Robert Vallier, « l'auteur paraît avoir eu l'intention de faire de son Ubu comme un Macbeth-Caliban, réunissant en lui tous les cynismes, toutes les bassesses, toutes les brutalités, tous les appétits ».[35] Catulle Mendès, qui en fait un compendium de toutes les caricatures, de toutes les marionnettes, de tous les grands hommes, affirme : « Le Père Ubu existe […] . Vous ne vous en débarrasserez pas; il vous hantera, vous obligera sans trêve à vous souvenir qu'il fut, qu'il est; il deviendra une légende populaire des instincts vils, affamés et immondes… » (*Le Journal,* 11 déc. 1896).

L'appréciation la plus conforme aux intentions de l'auteur nous paraît être celle de Romain Coolus dans le numéro de *la Revue Blanche* (1er janvier 1897) où Jarry lui-même défendait sa représentation. Feignant de lui donner la parole, il explique Ubu :

> Ce n'est ni Monsieur Thiers, ni le Bourgeois essentiel, ni le général Boulanger, ni Francisque Sarcey, ni vous, ni moi, ni personne : c'est le Père Ubu, c'est-à-dire un épouvantail destiné à terroriser les petits garçons. Car c'est très amusant de faire peur aux gens qui viennent voir un spectacle de guignol, et d'ailleurs ils en sont ravis quand ils ont eu la frousse jusqu'à déshonorer leurs fonds de culotte. Le Père Ubu, d'autant plus terrible que grotesque, ne doit pas être d'une psychologie plus compliquée que même le plus inepte; il faut que les plus obtus s'en puissent amuser et effarer. Il aura donc comme les enfants, comme tous les enfants, des passions très simples et très violentes; la gourmandise (il bafrera

34. Henry Baüer, *l'Echo de Paris*, 12 déc. 1896, reproduit dans : Henri Robillot, « La presse d'*Ubu Roi* », *Cahiers du Collège de Pataphysique*, nᵒˢ 3-4, p. 73.
35. Robert Vallier, *la République française*, 12 déc. 1896, *ibid.*, p. 76.

comme quatre et mangera tout seul le dîner); la férocité (il déchirera les gens, enfoncera le petit bout de bois dans les oreilles, tordra le nez et décervèlera); la cupidité (il tuera tout le monde pour avoir la phynance, et ce mot ne cessera de sonner sur ses lèvres sagouines); enfin la grossièreté et le goût de l'ordure (il injuriera les uns, engueulera les autres et embrennera l'univers entier). Il sous-entend qu'il est lâche, poltron, vantard, bête comme un régiment de pieds et qu'il fait des calembours idiots. C'est donc le héros de toutes les guignolades : vous l'avez vu maintes fois et le reconnaissez. Il est ici particulièrement brutal et d'une violence d'exception, parce que notre farce s'adresse à des enfants un peu plus âgés et qu'il faut secouer dans leur apathie digestive...

Mais c'était là un discours trop clair, trop sensé, pour que Jarry pût le tenir car alors il désamorçait toute réaction sincère. Or *Ubu Roi* ne contient aucun message, il est seulement fait pour agir sur le spectateur. Il omettait aussi un fait essentiel : c'est que cette guignolade était faite *par* des enfants *pour* des adultes !

L'égarement des critiques s'explique — un peu — par l'attitude ambiguë d'Alfred Jarry. D'une part, il met en garde contre les interprétations symboliques du personnage, dès la conférence inaugurale : « ... si je ne croyais que leur bienveillance, celle des [échotiers] a vu le ventre d'Ubu gros de plus de satiriques symboles qu'on ne l'a pu gonfler pour ce soir » (*T.U.*, p. 19). Dans la brochure-programme, il admet que certains traits de satire se laissent voir, mais à ses yeux, la scène suffit à écarter cette idée (*T.U.*, p. 23). D'autre part, c'est lui-même qui parle de « satire moderne » dans une lettre à Lugné-Poe (*T.U.*, p. 133) et qui suggère quelques pistes interprétatives développées ensuite par la critique. Il fait d'Ubu un reflet de l'humanité : « Monsieur Ubu est un être ignoble, ce pourquoi il nous ressemble (par en bas) à tous » (*T.U.*, p. 23); plus, par l'équivalence établie entre la physique, la phynance et la merdre, Ubu est la nature, l'instinct, la matière, opposés à l'esprit. Après le spectacle, tirant les conclusions de son échec, il révèle sa stratégie : il a voulu tendre un miroir à la foule, lui montrer « son double ignoble » et, bien entendu, a eu le tort de l'attaquer de front, de sorte que, quoi qu'on en dise, elle a trop bien compris ses intentions (*T.U.*, p. 154). La formule est belle :

> J'ai voulu que, le rideau levé, la scène fût devant le public comme ce miroir des contes de Mme Leprince de Beaumont, où le vicieux se voit avec des cornes de taureau et un corps de dragon, selon l'exagération de ses vices. (*T.U.*, p. 153).

Mais on se demande si elle n'est pas une nouvelle pirouette d'un auteur excédé. Il serait curieux, en effet, que le théâtre redevînt, comme pour les abbés du XVIIe siècle, un moyen de moralisation. Ce faisant, Jarry renonce à l'idée qu'Ubu est une création en soi, un personnage d'une présence physique extraordinaire, il invite à y voir autre chose qu'une marionnette, et il justifie ainsi toutes les interprétations.

On comprend que dans un « bilan des types littéraires », Ubu apparaisse comme une caricature puissante de l'imbécillité :

> Le Père Ubu, c'est la bêtise énorme au front de taureau, la bêtise triomphante, écrasant de la masse qui lui sert d'argument tout ce qui pourrait être art, intelligence, délicatesse, initiative intelligente. C'est le mauvais fonctionnaire, le mauvais chef, le général stupide, c'est l'Etat lui-même et son administration, en tant qu'on applique des réglements aveugles sans s'occuper des conséquences... [36]

On ne voit pas pourquoi s'arrêter là ; André Rousseau poursuit :

> C'est tout ce qui affole aujourd'hui l'humanité — la tyrannie sur le monde, la personne de l'homme en danger, une violation si complète et si tranquille de l'ordre humain qu'on se demande si l'empire du cynisme n'est pas plébiscité par ses esclaves et ses victimes. Bref, une catastrophe du siècle et de la planète [...]. Mais la gidouille du Père Ubu déborde les seules concordances

---

36. Jean Morienval : *De Pathelin à Ubu*, Bloud et Gay, 1929.

de l'Histoire : elle personnifie un monde entier devenu ventre. Ubu est le mythe énorme d'une humanité d'où le matérialisme et l'égoïsme total ont éliminé le cœur, l'âme et toute faculté d'amour... [37].

S'autorisant des propos de Jarry lui-même : « Vous serez libres de voir en M. Ubu les multiples allusions que vous voudrez » (*T.U.*, p. 19), Claude Roy en fait « le prototype vengeur de toutes les *citrouilles armées* qui nous poussent ubusquement à l'abattoir, après nous avoir décervelés », et de citer, pêle-mêle, Hitler, Mac Arthur, Guderian, Eisenhower... Enfin, on n'en attendait pas moins, Ubu n'est plus seulement un personnage historique ou un régime, il est toute la classe possédante : « c'est le capitalisme à l'apogée de son ronronnement stupide que Jarry fait parler par la bouche d'Ubu, avec les accents mêmes des éditorialistes yankuis d'aujourd'hui » [38]. L'article date de la « guerre froide » mais les équivalents ne manqueraient pas aujourd'hui! Il est vrai que Jarry parlait, à l'opposé, d'anarchisme, mais avec cette huance : « ce serait plutôt l'anarchiste parfait, avec ceci qui empêche que *nous* devenions jamais l'anarchiste parfait, que c'est un homme, d'où couardise, saleté, laideur, etc. » (*T.U.*, p. 165).

Parallèlement aux indentifications politiques, l'interprétation psychanalytique s'est imposée, surtout avec les surréalistes. André Breton voit en Ubu « l'incarnation magistrale du *soi* nietzschéen-freudien qui désigne l'ensemble des puissances inconnues, inconscientes, refoulées dont le moi n'est que l'émanation permise, toute subordonnée à la prudence... » [39]. Marcel Jean et Arpad Mezeï reprennent une idée semblable sous une forme plus accessible, en faisant appel à Jung plutôt qu'à Freud. Ubu est pour eux l'expression de l'inconscient collectif. Selon leur système interprétatif, la spirale dont s'orne la gidouille ubuesque est symbole d'homo-

37. André Rousseau : *Le Monde classique,* Albin Michel, 1951, tome III, p. 247-254.

38. Claude Roy : *Descriptions critiques, le commerce des classiques,* Gallimard, 1953, p. 292-296.

39. André Breton : *Anthologie de l'humour noir,* Livre de poche, p. 273.

sexualité. On se demande si, là, ils ne confondent pas l'auteur et le personnage, reportant les données biographiques de l'un sur l'autre. Alfred Jarry participe, d'après eux, d'un vaste courant qui veut prendre conscience de l'origine de nos difficultés, et essaie de les surmonter. « C'est la voie de la réalité, voie proprement poétique, celle qu'après Lautréamont a suivie Jarry possédé par la conscience de son siècle. » [40] Tandis que la voie opposée consiste à refuser toute analyse, à refouler l'instinct néfaste... L'œuvre de Jarry, exposant sans aucune retenue l'ensemble de nos passions refoulées inviterait donc à une sorte de thérapeutique qui augure favorablement de l'avenir : « Les cultures qui osent affronter leurs problèmes intérieurs montreront un visage inquiet sans doute, mais pourront néanmoins contrôler, dans une certaine mesure, la violence des événements. »

Ces analyses du personnage, les multiples références auxquelles elles font allusion, obtiennent en partie notre adhésion, aussi divergentes soient-elles. Mais alors, on s'interroge. Ne serait-il pas dans la nature de l'objet lui-même d'admettre toutes les interprétations? Jarry n'était-il pas contraint à hésiter, louvoyer, se contredire et finalement ne donner aucune explication parce qu'il n'y en a pas? Si on l'examine en lui-même, le Père Ubu n'est qu'un simple fantoche, une marionnette stupide et féroce. Il *est,* c'est déjà beaucoup, et ne signifie rien d'autre (qui pourrait, en le voyant, songer sérieusement à son modèle? Nous avons tous connu des professeurs absurdes et des élèves sans pitié, mais jamais à ce degré). Ubu est un personnage de théâtre, qui existe en tant que tel et l'aura prouvé depuis bientôt quatre-vingts ans. Si chaque élément constitutif du spectacle dramatique ne signifie rien en lui-même (décor, costume, texte, jeu de l'acteur...), chacun cependant a pour fonction d'agir sur le spectateur, de le stimuler, de l'impressionner. Et c'est l'ensemble du spectacle dans sa relation avec l'auditoire qui constitue un signifié dont le signifiant est, au premier chef, « théâtre », mais dont la connotation varie en

---

40. Marcel Jean et Arpad Mezeï : *Genèse de la pensée contemporaine,* Correa, 1950, p. 162.

fonction de chacun de nous [41]. Il est normal alors que par ce jeu d'action et de réaction, de stimulus et de réponse différée, le personnage revête une signification qu'il n'avait pas à l'origine et que l'œuvre, involontairement, nous apporte un message, une révélation sur nous-même.

C'est là qu'apparaît le génie de Jarry : il a senti qu'Ubu, tel qu'il avait été élaboré par une population scolaire anonyme, pouvait avoir une existence propre. Mais, pour lui insuffler vie, il fallait le dresser sur scène, l'offrir en cible. Alors la baudruche indéfinissable se gonflerait de toutes les projections du public, prendrait corps et se répandrait dans la réalité. Opération délicate cependant : il n'est pas donné à tous de créer un type avec le néant. Ubu, ou l'homme originel.

41. Voir sur cette question : Georges Mounin, *Introduction à la sémiologie,* Ed. de Minuit, 1970, « La communication théâtrale », p. 87-94; ainsi que Henri Béhar : « Le paradoxe sur le théâtre », *Etudes Françaises,* Montréal, vol. VIII, nº 1, février 1972, p. 63-74.

On ne possède pas de terme qui puisse s'appliquer à cette allégresse particulière où le lyrisme devient satirique, où la satire, s'exerçant sur de la réalité, dépasse tellement son objet qu'elle le détruit et monte si haut que la trivialité ressortit ici au goût même, et, par un phénomène inconcevable, devient nécessaire. Ces débauches de l'intelligence où les sentiments n'ont pas de part, la Renaissance seule permit qu'on s'y livrât, et Jarry, par un miracle, a été le dernier de ses débauchés sublimes.

Apollinaire

4

Ubu enchaîné

En 1899, Alfred Vallette et sa femme Rachilde avaient loué
pour l'été une jolie rnaisonnette adossée à une colline fleurie
de lilas, dans un site charmant. Le jardin donnait sur la Seine.
Jarry, invité, pensait s'y livrer à ses sports favoris : la pêche
et le canotage. Mais, à la saison chaude, les malheureux esti-
vants durent se rendre à l'évidence et faire comme tous les
villageois : fermer volets et fenêtres, à cause d'odeurs nau-
séabondes que leur apportait le vent. Ils étaient en face des
champs d'épandage d'Achères. La romancière a raconté [1]
comment ils changeaient d'air en faisant de nombreuses
promenades à bicyclette. L'atmosphère malodorante du lieu
rappelait-elle à Jarry le thème principal d'*Ubu Roi*? C'est
à la Frette en tout cas qu'il acheva *Ubu Enchaîné,* en septembre de la même année. Le texte parut en 1900 aux éditions de la Revue Blanche, à la suite d'*Ubu Roi*. Il ne fait pas
de doute que, pour son auteur, Ubu méritait une trilogie,
comme les héros des tragédies grecques. Un curieux projet
de réunion en un volume d'*Ubu Roi,* avec *Ubu Enchaîné* et
Ubu Cocu en témoigne [2]. Jarry fait état d'un calibrage méticu-
leux d'*Ubu Roi* auquel il se propose d'ajouter *La Conscience*
(c'est-à-dire *Ubu Cocu*) qui est « de longueur égale » et *Ubu
Enchaîné* qui représente les trois cinquièmes d'*Ubu Roi.*

Ce texte peut difficilement être daté. Il est évidemment

---

1. Cf. Rachilde : *Alfred Jarry ou le surmâle de lettres*, p. 156 sqq.
2. Texte manuscrit de Jarry conservé à la Bibliothèque Jacques Doucet, MSS. 5715,
repris dans *Pl*, p. 521.

postérieur à l'édition originale d'*Ubu Roi,* éventuellement antérieur à l'édition de la Revue Blanche. Maurice Saillet, dans une note accompagnant ce manuscrit, suppose qu'il est peut-être « des dernières années de la vie de Jarry qui, on le sait, ne cessait de vouloir refondre et publier ses Ubu. Quoi qu'il en soit, ce document tout à fait extraordinaire est la seule trace que nous ayons d'un projet de réunion des trois Ubu, en un volume, par l'auteur lui-même ».

Nous examinerons *Ubu Cocu* dans un prochain chapitre; mais nous verrons alors qu'*Ubu Roi,* inséré dans *César Antéchrist,* est inséparable de ce drame qui lui donne sa signification profonde. Il apparaît donc plus commode d'étudier, dans un premier temps, *Ubu Enchaîné* dans sa relation avec *Ubu Roi* puisque, de l'aveu même de l'auteur, il en est la « contrepartie » (*T. U.,* p. 392). Nous analyserons les structures d'*Ubu Enchaîné,* sa mise en scène originale de 1937 (la pièce n'a jamais été jouée du vivant de Jarry), parce qu'en matière de théâtre on ne peut s'en tenir au texte sans examiner les interprétations scéniques auxquelles il a donné lieu, ainsi que l'accueil du public. Enfin, nous essaierons d'en dégager le sens le plus probable.

L'inversion des signes

Ubu Enchaîné est, nous l'avons dit, la contrepartie d'*Ubu Roi,* c'est-à-dire selon la distinction des dictionnaires, à la fois le double du texte initial, sa deuxième version identique, et en même temps un document qui expose un sens inverse et contredit l'original.

Structure narrative

A première vue, *Ubu Enchaîné* raconte la même chose qu'*Ubu Roi* à ceci près qu'Ubu ambitionne d'être esclave et non plus roi, sans rien changer à sa nature essentielle. Il trouvera des personnes qu'il agressera et servira à sa manière, sera jeté en prison puis mené aux galères. Son attitude sera telle qu'elle fera de lui le roi des prisonniers. Le caporal Pissedoux, soulevant les Hommes Libres, parviendra à le destituer et à prendre sa place. A la fin de la pièce, Ubu voguera vers de nouvelles aventures. Comme dans *Ubu Roi,* on peut décomposer la structure narrative de la pièce en trois séquences principales, que nous présenterons sous forme de tableau (Tableau III : modèle actantiel d'*Ubu Enchaîné*)[3].

Séquence	I	II	III
Destinateur	Père Ubu	Père Ubu	Pissedoux
Destinataire	Père Ubu	Père Ubu	Pissedoux
Sujet	Père Ubu	Père Ubu	Pissedoux
Objet	Esclavage	Maintien de l'es-clavage	Esclavage
Adjuvant	Mère Ubu	Mère Ubu-Pissem-bock	Hommes Libres
Opposant	Pissembock	Pissedoux-Hommes Libres	Père Ubu, Mère Ubu Galériens

Dans la première séquence, qui s'étend jusqu'à la scène 4 de l'acte II, Ubu réunit en lui-même les fonctions de desti-nateur, destinataire et sujet. Il entend conquérir un objet qui sera l'esclavage, comme autrefois il désirait la royauté : « Je vais me mettre esclave », déclare-t-il à la Mère Ubu (I,. 1, p. 273). Il recherche des maîtres éventuels. Après avoir écarté les Hommes Libres, trop pauvres à son gré, il jette son dévolu sur Eleuthère (en grec : liberté) dont il devient l'esclave. Malgré une très modeste tentative d'opposition (« Esclave, mais tu es trop gros, Père Ubu ! », I, 1, p. 273), la mère Ubu assume le rôle d'adjuvant du Père Ubu, qu'elle suivra fidèlement. Ici l'opposant est Pissembock, l'oncle de la jeune fille qui, en dépit de la timidité de ses interventions, est éliminé — momentanément — par Ubu (I, 7).

Dans la deuxième séquence (II, 5 à III, 7), le modèle actantiel subit peu de transformations : Ubu, parvenu à l'esclavage, veut conserver son bien acquis de haute lutte et, au besoin, l'accroître. Il y est aidé par la Mère Ubu et par Pissembock ressuscité opportunément. Celui-ci a fort bien compris que le meilleur moyen d'aider sa nièce était de l'accompagner partout et de favoriser les désirs d'Ubu. Pisse-doux, le fiancé d'Eleuthère, assure la fonction d'opposant :

---

3. On notera qu'ici encore nous nous écartons, et de la même façon que pour *Ubu Roi,* du schéma établi par Michel Arrivé dans *les Langages de Jarry, op. cit.*

« Ne touchez pas cet homme ! Il ne périra que par ma main !
Ne l'arrêtez pas ! » (II, 7, p. 297), enjoint-il à ses hommes
qui, selon le code établi, font le contraire de ce qu'il dit.
Notons que cette opposition reste ambiguë quoique, ce
faisant, Pissedoux entre dans le jeu d'Ubu en le jetant en prison, deuxième degré dans l'ascension vers l'esclavage absolu.
Mais Ubu ne s'en tient pas là. Il veut parvenir à un stade
supérieur dans l'aliénation de sa liberté. Son ambition est
d'être galérien (III, 2). Disons que, dans cette voie, il ne rencontre pas d'opposition véritable : le tribunal lui donne aisément satisfaction; ce qui lui permet de narguer Pissedoux
obligé de courir les chemins et de mendier sa subsistance. A
la fin de cette scène, il s'avère qu'Ubu doit être conduit, en
compagnie de deux cents forçats, vers la Sublime Porte,
et que Pissedoux a décidé d'ôter Ubu à son confort physique
et moral : « Ah ! c'est trop fort, Père Ubu ! Je vais vous
prendre par les épaules et vous arracher de cette coquille »
(III, 6).

C'est pourquoi, malgré l'hésitation possible, nous pré-
férons fixer le début de la deuxième séquence à la scène 7
de l'acte III, en dépit de son contenu particulièrement
anodin. C'est au moment où Pissedoux se fait renvoyer que
s'opère le renversement des situations. Pissedoux, s'opposant à Ubu, réunit les fonctions de destinateur, destinataire
et sujet. Il conquiert l'esclavage avec l'aide des Hommes
Libres, dépossède le Père Ubu de son bien chéri et le rend
libre, ainsi que la Mère Ubu. Ubu se console de sa défaite en
refusant d'assurer désormais aucune fonction supérieure :
« Si vous m'avez mis à la porte de ce pays et me renvoyez je
ne sais où comme passager sur cette galère, je n'en suis
pas moins resté Ubu enchaîné, et je ne commanderai plus.
On m'obéit bien davantage » (V, 8, p. 336).

Principe de contradiction

En réalité, la parité d'*Ubu Enchaîné* et d'*Ubu Roi* est plus
grande que ne le fait apparaître l'analyse actantielle, en vertu
du *principe de contradiction* qui informe toute la pièce et en
fait un chef d'œuvre d'a-logique.

Ayant quitté la Pologne — nulle part, Ubu se trouve

désormais au pays des Hommes Libres qui, pour être la patrie de Descartes, présente la particularité de se situer dans un univers non-cartésien. C'est un lieu qui ne comporte que deux pôles, le positif et le négatif, sans neutre. Si les hommes sont libres, ils doivent pouvoir y faire absolument ce qu'ils désirent, et en particulier n'obéir à personne. Mais si nous supposons qu'il n'y a que deux façons d'exécuter un ordre : l'accomplir ou faire son contraire, en éliminant la possibilité de ne pas agir, il faudra, au Pays des Hommes Libres, demander du vin pour avoir de l'eau, dire « entrez » pour faire sortir un visiteur, et ainsi de suite. Le principe de contradiction implique que l'on dise toujours le contraire de ce qu'on pense. En d'autres termes, le signifiant est l'opposé du signifié. C'est ce que montrent les Hommes Libres au cours de leurs manœuvres : lorsque le caporal leur dit « Rompez vos rangs ! une, deux ! une, deux ! » le commandement est suivi de l'indication scénique : « Ils se rassemblent et sortent en évitant de marcher au pas » (II, 2, p. 275). On voit quel parti dramatique peut être tiré d'une telle formule, plaisante pour le spectateur qui se trouve à l'extérieur de l'action. Roger Vitrac s'en souviendra dans *Victor ou les Enfants au pouvoir* où le général procède par antiphrase (II, 4) :

> *Le général :* Ah ! Victor, dans ce cas tu es le plus parfait des crétins.
> *Victor :* Après vous, mon général !

Chez Jarry, le caporal Pissedoux en vient à énoncer une équation parfaitement contradictoire : « La liberté, c'est l'esclavage ! » (V, 1, p. 325).

Le père Ubu n'attend pas le cinquième acte pour exprimer la même idée :

> Puisque nous sommes dans le pays où la liberté est égale à la fraternité, laquelle n'est comparable qu'à l'égalité de la légalité, et que je ne suis pas capable de faire comme tout le monde et que cela m'est égal d'être égal à tout le monde, puisque c'est encore moi qui finirai par tuer tout le monde, je vais me mettre esclave, Mère Ubu ! (I, 1, p. 273).

Il est clair qu'ici, Ubu, s'adaptant aux circonstances environnantes, entend bien atteindre le même statut qu'en Pologne. Pour lui, l'esclavage est l'occasion d'agir absolument à sa guise : « Vive l'esclavage ! » s'écrie-t-il après une déclaration qui établit clairement que c'est encore le meilleur moyen d'exercer sa tyrannie. Il renverse les rapports sociaux : on juge de la fidélité d'un maître en fonction de sa patience à sonner les serviteurs, mais « un maître bien stylé ne doit pas faire de tapage hors de saison ni hors de service » (II, 2, p. 289). De la même façon, plus l'esclave est soumis, plus il domine. Sa prison lui est un royaume, vêtu d'un bel uniforme, bien logé, régulièrement nourri, objet des soins et de l'attention constante de ses gardiens, il se félicite de son sort et ne convoite plus que d'être condamné aux galères à perpétuité. Les forçats ont si bien compris son raisonnement qu'ils le choisissent pour leur roi, eu égard à ses mérites (IV, 7).

Mais alors tous les Hommes Libres veulent devenir esclaves, et il n'y a plus de maîtres. Ubu se fait une raison; il s'occupera mieux de lui-même :

> Je commence à constater que Ma Gidouille est plus grosse que toute la terre, et plus digne que je m'occupe d'elle. C'est elle que je servirai désormais (V, 7, p. 334).

Ainsi l'équation : Liberté = esclavage = tyrannie est démontrée avec une rigueur qui n'a rien à envier au discours platonicien[4] !

Si, au pays des Hommes Libres, le signifiant est l'opposé du signifié (Sa = — Sé), et si les contraires sont égaux (Sé = — Sé), il s'ensuit qu'un même terme peut désigner deux éléments antinomiques (Sa = ± Sé). C'est ce que prouvent les touristes anglais lorsqu'ils usent d'un dictionnaire, au quatrième acte. Ainsi, devant la prison : « Palace : édifice en pierres de taille, orné de grilles forgées. Royal-Palace, LOUVRE : même modèle, avec une barrière en plus et des gardes qui veillent et défendent d'entrer » (IV, 2, p. 315). On

---

4. Voir Platon : *La République*, VII, 562 a-569 a.

remarquera l'adéquation de cette description à son objet. Certes, Jarry sélectionne l'information, mais il ne déforme pas le système de définition. De même lorsqu'Ubu paraît sur le seuil de son domaine aux cris de Vive le Roi, on peut lire légitimement : « King, Queen : celui, celle qui porte un carcan de métal au cou, des ornements tels que chaînes et cordons aux pieds et aux mains. Tient une boule représentant le monde... » (IV, 6, p. 321). Les deux boulets qu'Ubu traîne aux pieds prouvent doublement sa majesté, et la fleur de lys marquée au fer sur son épaule est bien le signe de sa dignité, comme le manteau fleurdelisé des rois de France. Ainsi prison = palais, bagnard = roi. On se demandera pourquoi Jarry fait intervenir ici des Anglais. Outre la tradition farcesque qui joue sur les jargons étrangers [5], c'est sans doute parce que nos voisins d'outre-Manche ont la réputation de toujours agir à l'inverse des continentaux. Ne conduisent-ils pas à gauche et nous à droite ? Ajoutons que le nom du touriste, Lord Catoblepas (qui selon Michel Arrivé assumerait une transformation des fonctions de Bordure, devenu simple spectateur et contemplateur du sexe masculin) nous semble désigner, selon l'étymologie grecque et l'allusion à l'animal de l'antique légende égyptienne au long cou grêle dont la tête traînait à terre, celui qui regarde par-dessous et donc voit les choses à l'envers.

En somme, *Ubu Enchaîné* est à *Ubu Roi* ce qu'est la conception de Copernic par rapport à celle de Ptolémée : il existe toujours une relation identique entre Ubu et la société, comme entre la terre et le soleil, mais Jarry, à l'image de Copernic, inverse le sens des vecteurs. Ubu est au centre de l'univers au même titre que le soleil est immobile au centre du monde, les planètes et la terre se mouvant autour de lui. La révolution jarryque, analogue en ceci à la révolution copernicienne, exige un bouleversement total des mentalités et une révision de notre langage courant. De même qu'on ne devrait plus dire que le soleil se couche à

5. Voir à ce sujet la thèse de Robert Carapon : *la Fantaisie verbale et le comique dans le théâtre français du Moyen Age à la fin du XVII* siècle, Paris, Armand Colin, 1957, 368 p.

l'ouest, puisqu'on sait que c'est la terre qui se déplace, on ne peut plus dire, après *Ubu Enchaîné*, que la liberté rend les hommes heureux et que l'esclavage les afflige ! Mais comme, inversement, *Ubu Roi* montrait les méfaits du tyran, cela revient à dire que, en vertu du principe d'identité des contraires, tout est dans tout — et réciproquement. En d'autres termes, quel que soit le régime social où il vit, Ubu est toujours satisfait dès lors que sa gidouille engraisse. Corrélativement, tout régime social permet l'expansion de l'ubuesque gidouille. Jarry le prouve dans le détail. Il ne se contente pas de raconter la même aventure dans un contexte différent, il va jusqu'à transposer *Ubu Roi* acte par acte, scène par scène, et parfois même mot pour mot, selon la règle suivante : Ubu devenu esclave doit rester identique à lui-même, quelles que soient les situations où il s'insère. C'est ce que nous montre l'étude dramaturgique[6].

Structure dramaturgique

La structure interne de l'œuvre révèle des principes d'organisation identiques à ceux d'*Ubu Roi*. L'intrigue est la même, nous l'avons déjà noté. L'exposition, aussi peu conforme que possible au schéma classique, nous rappelle clairement qu'*Ubu Enchaîné* s'inscrit dans une certaine historicité et vient après *Ubu Roi*. Le héros ne cesse de comparer sa situation présente à celle qu'il occupait en Pologne, soit pour en éviter les désagréments (I, 1) soit pour en vanter les mérites : « *Père Ubu* — Corne finance ! nous commençons à être bien vêtus : on nous a troqué notre livrée, un peu étroite pour notre giborgne, contre ces beaux costumes gris, je me crois de retour en Pologne » (III, 1, p. 298). La pièce doit sa cohérence au personnage principal qui, comme dans la farce médiévale, occupe presque constamment la scène. Tout est lié à ses agissements et déplacements.

Dans la liste des personnages, on constatera la permanence du couple indissociable Père Ubu-Mère Ubu, éternel autant que Philémon et Baucis, Roméo et Juliette, Zeus et

---

6. Nous reprenons ici les conclusions de notre article : « De l'inversion des signes dans *Ubu Enchaîné* » *Etudes Françaises*, Montréal, vol. VII, n° 1, février 1971, p. 3-21.

Héra. Mais ici, le couple royal est devenu couple esclave, « par conseiquent de quoye » privé de ses palotins de service, lesquels pourraient être devenus les trois Hommes Libres. Sans vouloir pousser l'équivalence d'*Ubu Roi* à *Ubu Enchaîné* dans les moindres détails, on notera un ensemble de substitutions possibles, que nous présenterons sous forme de tableau (Tableau IV : substitutions d'*Ubu Enchaîné* à *Ubu Roi*) :

Ubu Roi	Ubu Enchaîné
Ubu Roi	Ubu esclave
Mère Ubu	Mère Ubu esclave
Capitaine Bordure	Caporal Pissedoux
Le Roi Venceslas	Pissembock
La Reine Rosemonde	Eleuthère
L'Empereur Alexis	Soliman, sultan des Turcs
Palotins	Les trois Hommes Libres

Ce tableau demande à être précisé : il est évident, par exemple, que Pissedoux réunit les fonctions de Bordure et du jeune Bougrelas; il est l'adversaire d'Ubu après avoir exprimé son admiration pour lui, comme le capitaine dans l'œuvre initiale. Le Sultan des Turcs n'est pas exactement le substitut du Czar, puisqu'il ne combat pas Ubu et le reconnaît même comme son frère — un frère trop encombrant pour qu'il admette sa présence sur ses terres. Disons toutefois que les rôles essentiels, l'intrigue étant semblable, sont assumés par les mêmes personnages dont seuls changent le nom et l'aspect extérieur. A côté d'eux interviennent quelques rôles secondaires qui peuvent être tenus par un nombre restreint d'acteurs et de figurants. Compte tenu de leur insignifiance, ils ne paraissent pas sur notre tableau. On est amené à penser, à leur sujet, que Jarry a pu concevoir ces rôles en fonction de la troupe réunie pour *Ubu Roi* ou, plutôt, en songeant aux marionnettes dont il avait disposé au théâtre des Pantins en 1898 [7], mais l'idée essentielle demeure : il faut, par tous les

---

7. Sur ce théâtre de marionnettes, voir ci-dessous chapitre 6.

moyens, montrer la similarité exacte des deux pièces. C'est ainsi qu'Ubu sera séparé de sa femme à l'acte IV, scène 4, pour être conduit aux galères où, vaincue et libérée entre temps, la Mère Ubu le rejoindra (on ne sait comment) à l'acte V, scène 7 : n'est-ce pas une situation identique à celle d'*Ubu Roi* ?

Il va de soi que les actions secondaires, les incidents, les digressions devront être abondants, au même titre que les combats, pour meubler une action principale squelettique, d'autant qu'il ne peut y avoir de ces longues discussions psychologiques tant prisées par le public de théâtre traditionnel. C'est dans le détail des actions secondaires que nous verrons le mieux combien *Ubu Enchaîné* n'est qu'une inversion d'*Ubu Roi*. Résumons-nous encore au moyen d'un tableau (Tableau V : correspondances d'*Ubu Roi* et d'*Ubu Enchaîné*) :

Ubu Roi	Ubu Enchaîné
Festin chez Ubu	Bal chez Pissembock
Jugement des Nobles	Jugement des Ubus
Paysans polonais	Salon des dévotes[a]
Ubu visite Bordure dans la Forteresse de Thorn	Visite de Pissedoux à Ubu prisonnier
Bougrelas soulève les Polonais	Pissedoux soulève les Hommes Libres
Mère Ubu chassée par les Polonais	Mère Ubu chassée par les Hommes Libres

a : Les salopins de finance sont remplacés par policiers et démolisseurs.

Il est clair que nous nous contentons de suggérer ici un ensemble de correspondances, étant entendu que l'action principale comporte les mêmes péripéties, rappelées d'ailleurs par Ubu. Les pieds sont toujours le signe de l'agression : ici Ubu ne les écrase pas, il les cire, mais bien évidemment il va prendre possession du domaine de ses victimes... en esclave !

Jarry parsème son texte de rappels, tout en montrant que les choses ont changé de signe. Ubu vante les plaisirs de la prison et souligne son génie inventif :

> [...] au moyen de notre science en physique nous avons inventé un dispositif ingénieux pour qu'il pleuve tous

124

les matins à travers le toit, afin de maintenir suffisamment humide la paille de notre cachot (III, 1, p. 299).

Dans *Ubu Roi* il imaginait un dispositif inverse pour faire venir le beau temps et conjurer la pluie. Dans la même scène, il se déclare heureux de recevoir à domicile alors qu'autrefois il devait marcher à la queue de ses armées à travers l'Ukraine. Plus loin, dans la grande salle du tribunal, Ubu accusé se comporte comme s'il détenait encore la couronne polonaise. Interrogé sur ses connaissances en navigation, il fait allusion à son expérience antérieure :

> Je ne sais pas si je sais, mais je sais faire marcher, par des commandements variés, un bateau à voile ou à vapeur dans n'importe quelle direction, en arrière, à côté ou en bas. (III, 2, p. 305; cf. *Ubu Roi* V, 4).

Son départ au bagne rappelle directement le moment où, dans *Ubu Roi,* il quittait la Pologne à la tête de ses armées : « Adieu, Mère Ubu, notre séparation manque vraiment de musique militaire » (IV, 4, p. 319), dit-il, évoquant sa splendeur passée, quand il constate que son carcan se dégrafe, ses menottes lui tombent des mains, comme autrefois le sabre à merdre et le croc à finances lui échappaient. La situation est inversée : il part enchaîné et pense ne plus recevoir de coups comme en Ukraine.

Ubu reconnu roi par les touristes anglais et les prisonniers ne leur donne pas de l'or, comme dans le passé, mais des titres honorifiques : « Parce que nous ne sommes plus en Pologne; mais je crois rendre justice à vos vertus et à votre sentiment de l'honneur en supposant que vous recevrez sans déplaisir de notre main — royale, puisqu'il vous agrée de dire ainsi — quelques distinctions » (IV, 7, p. 324). Dans le convoi des forçats, il ordonne pour son confort comme lorsqu'il battait campagne contre le Czar : il déplore de ne pas avoir de voiture cellulaire (dans *Ubu Roi* il déclarait : « Il est regrettable que l'état de nos finances ne nous permette pas d'avoir une voiture à notre taille ! »). Enfin dans le combat contre les Hommes Libres, il assomme Pissedoux comme il avait fait pour Bordure.

Somme toute, bien que Jarry transforme quelques scènes, tout se passe selon le même schéma qu'*Ubu Roi*. Et le fait qu'il ajoute une intrigue secondaire parfaitement inepte à propos des fiançailles d'Eleuthère et de Pissedoux, qu'il joue sur une double prétention à la noblesse de la part de Pissedoux et Pissembock ne change rien à l'affaire. Les allusions au quiproquo constitutif de *l'Ecole des Femmes* sont en quelque sorte l'écho des références au drame shakespearien dans *Ubu Roi*. Au milieu de tout cela, Ubu reste obstinément fidèle à lui-même et persiste dans son être.

Le Père Ubu est toujours dominé par sa gidouille. La seule différence est qu'il ne veut plus être roi pour ne plus recevoir de coups. Il apparaît peut-être moins comme une immonde brute, mais ses méthodes n'ont guère changé : « Je vais servir sans miséricorde, tudez, décervelez » (p. 282). Il est toujours animé par la même détermination dans la violence, pour servir ses passions. Cherchant à le vexer, sa mégère constate : « Tu tournes à l'honnête homme » (p. 294). Or il n'en est rien : Ubu chérit toujours le même objet, son ventre. Ses traits caractéristiques essentiels ne varient pas, c'est toujours un couard : « Ah ! je meurs de peur. Ma prison, mes pantoufles ! » (p. 330). S'il se complaît dans la soumission, c'est parce qu'il y est tout aussi heureux que dans le commandement : il ne souffre pas de sévices, les fers ne lui pèsent pas aux pieds, ses gardiens prennent bien soin de sa précieuse personne. On pourrait croire que, dans sa situation d'esclave, de sadique il soit devenu masochiste[8]. Ce n'est pas très évident, car Ubu précise bien qu'il commande toujours et que l'esclavage est une forme supérieure de tyrannie. Sauf au tout début de la pièce où il prétend user de ses outils d'esclave, jamais il n'est en position véritable de servage. Il n'est pas contradictoire qu'il se laisse fustiger par Pissedoux : c'est le signe qu'il monte en grade et qu'il sera un jour galérien.

Son appétit demeure vorace. Il engloutit toute la nourriture préparée pour la réception en l'honneur d'Eleuthère, et il entend faire douze repas par jour en prison. Aux yeux de

8. C'est du moins ce que pense Michel Arrivé, *op. cit.*

son épouse, il paraîtrait moins avide de finance. C'est que, malgré le paradoxe, il n'en a pas besoin. Il ne cesse en effet de s'enrichir puisqu'il peut satisfaire sa giborgne et étendre son autorité. Peut-être semble-t-il plus averti sur le plan sexuel. Se rappelant soudain qu'il est esclave à tout faire, et que par conséquent il doit remplir certains devoirs envers sa « maîtresse », il abandonne la Mère Ubu à Pissedoux « qui est libre » et se précipite sur Eleuthère (II, 5). En fait, il n'en résulte rien car cette scène n'a aucune suite. Elle est justifiée par le seul souci de réaliser un calembour. D'ailleurs, Ubu, voyant Eleuthère s'évanouir, avait pris soin de déclarer :

> De par ma chandelle verte, cette jeune personne n'a pas bien compris que nous ne lui faisions pas la cour, ayant eu la précaution, comme de nous pourvoir de l'oncle, d'accrocher derrière la voiture notre bien-aimée Mère Ubu, qui nous crèverait la bouzine ! (II, 1, p. 287)

Tout se passe donc comme si Jarry, auteur certain de ce nouvel avatar du Père Ubu, voulait à tout prix maintenir les traits essentiels du personnage et même, au besoin, les préciser, bien que le contexte soit inversé : en tous lieux, en tous temps, Ubu déplace sa sphérique personne telle qu'en elle-même l'éternité la laisse. Supérieur en ce sens à *Ubu Roi*, *Ubu Enchaîné* met en application les théories dramatiques de Jarry : tout est centré sur Ubu; les autres personnages ne sont que des comparses ou des faire-valoir, y compris la Mère Ubu. Celle-ci n'a plus aucune autonomie puisqu'elle n'est pas à l'origine de l'ascension d'Ubu. Toutes ses tentatives pour reprendre barre sur lui sont immédiatement réprimées. On a même l'impression qu'elle n'a plus sa clairvoyance d'autrefois. N'ayant pas la ressource de dérober un trésor ni de flagorner un beau jeune homme, elle est définitivement liée à l'ambition de son époux. Quant aux autres rôles, ils sont remplis par de véritables fantoches, sans caractère individuel. Pissembock est l'oncle, Pissedoux un militaire amoureux, Frère Tiberge un prêtre charitable, etc. Ce schématisme est parfaitement illustré dans la scène du tribunal (III, 2) où le Président, l'Huissier, le greffier, les avocats sont de pures conventions, des caricatures guignolesques.

Structure externe

La structure externe révèle une présentation identique à celle de n'importe quelle pièce de Bataille ou Maurice Donnay, avec division en scènes et répliques, distribution de rôles, etc. On remarquera une symétrie presque absolue de la répartition formelle des scènes à l'intérieur de chaque acte d'*Ubu Roi* et d'*Ubu Enchaîné,* sauf pour le dernier qui comporte quatre scènes dans *Ubu Roi* et huit dans *Ubu Enchaîné.* Mais ces calculs n'ont pas grande valeur si on n'affecte pas chaque scène d'un coefficient représentant sa longueur et son importance dans le contexte. Disons, pour être bref, que la structure externe est extrêmement rigoureuse, qu'elle est fortement comparable à celle d'*Ubu Roi,* bien que l'abondance relative des scènes dans le dernier acte laisse présager un foisonnement d'actions.

Voyons la mise en scène que suppose le texte. Le décor n'est pas indiqué par l'auteur, pas plus qu'il ne l'était dans l'édition originale d'*Ubu Roi.* Nous admettrons donc que toute latitude est accordée sur ce point au metteur en scène futur et que Jarry aurait, pour sa part, souhaité un décor synthétique, comme lors de la représentation du 10 décembre 1896, selon les théories dramatiques qu'il affirma dans ses différents écrits. Notons toutefois une indication scénique précieuse :

> [..] entrent les Policiers et Démolisseurs. Les Dévotes s'enfuient. On casse les carreaux et grille les fenêtres. Les meubles sont enlevés et remplacés par de la paille qu'on humecte avec un arrosoir. Le Salon est entièrement transformé au décor de la scène suivante. (p. 310)

Cette précision de Jarry montre indiscutablement qu'il envisage un changement de décor à vue, intégré dans l'œuvre, ce qui ne laisse pas d'être original pour l'époque et surtout cela révèle qu'il préconise, dans le cas particulier, un décor et des accessoires assez « réalistes ». S'agit-il d'une allusion ironique aux principes du grand Antoine ? Il est difficile de trancher et la discussion nous ferait sortir du cadre et des méthodes que nous nous sommes assignés pour cette étude. Signalons la question en notant qu'elle n'a pas d'équivalent dans la pièce antérieure. Peut-être faut-il voir un symbole dans cette transformation à vue : la prison serait en quelque sorte un cancer envahissant la scène.

De même que le décor, les costumes ne bénéficient d'aucune mention spéciale de la part de Jarry qui, sur ce point encore, en cas de représentation, serait sans doute resté fidèle à ses conceptions dramatiques, visant à un art synthétique et symbolique. Toutefois, la réplique d'un personnage risque de nous mener fort loin dans cette voie. Pissembock déclare à sa nièce : « J'ai déjà ingénieusement exigé, quoique l'usage de ce pays libre soit d'aller tout nu, que tu ne sois décolletée que par les pieds... » (p. 280), ce qui lui permet, bien entendu, d'économiser sur les bottines. Nous ne saurons point si chaque personnage doit porter un masque, si le Père Ubu doit revêtir sa houppelande en « laine philosophique » ou le « complet veston gris d'acier, toujours une canne enfoncée dans la poche droite, chapeau melon... », comme l'indique le répertoire des costumes d'*Ubu Roi* (*T. U.*, p. 25). Mais dans la mesure où Ubu s'affirme toujours identique à lui-même, nous ne voyons pas pourquoi il se présenterait à nous différemment. Reste qu'Ubu esclave a renoncé aux emblèmes de sa royauté qu'il troque pour le nécessaire à chaussures d'esclave, le crochet d'esclave, les boulets de bagnard (transformation des boulets de canon et de la sphère royale), le balai d'esclave servant au maniement d'arme (extension du petit balai innommable ?). Mais la poche demeure son attribut essentiel ainsi que la chandelle verte et, bien entendu, la gidouille qui est tout Ubu !

Les lieux représentés relèvent du même principe de liberté que dans *Ubu Roi* : si la scène est au début en France, comme le laissait prévoir la fin du premier drame, nous passons allégrement des prisons de ce pays à la Sublime Porte, pour finir sur une galère. L'époque évoquée reste toujours fantaisiste. La variété des lieux et des temps nous situe d'emblée nulle part et dans l'éternité.

Si nous voulons pénétrer plus avant dans la structure externe de la pièce, nous étudierons la liaison des actes et des scènes, ainsi que les formes du discours scénique. De fait, nous arriverons aux mêmes constatations que pour *Ubu*

Roi : Jarry use d'une grande liberté scénique, il érige en principe que le lieu doit correspondre à l'action, et non l'action au lieu. Ubu déplace son décor avec lui. Cela, autrement dit, suppose un grand nombre de changements de décors, problème résolu le plus simplement du monde lors de la représentation d'*Ubu Roi* par le recours aux pancartes.

Surtout, on retiendra que Jarry préfigure le montage cinématographique dans la liaison des actes et des scènes. Le découpage en actes n'a plus grande signification, dans la mesure où le décor varie au cours d'un même acte. Jarry utilise l'enchaînement direct entre deux scènes. Acte III, scène 6, Ubu annonce à son interlocuteur : « Notre geôlier va vous congédier »; effectivement, à la scène suivante, le geôlier crie : « On ferme ».

Plus fréquemment, nous avons un enchaînement par déplacement des personnages, outre le changement à vue du décor, déjà noté. Par exemple, entre l'Acte I et l'Acte II : Père Ubu a mis ses victimes dans la diligence, une scène (II, 1) nous montre ce qui se passe à l'intérieur de la voiture et, très logiquement, la scène suivante se passe dans le vestibule de Pissembock, destination des voyageurs. Toute la fin du cinquième acte relève du même procédé, déjà utilisé de la même façon dans *Ubu Roi* : les forçats marchent en convoi à travers la Sclavonie, leurs argousins, apprenant par un geôlier accouru que les Maîtres sont révoltés, se révoltent à leur tour, on entend un tumulte lointain, arrivent les Maîtres — combat —, les forçats sont sauvés lorsqu'ils aperçoivent les galères des Turcs... On voit combien ce principe d'enchaînement dynamique relève plus du cinéma que du théâtre traditionnel.

D'une façon plus générale, l'enchaînement peut être logique dans l'esprit du spectateur : le bal chez Pissembock est interrompu par l'arrivée brutale de Pissedoux et des Trois Hommes Libres, mais nous savons que le caporal a promis de revenir en force. Le passage de l'Acte II à l'Acte III se fait aussi logiquement : Père Ubu est emmené par les Hommes Libres, nous le retrouvons en prison, d'où il passera au tribunal (III, 2) pour retourner en prison (III, 4) avant de partir aux galères. Jarry se montre plus hardi en ayant recours à une sorte de montage parallèle au début de l'acte I : Père Ubu annonce son intention de se faire esclave (sc. 1), pendant ce temps, les Hommes Libres exécutent leurs manœuvres au Champ de Mars (sc. 2). Retour vers les Ubs qui s'apprêtent; Père Ubu aperçoit trois ou quatre individus au loin, il s'empresse de les rejoindre pour leur offrir ses services; c'est ainsi que les Hommes Libres et Ubu se rejoignent (sc. 4). On relève la même technique dans l'acte II qui se déroule tour à tour dans le vestibule de Pissembock, dans la chambre d'Eleuthère, puis dans le vestibule encore. Enfin Jarry rompt avec les habitudes théâtrales, dominées par un souci de logique, en abusant de l'hiatus entre les actes (III et IV) ou même entre les scènes : II, 5 s'achève sur une poursuite, la scène suivante s'ouvre sur le bal. Nous passons aussi brutalement de la prison (III, 3) à un salon de dévotes (III, 4) ou de la prison (III, 2) au sérail de Soliman (III, 8).

Tous ces procédés, déjà relevés dans *Ubu Roi*, montrent une technique concertée : Jarry refuse la psychologie, mais il n'en suit pas moins une certaine logique que les arts contemporains ont rendue familière. Ceci nous amènera à mieux apprécier la structure gestuelle de l'œuvre qui est, elle aussi, très proche du cinéma, du cirque ou du guignol.

Il demeure un grand nombre de gestes conventionnels dans *Ubu Enchaîné*, ne serait-ce que dans la mesure où l'œuvre est destinée à une représentation théâtrale, avec des acteurs vivants et non des automates. Par exemple, pour obtenir une aumône en faveur des prisonniers, Frère Tiberge « tend la main ». Que l'action soit dérisoire parce que les prisonniers ne sont pas des pauvres et qu'ils exigent douze repas quotidiens n'a rien à voir ici, le geste reste conventionnel. De même lorsque le Caporal Pissedoux et le Père Ubu se présentent (I, 4). Reconnaissons que l'ensemble des gestes stéréotypés est fortement marqué par la volonté de parodie : Père Ubu valse avec Eleuthère en la portant sous son bras et manque l'étouffer (II, 6). Lorsqu'elle est délivrée, la jeune fille se jette dans les bras de son oncle, en signe de soulagement, mais ses paroles rendent un son comique car, malgré ses promesses, elle l'appelle « Mon oncle Pissembock ! ». Chassez le naturel... Toute la scène 1 de l'acte III, qui est une séance de tribunal, relève d'une intention parodique, ici au deuxième degré puisqu'elle évoque, pour le spectateur averti, une scène d'*Ubu Roi* où ce héros était en posture de juge et non d'accusé. Au cours de cette même scène, Pissedoux et Pissembock, qui se sont violemment opposés, tombent soudain d'accord, et l'oncle déclare : « Venez dans mes bras, mon gendre ». La formule rituelle, entraînant des gestes non moins rituels, est rendue absurde par le contexte. Il en va de même pour la visite du touriste anglais (IV, 2) ou les adieux touchants d'Ubu à son épouse. Mais l'action parodique par excellence est ici le maniement d'arme si original du Père Ubu qui, refusant de mettre la crosse en l'air, obéit au « Portez... arme » avec son balai d'esclave et au cri de « Vive l'armerdre ! » On procède ainsi à la destruction de la réalité par la dérision absolue.

Jarry envisage une autre série de gestes, situés à mi-chemin entre la convention et le symbole, qui relèvent d'une contradiction entre les paroles et les actions les accompagnant, ou bien entre les gestes et les phrases qui, d'habitude, vont de pair [9]. Notons que le spectateur est invité, à maintes reprises, à se souvenir d'*Ubu Roi* et que, par conséquent, il doit être capable d'observer les refus d'Ubu, d'où découle la nouvelle pièce. Alors qu'à l'origine Ubu suivait les conseils intéressés de son épouse et traversait les déboires que nous connaissons, ici, il refuse de se laisser guider par Madame sa fumelle : au lever de rideau, il s'avance et ne dit rien. Nous avons bien là le négatif de la première scène d'*Ubu Roi* ! A l'acte IV, scène 6, il congédie noblement ses partisans en les insultant « comme aux heureux temps où [il] remplissai [t] à déborder le trône de Venceslas... ». Mais rappelons-nous qu'antérieurement il avait été obligé de passer par la volonté de la mère Ubu et de Bordure, en distribuant de l'or et de la nourriture aux Polonais ! Enfin, à la dernière scène, Ubu refuse de commander la manœuvre, comme il le faisait dans *Ubu Roi,* pour bien montrer qu'il entend rester esclave, situation qui lui permet d'être obéi davantage.

---

9. Le procédé sera fort utilisé, avec des effets divers, dans le théâtre dada et surréaliste. Cf. à ce sujet Henri Béhar : *Roger Vitrac, un réprouvé du surréalisme,* Nizet, 1966; *Etude sur le théâtre dada et surréaliste,* Gallimard, 1967.

Outre ce déphasage entre le geste et la parole, essentiel et constitutif de l'œuvre, Jarry a multiplié les gestes à la fois universels, synthétiques et symboliques. Retenons par exemple qu'Eleuthère réagit à chaque événement troublant par l'évanouissement, tandis que de son côté Pissembock fait le mort, d'où un certain comique d'origine mécanique.

Parfois la parole suscite l'action, même si elle n'est pas dans le domaine du possible. « Frappez, et l'on vous ouvrira », dit Mère Ubu qui assomme Pissembock et le partage en deux, du haut en bas, répétant l'exploit de Charlemagne. Ici les mots sont des actes et les clichés sont pris au pied de la lettre, dramatiquement.

Enfin, on retrouve, dans *Ubu Enchaîné,* les gestes de la farce, les actions démesurément grossies qui font tout le sel d'*Ubu Roi.* Père Ubu cire les pieds nus d'Eleuthère, met, sans sourciller, une grosse araignée dans sa tabatière, se laisse fouetter par Pissedoux, enfonce un énorme boulet dans sa poche. L'ivrogne, personnage traditionnel de la farce (comme substitut du Fol), apparaît aussi, une pinte à la main (IV, 6). Le spectateur sera peut-être plus sensible aux nombreux combats, qui rythment la pièce avec, éventuellement, moins de verve, si l'on peut dire, que dans *Ubu Roi.* Ubu use toujours de la même violence, tant qu'il ne risque pas de mauvais coup. Les émeutes, les combats et les poursuites s'enchaînent de façon continue dans tout le cinquième acte, évoquant les jeux des potaches pendant la récréation. Nous assistons à une véritable libération par le geste. On observera que les gestes revêtent ici une importance exceptionnelle puisque le maître-mot n'est pas prononcé. La vigueur de la pièce est donc toute concentrée dans l'action.

Le langage

Pourtant, dira-t-on, c'est la violence verbale qui a assuré la réputation d'*Ubu Roi* et même suscité un mythe. Si Ubu refuse de dire le mot, la pièce va perdre de sa vertu, l'univers d'Ubu semble s'effondrer dès lors qu'on ôte un des termes de l'équation Merdre = Phynance = Physique, d'autant que devenu esclave, Ubu n'a plus besoin de phynance; reste seulement la science en physique, privée de son symbole, le bâton. En réalité, le langage d'Ubu demeure, par négation, par glissement ou par retournement.

D'ailleurs le maître-mot est évoqué dans toute sa majesté dès le début : « Mère... Ubu... »; le spectateur a encore dans l'oreille les sonorités articulées par Ubu Roi. Même nié, le mot est présent « Mme de ma... J'ai dit que je ne dirais plus le mot » (p. 301), ou encore lorsque Mère Ubu réplique « Tu as eu tort de ne pas leur dire simplement le mot » (p. 305). Le cri « Vive l'amerdre » est bien digne de remplacer l'apostrophe initiale, d'autant qu'il risque peu de se dévaluer tant qu'il restera une armée au monde. Ubu refuse les symboles de la royauté : « Trône, grande capeline, parapluie, cheval à phynances, palotins » et même le titre de « Maître des Finances », mais c'est pour rétablir une série identique, de signe opposé : « Tablier d'esclave, balai d'esclave, crochet d'esclave, boîte à cirer d'esclave, casquette et tablier d'esclave », tandis que Mère Ubu va revêtir une tenue de cuisinière esclave. Ubu retrouve facilement les « marques » de la royauté, lorsqu'il est acclamé par les prisonniers : « Phorçats », « Phynances », « Oufficiers de notre armerdre », il emploie aussitôt le *nous* de majesté.

Outre ces réapparitions significatives du langage premier, on relève des calques des formules antérieures : « Cirage des pieds, coupage des cheveux, brûlure de la moustache, enfoncement du petit bout de bois dans les oreilles... » (p. 276), « Torsion du nez, extraction de la cervelle... non je me trompe : cirage des pieds... » (p. 281). Les jurons, exclamations, apostrophes, menaces sont toujours les mêmes : « Tudez », « Décervelez », « A la poche », « Par ma chandelle verte, je vous fous à lon poche », « De par ma chandelle verte », « corne d'Ubu », etc. C'est surtout la *gidouille* qui est prise à témoin le plus souvent, avec son composé « cornegidouille ». Rien d'étonnant à cela, compte tenu de ce que nous avons dit sur la personnalité d'Ubu.

L'ensemble d'*Ubu Enchaîné* se caractérise par la même absence d'esprit, par la même stupidité qu'*Ubu Roi*. Ubu décrit ainsi son carcan :

> C'est tout du solide, du même métal que nos boulets,
> non point du fer-blanc, ni du fer doux, mais du fer à
> repasser !

Ses dernières paroles valent la définition qu'il donnait de la
Pologne :

> Eh ! ma douce enfant ! ne t'inquiète pas de la contrée
> où nous aborderons. Ce sera assurément quelque pays
> extraordinaire, pour être digne de nous, puisqu'on nous
> y conduit sur une trirème à quatre rangs de rames !

Son lyrisme est toujours déconcertant, soit qu'il déforme
des clichés : « Saisissons notre courage par les deux anses »
(p. 330), soit qu'il crée des métaphores hardies : « Votre
liberté est trop simple, mon bel ami, pour faire une bonne
fourchette à escargot, instrument bifide » (p. 331), soit enfin
qu'il s'extasie devant la mer : « Quelle verdure, Mère Ubu !
On se croirait sur le pâturage des vaches ». Il use allègrement
du non-sens : « nous avons tué monsieur Pissembock, qui
vous le certifiera lui-même, et nous avons accablé de coups
de fouet, dont nous portons encore les marques... » (p. 303).
L'esprit des comparses ne vaut guère mieux; l'avocat général
décrit ainsi son forfait : « Ayant étendu ses noirs desseins
au moyen d'une brosse à cirer sur les pieds nus de sa victime... » (p. 302).

Ainsi, comme dans *Ubu Roi*, le langage d'*Ubu Enchaîné*
se caractérise par un vocabulaire spécifique de l'univers
ubuesque, qui constitue un ensemble cohérent malgré l'absence d'un de ses éléments essentiels. Ce n'est pas exclusivement le vocabulaire de l'esclavage ni du comportement
sexuel masochiste, comme le pense Michel Arrivé, puisque,
à l'exception du « Merdre » initial — toutefois resurgi dans
le composé Armerdre — tous les termes propres à Ubu réap-
paraissent ici, et particulièrement l'exclamation « cornegidouille » qui revient treize fois (contre cinq dans *Ubu Roi*).

Le texte d'*Ubu Enchaîné* contient relativement peu d'archaïsmes, ce en quoi il témoigne qu'il est une création
d'adulte. D'un côté, Ubu n'étant plus souverain n'a pas tant
d'occasions d'employer le langage marqué de la royauté;

d'autre part, il n'est plus soutenu par la création collective des enfants qui se plaisent à imiter le parler, bizarre à leurs yeux, des œuvres et des époques qu'ils étudient [10].

Dans cette œuvre, la langue se distingue par l'usage d'anglicismes, imitation traditionnelle au théâtre de l'élocution étrangère, mais surtout artifice permettant l'assimilation par un seul énoncé de deux éléments opposés. C'est, nous l'avons vu, l'inversion de la relation signifiant-signifié, en d'autres termes l'usage systématique de l'antonymie, qui fait l'originalité d'*Ubu Enchaîné*. Le spectateur se trouve soudain dans un monde à l'envers, où l'on prise l'esclavage à l'égal de la liberté, où s'énonce le contraire de ce qu'il attend : « nous envahirons les prisons et nous supprimerons la liberté » (V, 1, p. 315); où les phrases formulaires sont contredites : « L'indiscipline aveugle et de tous les instants fait la force principale des hommes libres... » (I, 2, p. 274); où enfin les points de vue sont permutés, l'esclave raisonnant comme un maître, le maître comme un esclave.

Il paraît donc évident qu'*Ubu Enchaîné* est la contrepartie d'*Ubu Roi*, dans tous les sens du terme. Pièce coulée dans un moule absolument identique, elle repose sur les mêmes principes dramaturgiques et jette sur les planches un personnage fidèle à lui-même et à ses appétits. C'est aussi le contrepoint d'*Ubu Roi* en ce sens que tout se passe comme si Jarry voulait dénoncer la leçon tirée de la première œuvre par un public borné et des admirateurs trop zélés. On avait cru y voir une pièce anarchiste, Jarry prouve ici le contraire. Sur des principes nouveaux, en passant d'une monarchie à une république, Ubu parvient au même résultat : sa gidouille ne fait que croître, car il n'obéit qu'à un seul ordre « Tout pour la tripe ! ». Une contrepartie, au sens moderne, n'est-elle pas une chose qui s'oppose à une autre en la complétant et en l'équilibrant ? C'est ce que réalise *Ubu Enchaîné*. Le mythe Ubu reste donc inchangé, se prêtant toujours aux mêmes interprétations multiples.

---

10. Relevons toutefois les noms triviaux de deux personnages et le substantif « menteries » échappés du langage initial qui évoquent, ainsi que l'assassinat de Pissembock et la quête de Frère Tiberge, le monde enfantin d'où la pièce est jaillie.

La création de 1937

Dès 1933, Sylvain Itkine avait eu l'intention de fonder sa propre troupe à partir d'une mise en scène d'*Ubu Enchaîné,* texte qui, dit-on, lui avait été signalé par André Breton. De fait, le projet ne se réalisa qu'en septembre 1937, dans le cadre du Théâtre d'Essai de l'Exposition Internationale, à la Comédie des Champs-Elysées [11].

Préliminaires

Le jeune animateur de théâtre considérait que l'œuvre était une redécouverte des surréalistes et qu'il leur appartenait de parrainer son entreprise en l'aidant aussi bien à la décoration qu'à la publicité auprès du public averti. C'est pourquoi il réunit des collaborations picturales, poétiques ou théoriques des membres du mouvement dans une plaquette publiée à l'occasion de la première d'*Ubu Enchaîné.* Il y aurait beaucoup à dire sur la représentation figurée que suscita l'œuvre de Jarry chez les surréalistes. Leurs poèmes montrent un Ubu tyrannique qui s'égale à Dieu et rêve même de lui crever la bouzine afin de rester seul dominateur. Tous les essais réunis dans ce recueil convergent pour affirmer l'intérêt circonstanciel de la pièce qui évoque — bien malgré elle — certaines crises contemporaines : Procès de Moscou, agression de Franco contre la République espagnole, instauration de la terreur fasciste en Italie et en Allemagne... Les surréalistes ont bien du mal à ne pas en faire une pièce à thèse. Maurice Heine évite l'écueil en insistant sur le caractère libératoire et révolutionnaire du rire.

Sylvain Itkine considérait, pour sa part, qu'il fallait réagir contre la décadence du théâtre contemporain sans attendre le changement de régime social qu'il appelait de tous ses vœux. *Ubu Enchaîné* lui semblait une bonne occasion pour déclarer la guerre « à toute l'infection du théâtre français », et il s'en rapportait sur ce point à l'épigraphe :

---

11. Exactement du 22 au 26 septembre, soit durant cinq représentations. Pour tout ce qui concerne cette création, se reporter à notre article « Une mise en scène surréaliste... », *Revue d'Histoire du Théâtre,* n° 1, 1972.

> *Père Ubu.* — Cornegidouille ! Nous n'aurons point tout
> démoli si nous ne démolissons même les ruines ! Or je
> n'y vois d'autre moyen que d'en équilibrer de beaux
> édifices bien ordonnés. (*T. U.*, p. 269).

Mais son choix était surtout guidé par des considérations
dramatiques. L'œuvre de Jarry le satisfaisait « intellectuellement »,:

> car elle brise vigoureusement et sans préjugé de cons-
> truction avec toute architecture théâtrale préméditée.
> Non seulement la verve théâtrale en est imprévue et sou-
> vent insolite puisque les néologismes y sont nombreux,
> mais le déroulement très rapide de très courtes scènes
> impose une simplification dans le décor qui va jusqu'à
> l'abstraction pure et simple [..]. Mais non pour obéir
> à une tradition plus ou moins shakespearienne, non pour
> développer un système de stylisation, simplement parce
> que le sujet et les personnages envahissent le décor et,
> à proprement parler, crèvent l'enveloppe...

La forme libérée ne pouvait que coïncider avec son désir de
révolution esthétique. Renonçant au fameux débat entre mise
en scène réaliste ou symboliste, Itkine voulait imposer une
vision de la scène qui, tout en ne portant pas l'étiquette
surréaliste, était néanmoins analogue au projet du groupe
dans d'autres domaines.

Comme le poème, qui n'a plus à décrire la réalité ni à
analyser les sentiments, le théâtre doit être force de sugges-
tion et de révolte, quitte à se livrer, au préalable, à une
agression sur le spectateur. Dans une « Intervention à propos
de Jarry » dont un fragment occupe la partie centrale de la
brochure et qui sera publiée *in extenso* dans *La Nouvelle
Saison* (n° 1, novembre 1937) sous le titre « Saluer le drapeau », Sylvain Itkine confirme les raisons de son choix. Sa
mise en scène sera bien une déclaration de guerre, un acte
de rupture; mais en dépassant la portée première de l'œuvre,
il affirme sa foi en l'avenir :

> j'insiste sur le fait qu'*Ubu Enchaîné*, qui n'apporte au-
> cune conclusion ou solution concrète, et dans lequel

triomphent unilatéralement les puissances inférieures, ruine les choses établies et, de ce fait, doit servir de départ à notre action et non d'aliment à notre scepticisme.

Il entend donc se situer à un point de non retour. C'est pourquoi son interprétation de l'œuvre porte sur l'aspect social, permettant d'y voir une critique de la démocratie réduite à de simples formules, à une pratique formaliste de l'expression populaire, en même temps qu'une dénonciation de « l'étroite sottise du royalisme, l'abcès purulent de la phynance, le gâtisme de la justice bourgeoise, c'est-à-dire toute la merdre ». Ubu incarne en sa rondeur toutes les « qualités » de la bourgeoisie dirigeante, poussées à leur comble et visant simplement à la satisfaction de ses plus bas appétits. Mais au-delà de cette représentation de tous les mythes contemporains, le spectacle doit amener l'assistance à un meurtre collectif :

> En ce moment particulièrement saisissant de la destinée humaine, il est nécessaire d'avoir devant ses yeux la gidouille pleine de nauséabonde gloire de ce père Ubu qu'il nous faudra bien un jour assassiner dans la lumière.

A travers cette manifestation rituelle, il s'agit bien de se livrer à un acte d'exorcisme, de se libérer de tous les fantasmes de la dictature, de la tyrannie ou de l'esclavage afin de parvenir à une nouvelle déclaration des droits de l'homme :

> S'il n'y a pas de conclusion incluse dans la pièce de Jarry, nous pouvons en tirer une, et ce sera quant à nous l'affirmation de notre volonté révolutionnaire, notre refus constant de tout compromis et une énergie offensive dans le sens de notre émancipation, tant individuelle que collective, tant morale que sociale.

La leçon de Jarry, telle que la conçoit Itkine, est celle d'un non-conformisme absolu, phase préparatoire et nécessaire au jaillissement d'une liberté authentique, accessible seulement au moyen d'une violente conquête. La démarche du dramaturge est bien celle d'une rigoureuse dialectique : après être passée par une phase délibérément négative, la révolution ayant « vidangé Ubu-capital » devra s'engager dans la voie constructive de l'affirmation des principes essentiels à l'humanité régénérée. La représentation d'*Ubu Enchaîné* sera, en quelque sorte, une entreprise de purification, elle devra marquer le retournement agressif et déchirant du *contre* au *pour*. Opération initiale donc et non conclusion. Acte premier, seul possible dans l'état actuel de la société, qui devrait être suivi d'autres œuvres constructives accompagnant l'instauration du régime révolutionnaire. Malheureusement le destin en a décidé autrement. A la libération rêvée a fait place l'occupation nazie et Sylvain Itkine, continuant de lutter par des moyens matériels, y a perdu l'existence.

La mise en scène

Nous avons eu le bonheur de pouvoir consulter l'ensemble des notes et documents préparatoires à la mise en scène établis par Sylvain Itkine. Celui-ci, se fiant peu à sa capricieuse mémoire, avait en effet l'habitude de préparer minutieusement ses réalisations, tout en prêtant grande attention à l'intuition des uns et des autres (comédiens, décorateur, musiciens...), à leur sensibilité, et aux phénomènes de hasard objectif qui pouvaient intervenir pendant les répétitions. Sa tâche d'animateur consistant, selon lui, à donner « tout son pouvoir à cet ensemble de forces surrationnelles qui sont le fait même du théâtre [12] ».

Il est surtout soucieux d'imprimer à la représentation un rythme très animé, tout en suivant le texte à la lettre, scrupuleusement. Le problème est effectivement de changer rapidement de décor sans rompre l'harmonie de l'ensemble, dans la mesure où, à la différence de Lugné-Poe avec *Ubu Roi,* il a choisi de situer chaque scène dans un décor adéquat, à mi-chemin entre le réalisme et la fantaisie ou la magie évocatoire.

---

12. Sylvain Itkine : « Propos sur la mise en scène », *Revue d'Histoire du Théâtre,* juil.-sept. 1964, p. 241. Le texte est de 1942, mais il intègre l'expérience antérieure de l'auteur particulièrement celle d'*Ubu Enchaîné.*

Les mouvements d'ensemble et les combats retiennent tout particulièrement son attention. Le maléfique Père Ubu terrifie la douce Eleuthère : « arrivé juste derrière [elle] il lui met la main sur les épaules, Eleuthère se trouve presque accroupie ». On voit qu'Ubu n'est pas un faible ! Il frappe lourdement Pissembock qui, à chaque fois, fait ressort. Retenons ce moment où le Père Ubu tire vanité et satisfaction des coups de fouet que lui dessert Pissedoux. La Mère Ubu s'écrie : « Tu as l'air d'un sabot qui vire à la peau d'anguille, Père Ubu ». Et sans doute par appel de son, Itkine note ceci : « Pissedoux fouette Ubu qui tourne comme un sabot sur la scène. Mère Ubu l'évite et l'admire idiotement. Long jeu de scène. La lumière flamboie dans les tons rouge et doré avec des éclairs », le tout étant rythmé par un air de valse. Voici, à titre d'exemple, comment il conçoit l'organisation de la bataille qui oppose Maîtres révoltés et forçats (V, 5) :

> Pissedoux entre le premier (fond cour) tirant le praticable canon (par une chaîne) qui cache jusqu'à mi-corps les Hommes Libres. Ceux-ci sont liés par une énorme chaîne et parlent lamentablement et lentement. Coup de canon unique (avorté) bruit métallique [...] Ubu va à Pissedoux, le frappe avec le boulet. Pissedoux tombe dans les bras du premier Homme Libre, puis il prend un des argousins, le pousse, et tout le carré suit la poussée. Il pousse, tire, pousse — le carré s'agrège les Hommes Libres et dans une débâcle hurlante tout le monde tourne autour d'Ubu qui ne touche plus personne mais commande les mouvements comme un chef d'orchestre.

On voit, par un tel jeu de scène, combien Itkine avait su se pénétrer de l'esprit jarryque en poussant à la dérision et en magnifiant le Père Ubu. Toutes les scènes, même les plus anodines, furent l'objet d'une telle revalorisation scénique, et particulièrement celle du tribunal, traitée en guignol. C'est que, comme l'auteur qu'il s'efforce de servir, notre metteur en scène a le sens du gag. Une photo [13] nous montre

---

13. On trouvera toutes les photographies de scène ici mentionnées reproduites dans la *Revue d'Histoire du Théâtre*, n° 1, 1972.

Eleuthère dans sa chambre, surprise de voir son oncle vivant, une bougie à la main : « Et vous, mon oncle, p... p... pourquoi n'êtes-vous pas mort ! » s'écrie-t-elle, et son bégaiement souffle la flamme. Une autre photo a saisi le moment précis où la Mère Ubu, déclarant sentencieusement « Frappez et l'on vous ouvrira ! » (V, 2), assène sa cruche sur la tête de Pissembock et le partage en deux.

Après avoir noté la mise en place qui coordonne les mouvements, Sylvain Itkine caractérise le jeu de chaque personnage :

> *Ubu :* S'habituer au volume du corps — déplacements lents — imposants, tourne sur place comme une toupie.
> *Mère Ubu :* Se tient les mains dans le sens du corps, les doigts écartés, sa tête bouge presque seule — ou chipie ou geignante — la poitrine en avant, le derrière sortant.
> *Pissembock :* Doux, conventionnel, vieux beau faussement distingué, mesuré, froid, presque aérien, sans épaisseur (peut-être chaplinesque dans l'humour affirmatif), parle presque toujours sur le même ton avec Eleuthère (oncle), hausse à peine un peu le ton au tribunal. Pour la scène où on le coupe en deux, envisager double profil avec masque, ou deux ombres divergentes.

Parallèlement, et ils figureront sur sa conduite de scène, viennent les jeux de lumière, les combinaisons de couleurs, les effets sonores. C'est ainsi que le lever du rideau est précédé par une dissonance :

> deux notes ou une d'une trompette bouchée rappelant le « Merdre » d'*Ubu Roi* par quelque chose de désagréable. — La nuit se fait dans la salle avec autant que possible un rythme semblable — la lumière diminue presque complètement — se rallume plus qu'auparavant et la nuit se refait très brutalement — le rideau se lève vite — un jet de lumière très fin venant de la salle fouille la scène vide et se fixe au centre — grand bruit de chaises sur la plaque de tôle dans la coulisse. Ubu s'avance rapidement et à grand fracas dans la lumière. Mère Ubu se tient de côté, un peu en arrière (en trichant) — Ubu

ouvre la bouche — La même ou les deux mêmes notes se répètent mais justes — Il faut bien les reconnaître et penser à un merdre « poétique »...

Une photo[14] conserve l'instant précieux où les démolisseurs transforment le salon des dévotes en cellule de prison. On y voit Ubu affalé sous une botte de paille qu'un démolisseur arrose (Roger Blin) tandis qu'un Académicien en grande tenue allume un réverbère. C'est sans doute à de tels moments qu'il conviendrait de parler de surréalisme et de poésie du théâtre, si toute la représentation n'illustrait l'esprit de ce Mouvement. A cette atmosphère participèrent grandement — mais non exclusivement — les cinq décors-collages de Max Ernst. Pour l'Acte I (le Champ de Mars) le peintre, qui s'exerçait à la décoration théâtrale pour la première fois, avait imaginé un espace en perspective refermée sur la Tour Eiffel, les cloisons latérales portant la reproduction de la célèbre « Semeuse » des timbres à 25 c., une cycliste (figurine découpée dans un catalogue de mode) et le portrait en pied du fantassin en grande tenue. Le vestibule de Pissembock (2e tableau, Acte II, scène 2) est un simple mur décoré d'une plinthe de lambris, présentant à la cimaise deux tableaux dont l'un, très caractéristique de la manière du maître, est un trophée de chasse, composé de têtes de bêtes à cornes avec, surmontant le tout, un chef de lion rugissant. La chambre d'Eleuthère (3e tableau, II, 3) est faite tout simplement d'un lit à baldaquin et d'une petite table de toilette, extraites, nous en avons la certitude puisque la maquette est entre nos mains, d'un catalogue de meubles. Le décor de la prison est moins stylisé; on y voit, au premier plan, la porte décorée par un immense cadenas, le toit est surmonté du drapeau national en forme de hache, rappelant les motifs couronnant les deux piliers de la porte : une barrique faite de courtes piques, enlacées par un ruban tricolore, une hache plantée au milieu. De chaque côté des grilles, une petite guérite pour les Hommes Libres. Le quatrième tableau montre simultané-

14. Elle a été reproduite dans la *Revue d'Histoire du Théâtre,* juil.-sept. 1964, en hors texte de la page 248 : il faut lire « Décor de Max Ernst » et non Jean Effel.

ment le détour du sérail et le camp des Turcs : un immense drapeau vert portant l'étoile et le croissant, et, de l'autre côté, le salon des dévotes fait d'une lampe et de deux chaises à motifs religieux, vignettes elles aussi empruntées à un catalogue. Enfin la Sclavonie est illustrée par un décor mêlant le trompe-l'œil (deux colonnes pyramidales ornées de mains entravées) et les objets réels : un écriteau « La Sclavonie » accroché à de vraies chaînes d'où pendent un tandem provenant, nous dit le programme, du rayon cycle-sports-loisirs du Palais de la Nouveauté, un masque féminin, une chaise, un parapluie. Au fond, le Bosphore et l'Arc de Triomphe du Carrousel, au-dessus duquel devait passer et repasser une chauve-souris extraite, elle aussi, d'un ouvrage ancien, si nous en croyons le projet de Max Ernst.

L'ensemble de ces *décors-collages* « composés à l'aide d'éléments d'anciennes images », et « rétablis par l'agrandissement des maquettes aux dimensions des objets réels », s'agença en « paysages d'époque d'un humour singulier » selon Marcel Jean, lui-même interprète du Rival Heureux dans *l'Objet Aimé* [15]. Contrairement à l'affirmation de certains journalistes mal informés, les costumes n'étaient pas de Max Ernst, filant alors des jours heureux dans le Midi avec Leonora Carrington, de sorte qu'ils durent être improvisés au dernier moment [16]. Mais les décors de Marx Ernst « formèrent la structure surréaliste de cette représentation d'Ubu [17] ».

La musique, empruntée à Cl. Terrasse (la chanson du décervelage) rappelait la représentation historique d'*Ubu Roi*.

L'accueil du public

La représentation d'*Ubu Enchaîné* connut un incontestable succès, préparé de longue main par les échotiers présentant

---

15. Marcel Jean : *Histoire de la Peinture surréaliste*, Paris, Le Seuil, 1959, p. 289.
16. Marcel Jean, *ibidem*. En fait, les costumes sont très conventionnels : tenue de prêtre pour Frère Tiberge, caftan pour le Sultan, robe de laine philosophique ornée d'une spirale ventrale pour le Père Ubu, tenue d'Académicien pour l'allumeur de réverbères; tous les autres personnages ont une tenue de ville plus ou moins démodée; les Hommes Libres en complet rayé, portent chapeau melon pour les manœuvres, casque colonial pour les combats, et manient de petites carabines d'enfants fournies par la maison « Au train bleu ».
17. Albert Cymboliste, in *Courrier graphique*, oct. 1937.

Jarry à leurs lecteurs, se répandant en indiscrétions fort sérieuses sur l'animateur et ses compagnons, faisant état de leurs intentions de rupture. Le spectacle s'annonçait comme un événement digne des plus célèbres manifestations surréalistes. On se bouscula donc à l'entrée, à tel point que le directeur du théâtre dut renvoyer le public excédentaire. Benjamin Crémieux corrobore ici les dires de ses confrères :

> Une salle comble où surréalistes, ex-surréalistes, para-surréalistes côtoyaient une jeunesse moins dogmatique mais aussi virulente à réclamer à chaque retombée du rideau sans qu'on pût au juste savoir si c'était la présentation de M. Itkine, d'une cocasserie et d'une mise au point remarquable, ou bien l'ouvrage de Jarry... [18]

Bien entendu, comme pour tous les spectacles, mais plus encore ici compte tenu de l'indécision où nous laisse l'auteur, les critiques se partagent en fonction des idées politiques que leur journal prétend défendre. Le rédacteur de *Marianne* (29-9-1937) trouve la satire lourde et facile, mais reconnaît le plaisir qu'il y a pris : « Sylvain Itkine a réussi à brocher sur cette pièce, un merveilleux poème de fantaisie, de burlesque, plein de trouvailles scéniques... ». Aux deux extrêmes de la scène politique, on émet des réserves sur l'œuvre et son interprétation. *L'Humanité* (2-10-1937) juge *Ubu Enchaîné* trop faible par rapport à *Ubu Roi* : « Jarry y a mêlé, avec les souvenirs de son service militaire, un certain intellectualisme vaguement hégélien (*sic*) [...] On se lasse un peu des évolutions des hommes libres, qui sont les plus esclaves, et des enchaînements successifs du Père Ubu, supposés chaque fois une nouvelle forme de puissance... ». On vante les qualités de Jean Temerson, l'interprète d'Ubu, mais c'est pour dénigrer ses camarades : « le reste des acteurs est très inégal, les scènes manquent d'homogénéité, les décors sont d'une recherche un peu sèche, le rythme du spectacle laisse à désirer, la mise au point est presque toujours imparfaite ».

---

18. Benjamin Crémieux, in *Vendredi*, 31-9-1937.

A droite, la douche, pour être plus habile, n'est pas moins glacée. « *Ubu Enchaîné* n'est, par malheur, pas très bien joué », déclare Lucien Dubech dans *Candide* (7-10-1937) se demandant aussitôt si la pièce est jouable. En fait, il ne cache pas son enchantement pour Ubu : « C'est une préfigure saisissante du Front populaire ». L'affirmation ne manque pas de saveur quand, de leur côté, André Breton et ses amis y voient l'incarnation du fascisme. Tous sont donc d'accord pour reconnaître à Jarry des qualités prophétiques. L'intérêt des prophètes étant, bien sûr, qu'on peut leur faire dire ce que l'on veut. D'ailleurs, Benjamin Crémieux répond directement à Lucien Dubech : « Impossible d'écrire une satire plus vengeresse de l'individualisme bourgeois. Cette liberté sans frein ni but qui débouche tout naturellement dans l'esclavage a quelque chose de prophétique » (*Vendredi*, 30-9-1937). Plus finement, Pierre Audiat (*Paris-Soir*, 26-9-37) préfère relever la démarche antinomique de Jarry :

> Elle est en outre d'une étonnante actualité, à croire qu'Alfred Jarry a écrit ce matin même *Ubu Enchaîné* : on dirait que quarante ans d'avance il prévoyait l'impitoyable encasernement auquel croient devoir se soumettre ceux qui font profession de liberté. Certes, l'attitude d'Alfred Jarry est celle d'un anarchiste intellectuel, et tel qui applaudit *Ubu Roi* se renfrogne à *Ubu Enchaîné*. Mais c'est le privilège des esprits vraiment indépendants que de mécontenter tour à tour les partisans.

Paul Chauveau, historien du Père Ubu, préfère replacer l'œuvre dans son contexte historique : « *Ubu Enchaîné* est quelque chose d'occasionnel, une juxtaposition de sketches surréalisés où, plus que le permanent, l'actuel a sa part : l'actuel alors contemporain, l'actuel 1900. M. Sylvain Itkine, le metteur en scène et M. Max Ernst, le décorateur du Diable Ecarlate, le savent bien qui ont agi en conséquence en le faisant pourtant singulièrement présent. Car, dans l'arrangement qu'ils viennent de présenter, c'est, dépassant l'œuvre que nous venons de dire de tout ce qui la précède et de tout ce qu'elle suppose, le vrai, l'éternel Père Ubu, « et ainsi de suite » qui nous est apparu » (*Nouvelles Littéraires*, 2-10-1937).

Pour finir cette contradictoire revue de presse, nous laisserons la parole à André Rolland de Renéville qui, influencé par ses conversations avec Antonin Artaud, et lançant son appel vers un Orient régénérateur, voit dans ce spectacle une réussite parfaite condamnant tout le théâtre antérieur :

> La représentation d'*Ubu Enchaîné* à la Comédie des Champs-Elysées fut du vrai théâtre, c'est-à-dire un spectacle où la scène devenait soudain le ventre d'une idée en gésine, à l'intérieur de laquelle les personnages s'élaboraient sous nos regards. Chacun de ces personnages avait la fonction de signifier l'aspect de l'idée dont il était le fils, et de ce fait, chacun de ces personnages était un mot. C'est assez dire que leurs évolutions concouraient à former devant le public un poème d'une espèce non pas inconnue, mais oubliée, où le geste, la couleur, la parole devenaient les simples degrés de la manifestation dont leur accord était le but.
>
> En assistant à *Ubu Enchaîné* l'on vivait cette vérité que l'Europe n'est qu'un point capital du continent asiatique tant la grande tradition orientale du théâtre était d'un seul coup retrouvée par la grâce du génie d'Alfred Jarry, et l'intelligence des acteurs qui s'étaient mis respectivement à son service [19]...

Mises à part les réserves déjà signalées des rédacteurs de *Candide* et de *l'Humanité,* l'ensemble de la presse loue la parfaite cohésion du spectacle : « Il faut féliciter le metteur en scène, M. Sylvain Itkine, de l'unité de style qu'il a su faire régner parmi tous les collaborateurs » (*Beaux-Arts,* 1-10-1937). « De plus, le jeune animateur du Diable Écarlate possède un sens très aigu de la chose théâtrale; on admire la justesse de ton, la précision dans les détails de sa mise en scène... » (Claude Hervin, *Paris-Midi,* 27-9-1937). L'éloge est flatteur quand on songe que bon nombre des interprètes étaient des amateurs, en général plus à l'aise pour la poésie ou la peinture que dans la comédie. Si l'on admire le couple

---

19. A. Rolland de Renéville, « Première représentation d'*Ubu Enchaîné* », N.R.F., 1er novembre 1937.

Ubu, constitué par Jean Temerson et Gabrielle Fontan, « l'hypertrophie du couple français moyen, dessiné avec une géniale mauvaise foi et un esprit de simplification qui nous a enchanté » (*Marianne*, 29-9-1937), quelques reproches s'élèvent toutefois à l'encontre de Temerson dont la voix ne correspond pas au physique.

En conclusion, les quelques représentations données par le Diable Écarlate marquent bien une date dans l'histoire du théâtre. Le Théâtre d'Essai de l'Exposition confirme l'existence d'une nouvelle génération d'animateurs, parmi lesquels Sylvain Itkine n'est pas loin de figurer à la première place.

Sens de l'œuvre

Les extraits de presse cités ci-dessus montrent que les interprétations d'*Ubu Enchaîné* divergent notablement en fonction de l'appartenance politique de leurs auteurs. Le premier commentateur qui l'ait mentionné, Paul Chauveau, n'y voit qu'un pâle délayage du premier succès : « certaines scènes sont encore de la grande veine ubique. Pourtant, cet Ubu second est loin de valoir le premier. Quand on a su dire « Merdre » une bonne fois fort à propos, avec un accent, un bonheur encore inégalés et sans doute insoupçonnables, ce discours concis perd de son efficace à être remâché [20] ». Il nuancera cette impression, nous l'avons vu, en rendant compte de l'interprétation du Diable Écarlate : la pièce lui paraît alors faire écho, par l'anecdote, aux préoccupations anarchisantes des collaborateurs de *la Revue Blanche*. L'accent mis par les surréalistes, dans la plaquette déjà décrite, sur l'aspect prophétique d'*Ubu Enchaîné* invitait à de telles affirmations. Bien longtemps après, le Collège de Pataphysique dégagera la seule signification qui nous paraisse correspondre aux sentiments de Jarry :

> Alors qu'*Ubu Roi* est abstrait dans sa signification, de cette abstraction caractéristique de l'adolescence et qui séduisit Jarry par sa portée mythique universelle, *Ubu Enchaîné* au contraire a un contenu social, polémique

---

20. Paul Chauveau : *Alfred Jarry*, Mercure de France, 1932, p. 130.

et, pourrait-on dire « politique » très apparent. Mais il ne faudrait pas non plus en être dupe. Si amusantes et réussies, littérairement parlant, que soient certaines scènes, comme les exercices des Hommes Libres — et par là *Ubu Enchaîné* serait « supérieur » à *Ubu Roi !* — elles ne doivent pas nous faire oublier le caractère constamment contradictoire de la pièce, qui tout entière se développe sur le plan d'une négation si totale qu'elle se nie elle-même « et ainsi de suite » et ne peut donc être confondue avec une satire [21].

Nous sauterons les élucubrations d'un polygraphe qui, caricaturant les méthodes de la pire critique lansonienne, trouve dans *Ubu Enchaîné* des allusions de Jarry à sa situation personnelle : déçu de l'existence, il s'en prendrait, par l'intermédiaire du Père Ubu, à tous ses détracteurs, ce qui n'empêche pas de dire que « la pièce s'affirme une comédie de caractères » [sic] [22]

Après avoir passé en revue toutes les hypothèses émises à propos de ce miroir aux alouettes, il nous faut adopter une position, quitte à nous prendre, à notre tour, dans la glu disposée par Jarry. Certes, on peut toujours « interpréter » une œuvre dramatique en lui donnant un sens que l'auteur n'avait pas envisagé. La chose est d'autant plus aisée, dans le cas présent, qu'Alfred Jarry ne s'est pas prononcé. Il faut avouer que sachant son amitié pour certains milieux anarchistes, confirmée par plusieurs de ses articles, on a pu avoir de fortes raisons de croire qu'*Ubu Roi* visait, par l'ironie, toute forme d'autorité. Mais une objection de taille se présente lorsqu'on établit une relation entre *Ubu Roi* et *Ubu Enchaîné*. Si le premier de ces drames est bien une satire de la royauté et de la tyrannie, le second devient une dénonciation de la démocratie et de l'anarchie selon l'axiome posé par Pissedoux « la liberté, c'est l'esclavage ! » (V, 1). Il y a là une incohérence théorique qui provoque le malaise des commentateurs. Pour

---

21. J.-H. Sainmont : « Ubu ou la création d'un mythe », *Cahiers du Collège de Pataphysique*, n° 3-4, p. 66-67.
22. Louis Perche, *Jarry,* Paris, Editions universitaires, 1965. p. 64.

eux, Jarry ne peut manier le paradoxe à ce point, il doit choisir le régime dont il est partisan.

Or, Sylvain Itkine résoud le dilemme, non point en faisant intervenir les droits de l'humour, puisque nous savons que la Pataphysique à laquelle adhère Jarry est une science sérieuse, mais en surmontant l'aspect parodique et satirique de l'œuvre par un appel à la révolte. Comme *Ubu Roi*, *Ubu Enchaîné* exprime une leçon d'irrespect absolu. C'est bien ce que démontre le système d'inversion des facteurs que nous avons analysé précédemment : Jarry soutient avec la même ardeur la thèse et l'antithèse; il appartient au spectateur de faire sa propre synthèse.

Si *Ubu Enchaîné* semble se dérouler dans la France de 1900, c'est par une illusion d'optique aussi trompeuse que celle qui nous ferait croire que la Pologne d'*Ubu Roi* est un pays réel. Qu'Ubu puisse passer du Pays des Hommes Libres à la Sublime Porte où il est reconnu par le Sultan comme son frère, voilà qui permet de nier le temps. Non qu'il n'y ait aucune temporalité interne à la pièce (Sylvain Itkine en a fort habilement tiré parti par ses jeux de lumière), mais c'est l'ensemble qui se situe dans l'imaginaire. De même pour les lieux, que l'on peut circonscrire aisément, alors qu'ils répondent à un unique principe : Ubu déplace son décor avec lui. Au vrai, tous les indices qui permettraient d'ancrer l'œuvre dans une certaine réalité sont factices : il s'agit tout simplement d'ajouter un nouvel épisode aux aventures d'une marionnette manœuvrée par un enfant devenu adulte et qui se refuse à le croire. C'est l'homme qui renonce à choisir entre le théâtre et la vie, pour qui la vie n'est qu'un théâtre. D'où tout un ensemble de propositions qui se nient aussitôt qu'affirmées. Le spectateur pourrait se croire au théâtre, voilà pourquoi des policiers et des démolisseurs, surgis on ne sait d'où, transforment le salon des dévotes en prison au moyen d'accessoires très réalistes. Voilà aussi pourquoi on peut dégager avec tant de rigueur une structure actantielle cohérente, comme Propp et Greimas ont pu le faire pour le conte populaire. C'est que, plus qu'un drame où l'action se nouerait pour se détendre ensuite selon un schéma connu, nous avons affaire à un ensemble narratif non clos comparable, en quelque sorte, à l'un des *Contes des Milles et une nuits* [23].

Peut-on dire pourtant qu'au niveau de la structure de connotation « la quête de comportements homosexuels sadiques se transformerait en quête de comportements homosexuels masochistes » (Arrivé) ? Pour séduisante qu'elle soit, cette thèse ne nous satisfait pas pleinement : il faudrait être sûr qu'à travers ses accessoires d'esclave Ubu ne vise qu'à une satisfaction homosexuelle. A nos yeux, il convient de noter, comme d'ailleurs le fait Arrivé un peu plus loin, une équivalence entre sadisme et masochisme pour tenir compte de la réalité textuelle, sinon sexuelle. Jarry, pressentant les travaux de Freud (*Trois essais sur la théorie de la sexualité,* 1905) établirait donc une liaison entre perversion sadique et perversion masochiste, montrant qu'elles sont les deux aspects d'une seule tendance profonde de l'individu. Précisons que la sexualité dont il est question ici s'entend au sens large que lui assigne la psychanalyse; elle ne désigne pas seulement le fonctionnement de l'appareil génital, mais l'ensemble du plaisir qu'Ubu recherche par ses activités. Dire qu'Ubu est homosexuel, cela revient à nier la nature du rapport dramatique qui s'établit, dans les deux pièces, entre le Père Ubu et la Mère Ubu. Nous avons déjà constaté qu'ils constituaient un couple indissoluble; or, la nature de leurs rapports n'a pas changé d'une œuvre à l'autre, ils continuent de se battre, donc de manifester un sentiment mutuel, même si le reste n'est pas précisé. Quant à savoir si le processus d'inversion auquel se livre Jarry d'une œuvre à l'autre manifeste une tendance homosexuelle, d'ailleurs confirmée par l'étude biographique, disons très nettement que ce problème ne nous intéresse pas.

A notre sens, *Ubu Enchaîné,* complémentaire et symétrique d'*Ubu Roi,* ne démontre rien d'autre que l'égalité du pour et du contre, du despotisme et de la servilité. Dans chacune des deux situations opposées, Ubu assure la puissance des appétits inférieurs :

---

23. Jarry affectionnait particulièrement ce texte dans la traduction de Mardrus; voir ses comptes rendus dans *la Revue Blanche* des 1er juil. 1900, 1er octobre 1901, 15 février 1902, 15 déc. 1902, repris dans *la Chandelle verte,* respectivement p. 531, 604, 617, 632.

> Des trois âmes que distingue Platon : de la tête, du cœur et de la gidouille, cette dernière seule, en lui, n'est pas embryonnaire. (*T. U.*, p. 165).

En tout état de cause, Ubu ne vise qu'à satisfaire sa libido. Qu'on ne se scandalise point, la fonction du théâtre est peut-être de nous enseigner cela ; réveiller l'ours qui est en nous, pour savoir où nous en sommes. Tout cela est profondément moral, comme dit Jarry à propos des histoires merveilleuses de la princesse Schéhérazade « et peut-être même n'y a-t-il de morales que les histoires qui traitent des choses situées au-dessous de la taille (*Ch. V.*, p. 607).

Selon un mouvement de pensée maintes fois affirmé par André Breton, il convenait de mettre au jour ces tendances obscures de l'individu et de montrer leur relation avec le comportement social[24]. Comme dans le théâtre dionysiaque, l'œuvre jarryque suppose une catharsis du spectateur ou, plus exactement, de la collectivité. Ceci au moyen d'une révélation très indirecte de nos passions les plus secrètes, à travers un bouffon évoluant dans un univers hyper-conventionnel, synthèse de tous les Etats possibles. Ici l'important n'est pas tant *la purgation* des passions que l'accent mis sur leur manifestation. Le mérite de la compagnie du Diable Écarlate de Sylvain Itkine est de n'avoir pas négligé le rapport du sexuel au politique, en invitant l'auditoire à se débarrasser de ses démons afin, par la suite, de les dominer. Après *Ubu Roi* et *Ubu Enchaîné,* la baudruche est crevée. Reste l'homme à naître, dans son infinie liberté.

_____

24. Cf. André Breton, *Manifeste du Surréalisme*, 1924 : « Si les profondeurs de notre esprit recèlent d'étranges forces capables d'augmenter celles de la surface, ou de lutter victorieusement contre elles, il y a tout intérêt à les capter, à les capter d'abord, pour les soumettre ensuite, s'il y a lieu, au contrôle dsnotre raison ». La pensée de Freud n'est pas différente sur ce point.

5

Permanence d'Ubu

Prolégomènes

Entre douze et quatorze ans, Jarry, élève au lycée de Saint-Brieuc, compose poésies et comédies qu'il réunira plus tard en un dossier, recopiant certaines pièces, datant ce qui ne l'était pas, portant de sa main la mention suivante : « Alfred Jarry — *Ontogénie,* quelques-unes postérieures à *Ubu Roi,* et qu'il est plus honorable de ne pas publier. » C'est pourquoi Maurice Saillet, découvrant ce dossier parmi un lot important d'inédits dans un bureau du Mercure de France, s'employa à le rendre public, arguant de la démarche ambiguë de Jarry qui porte tous ses soins à des œuvres de première jeunesse tout en les jugeant indignes de l'impression[1]. Quinze pièces, « choisies parmi les mieux venues dans la première partie du recueil », ont été publiées sous le titre *Saint-Brieuc des Choux* au Mercure de France en 1964, à quoi il faut ajouter *Les Antliaclastes, Les Alcoolisés, Le Futur malgré lui,* œuvres dramatiques éditées par le Collège de Pataphysique, ainsi qu'un album de l'Antlium, repro-

---

1. Rappelons, pour appuyer l'éditeur, la fin du « Linteau » que Jarry plaça devant les *Minutes de Sable mémorial :* « *Avant de lire ce qui ne vaut rien :* Et il y a divers vers et proses que nous trouvons très mauvais et que nous avons laissés pourtant, retranchant beaucoup, parce que pour un motif qui nous échappe aujourd'hui, ils nous ont donc intéressé un instant puisque nous les avons écrits ; l'œuvre est plus complète quand on n'en retranche point tout le faible et le mauvais, échantillons laissés qui expliquent par similitude ou différence leurs pareils ou leurs contraires et d'ailleurs certains ne trouveront que cela de bien. »

duisant les textes (publiés dans *Saint-Brieuc des Choux*) et les dessins de Jarry porteurs de la pompe à vidange. L'ensemble a été repris et complété dans l'édition de la Pléiade. Les poèmes d'*Ontogénie* dont la métrique, selon Maurice Saillet, doit beaucoup à François Coppée, Lachambeaudie et au Victor Hugo des *Djinns*, indiquent non seulement une certaine facilité chez ce brillant élève de quatrième (il remporta cette année-là « le premier accessit d'excellence, le quatrième prix de version latine, le premier prix de thème latin, le premier prix de langue anglaise, le premier prix de lecture et récitation et le deuxième prix de composition française ») mais aussi un sens évident de l'anecdote épique, de l'énigme et du geste surprise, comme dans ce dizain :

Les œufs de Célestin
Un beau jour, Célestin, besace sur le dos
Ramassait des papiers qu'il trouvait des plus beaux.
Voyant un petit sac, il ouvre fort la bouche,
Ecarquille les yeux, se baisse et puis le touche,
« Des corps à peu près ronds, dans du papier glissés,
Qu'est-ce ? » dit Célestin, et ses doigts avancés,
Puis avancés encor, tâtaient avec crainte.
Un bruit se fit : cric-crac ! Il vit sa main bien peinte,
Couverte d'un enduit tout jaune et tout visqueux.
Célestin s'aperçut que... que c'étaient des œufs.

Les personnages de ce génie précoce et honteux, Célestin, Roupias — Tête de seiche, Sicca-Crotte sèche, sont des condisciples, des surveillants et des professeurs de l'élève Jarry qui ne manque pas à la tradition du folklore scolaire dans la recherche des sobriquets.

Les drames, ou ébauches de drames, révèlent chez lui un sens inné de la dramaturgie. Il centre son développement sur un bouleversement de l'action, toujours inattendu, et déjà se refuse à étudier des caractères, préférant montrer des types, situés à nos yeux par leurs tics essentiels, comme fait tout élève caricaturant ses maîtres.

Roupias - Tête de Seiche montre les aventures de l'élève Roupias mis au séquestre. Il va s'enfuir par la fenêtre, mais le surveillant général Crotte-Sèche lui déverse un seau sur la tête (élément que nous retrouverons dans *Ubu Enchaîné*). Son camarade Pas-Fort vient lui tenir compagnie et lui révèle le rêve qu'il a fait à son sujet. Au deuxième acte on retrouve Roupias qui, pour accomplir la prémonition, est devenu cocher et ambitionne d'être horloger en vieux.

L'Ouverture de la pêche est un petit tableau de mœurs qui témoigne du sens de l'observation et des préoccupations sportives de Jarry. On y voit des familles entières pressées d'arriver à l'ouverture de la pêche. Monsieur Belleplume accroche de son hameçon le nez de Monsieur Ripaton ; comme l'objet coûte trois sous, il refuse de sacrifier le crin et les voilà tous deux défilant par la rue devant une foule ébahie :

> Admirez ce pêcheur fameux,
> Ce pêcheur insigne
> Qui porte au bout de sa ligne
> Un poisson volumineux !

La versification annonce le théâtre mirlitonesque. Nous sommes ici dans le domaine de la bande dessinée, et cela nous fait songer que les aventures de *la Famille Fenouillard* parurent en feuilleton à partir du 31 août 1889, suivies des *Facéties du Sapeur Camember* et de *l'Idée fixe du savant Cosinus*. Il y a là une sorte d'humour plaisant et satirique d'esprit identique, produit par l'école, que ce soit à la chaire professorale ou sur les pupitres des élèves. Mais *Ontogénie* présente à nos yeux un intérêt capital par la place qui est déjà accordée au thème scabreux de la pompe à merdre, prouvant ainsi, s'il en était besoin, combien Jarry était prédisposé à devenir l'inventeur, au sens légal du terme, d'*Ubu Roi. L'Antliade* (poème), les *Antliaclastes* (trois scènes), *les Antliaclastes* (drame en trois actes) s'organisent en combats autour de la pompe salutaire, ainsi que *Bidasse et compagnie*. Ces homériques batailles semblent toutes avoir un point commun : elles équivoquent sur les cinq premiers vers de la *Bérénice* de Racine, particulièrement sur « la pompe de ces lieux » et le « cabinet superbe et solitaire ». La première ébauche des *Antliaclastes* rassemble vidangeurs et pompiers auxquels se mêlent des types lycéens, surveillants ou élèves.

On discute au club Antliator : la présence de laudanum dans la pompe ramollit la matière. Le coupable ne saurait être que Ratpias. Rouget, capitaine et inventeur de la pompe, va s'emparer du malfaiteur. La scène deux montre les Antlia-clastes faisant subir le dernier supplice à Toga. Mais, coup de théâtre, voulant mettre le feu à leur loge, ils font exploser des barils de poudre, sur quoi la pièce s'achève. La deuxième version de la pièce du même titre (1888) remaniée et déve-loppée montre mieux les principes de composition jarryques. L'auteur centre chaque acte sur un personnage. La première partie, parodie d'*Hernani*, montre les conjurés rassemblés pour empêcher Rouget d'installer l'Antlium en ces lieux. Toga prend la défense de la pompe. Sicca le dénonce comme traître. Il sera mis à mort, mais auparavant confessera qu'ayant autrefois servi sous les ordres de Rouget, il est un espion. Un simulacre de pendaison donne lieu à un festin où Toga, un instant ressuscité, maudit Sicca qui a insulté son cadavre. La deuxième partie, à la gloire de Rouget, réunit les Antliatores fêtant leur chef. Un traître, Roupias, vient révéler le complot tramé en d'autres lieux. Rouget appelle ses pompiers aux armes et prépare un traquenard pour son adversaire principal. Mais Sicca, soupçonnant le piège, laisse assassiner le traître Roupias à sa place. La troisième partie consacre le retour de Sicca, dix ans après, alors qu'on fête l'érection de l'Antlium. Un homme masqué se dévoile : c'est Sicca qui, nouveau Samson, se perd en perdant la pompe.

Le Futur malgré lui, acte premier et peut-être unique, appartient à la même époque, tout en étant d'une veine dif-férente. Jarry, qui déjà pressent son art littéraire à venir (« faire dans la route des phrases un carrefour de tous les mots », *Minutes de Sable mémorial*), équivoque encore sur le sémantisme des vocables. C'est l'arrivée dans une noble famille d'un futur (gendre), Monsieur de l'Etang, qui ne manque pas d'esprit critique envers une candidate au mariage par trop émue. L'action de la dernière scène sera réutilisée par Jarry dans *Ubu Enchaîné* (Acte II, scène 2) : faute de thé, on offre du vin à Monsieur de l'Etang qui, sachant l'avarice du maître de maison, s'étonne de se voir apporter douze bouteilles :

Madame du Toqué. — Voici, Monsieur, de bon vieux vin ; je vous garantis qu'il est bien vieux ; vous allez bien vous régaler.

(Monsieur de l'Etang se tord de rire.)

Madame du Bocage. — Mais ce sont des bouteilles vides !

Madame du Toqué. — Pas absolument. En les égouttant bien toutes les douze, on trouvera un verre de vin à offrir à Monsieur.

François. — D'ailleurs, elles ne sont point vides, il y a des araignées dedans.

(En ce moment, une grosse araignée sort d'une bouteille et court sur la scène).

Tous. — Au secours ! Cachons-nous ! Ah ! l'atroce bête !

Madame du Toqué (courant après Monsieur de l'Etang qui court après l'araignée, qui court après Gertrude qui court après Madame du Bocage, qui court après François). — Monsieur, Monsieur, ne partez pas si vite, on va vous offrir à dîner.

Par le choix des noms, par la technique de la sarabande finale, nous avons ici plus qu'un écho d'un album de l'auteur des *Nouvelles genevoises,* Rodolphe Töpffer, dont nous parlerons au chapitre suivant. En effet, dans son *Histoire de Monsieur Jabot* (1835), le personnage caricatural pénètre lui aussi chez une famille Du Bocage et il y subit plusieurs gags en série.

Plus tardif, *Les Alcoolisés,* opéra-chimique rédigé par Jarry à Rennes à la fin de sa classe de philosophie, appartient d'une certaine manière au cycle ubuesque, bien que l'épithète « perhébertique », qui y est employée, montre que le patronyme Ubu n'avait pas encore été trouvé. Comme le rappelle J.-H. Sainmont, présentateur de cet inédit, le nom d'un personnage, Priou, désigne un élève du lycée, de même que pour les fœtus entretenus par Monsieur Crocknuff. Dans un fragment, Jarry esquisse tout d'abord le thème qu'il va développer et enrichir dans son opéra, adoptant donc le même processus créateur que *Les Antliaclastes.* L'œuvre présente une alternance d'alexandrins à rimes plates et de strophes en octosyllabes à rimes embrassées ou de vers de quatre syllabes qui devaient être chantés. Les mots-clés, qui nous acheminent très nettement vers Ubu, en sont les termes

« sagouins » et « étrons ». La scène représente le cabinet (ni superbe ni solitaire) de Monsieur Crocknuff, orné de fœtus conservés dans des bocaux. Monsieur Crocknuff s'adressant aux spectateurs commence un cours sur les villosités subculaires. Passant rapidement sur la morphologie externe et la structure, il en vient aux fonctions, au sujet desquelles il veut faire lui-même une démonstration pratique. Devant la protestation des fœtus indignés, le professeur renonce à poursuivre son cours, mais il menace de leur supprimer l'alcool, et de les détrôner au profit de Priou, fœtus gigantal. Cependant Priou n'est pas encore dans le bocal. Pour l'y attirer, l'expérimentateur use d'un stratagème : accusant sa victime d'être très sale, il lui propose un bain dans le bocal qu'il s'empresse de reboucher.

Avec *Les Alcoolisés,* nous touchons aux bas-fonds (si l'on peut s'exprimer ainsi) de l'esprit d'enfance. L'erreur serait de s'en offusquer. Nous savons que la scatologie est une caractéristique essentielle de cet âge mais que, parallèlement, l'enfant n'éprouve aucun sentiment de honte à ce sujet. L'étonnant est que Jarry, écrivant sur ce thème à l'âge de douze ans, n'y ait pas renoncé par la suite, bien au contraire. Comme le souligne notre préfacier : « la Pataphysique a son mot à dire sur les thèmes fœtaux et anaux. Et tout bon logoscope constatera qu'à la fin de sa carrière, Jarry, se faisant librettiste, retrouvera un ton et une veine qui furent ceux de ses commencements ».

Nous laisserons au spécialiste le soin de nous dire de quel complexe, de quelle perversion souffrait Jarry. Pour notre part, nous nous bornerons à constater que grâce à lui se lève un coin du voile jeté sur l'enfance, la Sainte Enfance ! Dans ces pièces s'annoncent les traits spécifiques de la dramaturgie jarryque, s'orientant selon deux axes.

Il y a d'une part l'ensemble des œuvres que nous dirions comiques, à la manière des farces de Molière ou du volume dépareillé du *Théâtre* de Florian figurant dans la bibliothèque de Faustroll. L'art du croquis, la scène cocasse ou burlesque, le jeu sur les mots, les noms propres à typer un personnage y dominent. Le ton et le mode de versification annoncent le théâtre de mirliton que Jarry exaltera par la suite. La première pièce d'*Ontogénie : Les Brigands de la Calabre,* écrite en 1885 (Jarry avait alors douze ans) atteste nettement cette veine. On y voit Pulcinella et Scaramuccia qui, sur un canevas de marionnettes empruntant à l'*Avare,* rossent Pierrot, tuent Lantimèche et lui dérobent sa cassette, étranglent le gendarme pour, enfin, s'entretuer. Le tout brodé en vers de mirliton. Les personnages de la commedia dell'arte italienne reparaissent dans *La Clochette ou Shadow's Home et Death-Castle* où s'évoquent les thèmes, chers à Jarry, des fantômes, de la mandragore, des êtres sataniques, dénoncés ici par la farce, puisqu'un coffre au trésor explose au nez des ravisseurs, au centre d'un décor de château hanté.

Il y a d'autre part le cycle fécal, précurseur des œuvres ubuesques, qui développe le thème énoncé et surtout met en scène de nombreux combats dont la matière est le prix. Avec la caricature des enseignants ou des condisciples, la parodie des œuvres classiques et des éditions scolaires, Jarry forge son style : il se plaît à montrer une action digne de la plus noble antiquité, ayant pour fin des objets dérisoires et, par là-même, il répand un rire vengeur sur toute la littérature. Jarry n'est pas prodigieusement précoce par le choix des thèmes traités, mais par la conception qu'il nous donne d'un art littéraire tendant à son auto-destruction, déversant des flots ou des tombereaux nauséabonds sur les beaux édifices du passé.

Les avatars du Père Ubu

Fidèle en ceci à l'esprit de Jarry qui employait les mots en leur donnant à la fois leur sens étymologique et un sens contemporain, à la croisée des axes synchronique et diachronique (c'est le « carrefour de tous les mots » que nous citions ci-dessus), nous parlerons ici des incarnations d'Ubu, de sa descente (sanscrit *avātara*) sur terre, et de ses métamorphoses. Ubu apparaît aux yeux du public parisien, le 28 avril 1893, dans *L'Echo de Paris littéraire et illustré,* journal dirigé par Marcel Schwob et Catulle Mendès. Jarry y a obtenu le prix de prose au concours mensuel avec *Guignol* (publié ensuite dans *les Minutes de Sable mémorial,* 1894).

159

Ce morceau est la juxtaposition de trois textes dont le premier et le dernier traitent d'Ubu. On peut difficilement parler d'unité dans cet ensemble qui mêle deux genres opposés, la prose poétique et le théâtre. Tout au plus y trouvera-t-on un fil conducteur, à condition de ne pas envisager une éventuelle mise en scène, même de guignol.

Le premier passage, l'*Autoclète* (en grec : celui qui vient sans être convié), reproduit les quatre premières scènes de l'acte I d'*Ubu Cocu* (première version). Elles sont précédées d'un prélude en prose « quand le rideau macabre replia vers le cintre sa grande aile rouge avec un bruit d'éventail, un puits d'ombre s'ouvrit et bâilla devant nous une gueule de goule... » où se précisent les conditions d'un spectacle de marionnettes destiné à distraire quelque romantique décadent qui compare la flamme des chandelles aux ongles d'une main de gloire chère à Nerval, à des lucioles ou, plus prosaïquement, aux cornes des limaces. De la représentation, on n'attend pas moins qu'un frisson d'angoisse. Alors paraît Achras (en grec : poirier ou poire sauvage), éleveur et collectionneur de polyèdres. Jarry caricature ainsi Monsieur Périer, professeur de mathématiques, au lycée de Rennes, qu'un témoin de l'époque évoque ainsi : « Nous le craignions ; il mettait des — 0 (moins zéro !), et prêtait peu à rire, si ce n'est qu'il accentuait les e muets et parlait souvent de polyèdres »[2]. Comme pour le Monsieur Crocknuff des *Alcoolisés*, Jarry excelle à rassembler les tics verbaux, l'accent, les obsessions du professeur. Un larbin annonce la visite de Monsieur Ubu, « ancien roi de Pologne et d'Aragon, docteur en Pataphysique »... science qu'il a inventée et dont le besoin se faisait généralement sentir. Ubu s'installe chez Achras avec son épouse, et, fait nouveau dans la geste ubique, ses fils et ses filles. Pris de scrupule devant les protestations d'Achras dénonçant une imposture manifeste, Ubu consulte sa Conscience, sortie d'une valise « sous les espèces d'un grand bonhomme en chemise ». Deux de ses répliques, dans le dernier texte « Mon crâne en bourdonne !... Le vôtre ne bourdonne pas ? » ainsi que le nom qu'elle portera plus tard

_____

2. Rapporté par André Lebois : *Alfred Jarry l'irremplaçable*, p. 57.

dans les *Paralipomènes d'Ubu,* B. Bombus (en grec : bour-donnement) indiquent qu'il s'agit encore d'un professeur, Monsieur Bourdon, que Jarry appréciait car il enseignait à ses élèves la philosophie de Nietzsche, non encore traduit. Le ton magistral « Monsieur, et ainsi de suite, veuillez prendre quelques notes », les clichés, les excellents principes moraux, n'intimident pas Ubu qui, tirant leçon de ses paroles : « ce serait une lâcheté, et ainsi de suite, de tuer un pauvre vieux incapable de se défendre », décide d'éliminer Achras, puis-qu'aussi bien il est désormais assuré de son impunité. C'est ce passage que Gide tenait « pour un extraordinaire, incom-parable et parfait chef-d'œuvre » (*Mercure de France,* déc. 1946). Alors Ubu apporte ses trois caisses de bagages d'où surgit soudain, en un élan phallique, « la trinité hirsute des Palotins ». « Barbus de blanc, de roux et de noir, coiffés à la phrygienne de merdoie, serrés en des justaucorps versi-colores, ils agitent leurs bras placides, qui traversent en croix leur tronc annelé de chenille ». La harpe, après avoir émis des sons caverneux, se fait plus douce pour enchanter Achras, effrayé, contemplant les apprêts d'Ubu « qui graisse avec des précautions infinies un joli pal nickelé ». Invité par les palotins aux museaux léporides à s'asseoir sur la chaise percée, Achras se débat, plante au sol la poire de son crâne et, savamment lancé en l'air comme un bil-boquet par l'énergique Ubu, retombe empalé. Pendant son agonie, les palotins dansent une ronde qui leur est chère.

Dans un article complémentaire[3] Jarry justifie ce supplice qui, à la différence de la guillotine ou de la pendai-son, a l'avantage de ne pas réduire la trinité platonicienne (« la tête, le cœur et la gidouille ») puisqu'en effet il ne prive pas le corps de son « suspenseur naturel » ! Au-delà de son humour macabre et de ses formules ésotériques, cet article nous est utile pour cerner la nature des palotins :

> Sur un principe tout différent, la locomotion de ces servi-
> teurs caoutchoutés, génériquement Palotins, les seuls
>   Parfaits pour qui veut que sa volonté s'érige loi souve-
> raine. Ils sont

---

3. Alfred Jarry : « Visions actuelles et futures », *L'Art littéraire* mai-juin 1894, *Pl.* p. 337.

Mécaniques, et pourtant ne se remontent que par le repos, comme

Des êtres animés, dans d'ophidiennes caisses en fer-blanc, dominicalement

Ouvertes. Et ils ont

Une volonté propre, parallèle plus loin prolongée

De la volonté de leur maître. Ils ont

Au moins quatre oreilles, sur lesquelles le pôle

Exerce diverses influences

De déclinaison, et autant d'inclinaison. Ils n'ont

Que de petits ailerons, et de grands

Pieds plats sonores. Dans la foule on les reconnaît à la prononciation : le vocable.

Souvent proféré : Hon, Monsieuye ! et la transition *Par conséquent de quoye*. Bien avant Ravachol il en existait d'Explosifs de par leur seul vouloir. Ceci explique que l'Etat, pour les prisons ou le Museum, n'a jamais pu en avoir un vivant.

La célérité de leur course est égale ou supérieure à celle de momies courant après leur double. Aux abois, ils savent mourir en ce schématique dialogue :

La Coercition Extérieure. — Nous vous arrêtons.

Le Palotin. — Hon, Monsieuye !

(Explosion aux jumeaux effets.)

Il apparaît clairement ici que les serviteurs d'Ubu, qui prolongent extérieurement sa volonté, sont, selon un système de figuration multiple, favori de Jarry, à la fois la trinité phallique, le préservatif caoutchouteux (d'où leur fin par explosion) et le symbole, réduit, du pal ou du phalle, aux fonctions bivalentes, d'après l'usage qu'en font nos semblables. Leur système de récupération d'énergie ne laisse à ce sujet aucun doute. On voit donc comment Jarry procède poétiquement : l'association phonique de deux termes à la signification comparable par analogie formelle l'amène à créer un être nouveau empruntant ses caractéristiques sémiques aux substantifs initiaux.

Le texte intermédiaire de *Guignol*, « Phonographe », prose symboliste, où percent des réminiscences de Rimbaud, de Lautréamont, de Charles Cros et même des « paroles gelées » rabelaisiennes, est un excellent exemple du fantastique mécanique auquel pouvaient atteindre les disciples d'Edgar Poe et de Villiers. Sinon par l'atmosphère, il n'y a pas de rapport évident avec le passage suivant.

Dans *l'Art et la science* (texte reproduit dans *l'Amour en visites* sous le titre « Chez Madame Ubu » et qui reprend l'Acte IV, scènes 3, 4, 5, et 6 d'*Ubu Cocu*, première version), Jarry fait état des sentiments coupables de la Mère Ubu pour Barbapoux, sobriquet attribué à un surveillant du Lycée, promu par les élèves à la dignité de vidangeur en chef et d'amant de la Mère Ubu. La première scène est l'hymne de Barbapoux, coryphée, jetant dans l'humide et le noir les symboles de la philosophie et des dieux antiques. Sans transition, Ubu glorifie sa gidouille : « La sphère est la forme parfaite ». Il oppose au labeur obscur et insolent des vidangeurs la merveille de son invention mécanique, « car dans notre Science nous leur substituerons les grands Serpents d'Airain que nous avons créés, Avaleurs de l'Immonde ». Une prose très symboliste, toute parcourue de lettres capitales, vante magnifiquement les qualités de... la pompe à merdre. Dès ses débuts littéraires, Jarry n'hésite pas à détruire, par la dérision, ce qui faisait la gloire des lettres de son temps. Ainsi se rejoignent la tradition jarryque, la pompe Rouget des Antliaclastes et la geste rennaise du Père Ubu. La suite, empruntée à *Ubu Cocu,* se situe dans l'appartement d'Achras investi par Ubu, plus précisément « dans ces lieux où, sur les murs blanchis des paumes ont gravé pour chasser les esprits de brunis pentagrammes ». Le père Ubu, survenant avec ses palotins-palefreniers, interrompt le duo amoureux, obligeant Barbapoux à plonger « dans ces souterrains glauques » pour se dissimuler. Ubu prend siège, « tout s'effondre ; il ressort en vertu du principe d'Archimède ». Barbapoux, réapparaissant, oppose aux inventions d'Ubu — à toute l'herpétologie ahénéenne (les serpents d'Airain) — la simplicité de son système d'évacuation. Pour clore la pièce, les palotins chantent le cycle naturel qui fait rendre à la terre et à la nuit ce que l'homme dévore.

L'ensemble acquiert, par la juxtaposition d'une forme hypersymboliste et du thème scatologique, un humour très particulier, l'humour ubuesque, si l'on veut, fait, comme dit Apollinaire, d'un sens de la surprise, « cette allégresse si particulière où le lyrisme devient satirique, où la satire, s'exerçant sur de la réalité, dépasse tellement son objet qu'elle le détruit et monte si haut que la poésie ne l'atteint qu'avec peine ». On arrive à une destruction de la poésie par « la matière », pour s'exprimer comme Jarry. Mais on observera que la satire vengeresse, tout en évoquant maint passage d'Aristophane, de Shakespeare (que Jarry rappelle dans « Questions de Théâtre », *T.U.*, p. 152), de Plaute ou de Rabelais, dépasse le plaisir grossier d'esprits prompts à tout abaisser; elle met l'accent sur la véritable nature de l'homme, Dieu déchu qui se souvient des cieux. Faut-il, dès lors, se livrer à une psychanalyse du texte et, partant, de l'auteur ? Qu'apprendrait-on qui ne soit clairement exprimé par Jarry, lui-même interprète de l'inconscient collectif ?

Nous passerons, dans ce chapitre, sur *Haldernablou*, qui relève de la prose dramatique et n'intéresse pas Ubu. Mentionnons, toutefois, certains traits répétitifs, ainsi que dans les poèmes des *Minutes de Sable mémorial,* la fréquence des fœtus ou des cervelles en bocaux (« Il est toujours là, le fœtus qu'on m'a chargé de porter en place honorable parmi ses pareils [..] et ballotté au bout de mes bras inconscients, le fœtus accroupi se tapit et s'endort, bercé par la houle des dromadaires », *Minutes* p. 68-69) évoque pour nous désormais les manies du professeur Crocknuff, mais pourrait bien, de manière très indirecte, exprimer certaine obsession latente de Jarry dont la naissance fut précédée par celle de Gustave, né le 31 août 1870, mort à l'âge de 15 jours. Il n'est pas impossible que Madame Jarry, à l'image de Madame Verlaine mère, conservant ses fœtus dans de l'alcool, en ait maintenu le souvenir vivant aux yeux d'Alfred sur qui elle aurait reporté son affection. Ceci dit pour les amateurs de solutions psychologiques.

César Antéchrist

Après ses apparitions dans *Guignol,* Ubu revient à la fin de l' « Acte Héraldique » de *César Antéchrist,* ainsi que dans l' « Acte terrestre » de cette pièce en quatre actes, parue aux Editions du Mercure de France en octobre 1895[4]. Malgré la difficulté apparente du texte, il importe de bien en saisir la portée, tant pour comprendre la signification réelle d'Ubu que pour apprécier une tentative dramatique originale, visant à une mise en scène « héraldique ».

André Breton, citant Jarry, a nettement mis l'accent sur l'idée fondamentale du drame : « De la dispute du signe Plus et du signe Moins, le Révérend Père Ubu, de la Compagnie de Jésus, ancien roi de Pologne, fera bientôt un grand livre intitulé *César-Antéchrist* où se trouve la seule démonstration pratique, par l'engin mécanique dit bâton à physique, de l'identité des contraires »[5]. C'est ce qu'énonce une des figurations du Christ dans l'acte prologal : « Le jour et la nuit, la vie et la mort, l'être et la vie, ce qu'on appelle, parce qu'il est actuel, le vrai et son contraire, alternent dans les balancements du Pendule qui est Dieu le père » (Acte I, scène 2, Pl., p. 276). Breton semble regretter l'absence de certitude chez notre auteur : « Tel est en effet l'état de la croyance chez Jarry : à quoi se fier ? » Peut-être n'a-t-il pas vu exactement le rapport que Jarry établit et maintient tout au long de sa vie entre le principe d'alternance, le mouvement de balancier que nous venons de voir, et le principe de l'identité des contraires. En poursuivant la métaphore jarryque, nous pouvons dire que le vrai et le faux alternent nécessairement, mais comme, d'un certain point de vue, ils sont identifiables, cela revient à dire que le vrai et le faux sont les deux phases, ou les deux faces, d'une même entité. C'est pourquoi César Antéchrist, comme son nom l'indique, se donne lui-même comme le contraire du Christ, et partant son pareil : « Christ qui vins avant moi, je te contredis comme le retour du pendule en efface l'aller » (*Pl.* p. 281). Mais Ubu, nous le verrons

---

4. De fait, Michel Arrivé le signale dans sa thèse, l' « Acte Prologal » parut d'abord intitulé « Acte Unique » dans l'*Art littéraire*, nouvelle série numéros 7-8, juillet-août 1894, p. 98-108, daté vendredi 20 avril et dimanche 22 avril, puis dans les *Minutes de Sable mémorial* juste avant le « prologue de conclusion ». « L'Acte Héraldique » figure dans le *Mercure de France* nº 63, mars 1895, p. 304-312, daté d'octobre 1894; enfin l' « Acte Terrestre », version abrégée d'*Ubu Roi* parut dans le *Mercure de France* nº 69 septembre 1895, p. 281-304. C'est dire encore une fois combien Ubu n'était pas un inconnu lors de la représentation de l'Œuvre.

5. Extrait des *Gestes et opinions du Docteur Faustroll* chap. XXXIX; *Pl.*, p. 730.

plus loin, sera le double terrestre de l'Antéchrist. Jarry annonçait ces idées dans un curieux article : « Etre et Vivre », paru dans *l'Art littéraire* en mars 1894, soit un mois avant d'écrire la première partie de *César Antéchrist*. Partant d'une opposition conceptuelle entre être et vivre, analogue à celle qu'exprimait Eugène Fromentin : « Pour nous, vivre, c'est nous modifier : pour les Arabes, exister, c'est durer », il expose le principe d'identité des contraires « car et donc on sait que les contraires sont identiques », et il assimile la vie à la mort par un syllogisme hardi : si Vivre est discontinu et Etre continu, on peut identifier Etre et Vivre, l'un étant nécessaire à l'autre, alors le Continu devient le Discontinu. « L'Etre = le Non-Etre, Vivre = cesser d'Exister ». Ceci entraîne une réflexion sur l'anarchiste Vaillant qui, voulant vivre ses principes, a cessé d'exister (par décision de justice, il est vrai). Dans ce cas, pourquoi vivre, si la vie et l'action sont une déchéance de l'Etre et de la Pensée, quelque chose d'intemporel, opposé à l'éternel ? C'est que, pour Jarry, la pensée et l'action sont dans un rapport nécessaire, « la Pensée est le fœtus de l'action, ou plutôt l'action déjà jeune ». Il faut donc consentir à Vivre pour Etre, afin d'atteindre à l'infini, au continu. Et le Verbe, qui est une pensée perçue et exprimée, représente un moment, figé, de ce continu.

L'Acte Prologal qui se déroule du vendredi au dimanche, porte en sous-titre « le Reliquaire », et c'est bien les ciselures d'une châsse que doit nous montrer l'architecture scénique. Saint Pierre est dans un pilori mobile présentant sur ses trois faces les trois Christs inversés surgis de sa parole lorsqu'il renia le Christ. Christ d'or d'Hermès Trismégiste, qui dit « la joue droite souillée, tendez la joue gauche »; Christ vert, de bronze, qui annonça sa confiance en l'Eglise bâtie sur Pierre ; Christ blanc, d'argent, qui prononça les paroles d'amour « aimez-vous les uns les autres ». Dans ses bras, quatre oiseaux d'or sont les symboles des instruments de la Passion. Les trois Christs qui vont mourir saluent l'Antéchrist : « les hommes ne veulent plus d'un paradis fermé. Le nouveau souverain les fouaille en liberté. Les clefs seront perdues et l'on n'ouvrira plus » (I, 2, *Pl.*, p. 276).

Paraît le nouveau César, dont la venue est célébrée par

la foule. Saint Pierre se désespère, seul le premier oiseau, la fleur de lys, le console en l'invitant à trouver le nombre mystique de l'Apocalypse, non sans prononcer auparavant une formule qui nous ramène aux préoccupations philosophiques de Jarry : « les hommes sont le Milieu, entre l'Infini et Rien, tiraillés par les anses d'un zéro ». (I, 5, *Pl.,* p. 280). César Antéchrist se qualifie lui-même de souverain Mal, comme l'autre était le Bien suprême ; il annonce la Mort éternelle « qui crée la Vie comme le noir la lumière ».

Pendant l'entracte, « les étoiles tombent du ciel », (*Apocalypse,* 6,13). N'oublions pas, outre cet emprunt au livre des révélations, que *le Latin mystique* de Remy de Gourmont est tout proche dans les esprits (1892) et que Jarry. ami de l'érudit traducteur avec qui il fonda l'*Ymagier,* a pu être hanté par les rythmes, les images et les thèmes mystérieux des poètes chrétiens médiévaux.

L'Acte Héraldique, qui porte en titre « orle » (bordure étroite de l'écu), terme élégant du blason pour désigner « l'anneau fermé de vil sphincter » comme l'annonce la trompette (p. 287), prépare la venue sur terre d'Ubu Roi. A la scène 5, les trois hérauts décrivent l'identification de César Antéchrist à la terre, à laquelle il ressemblera d'âme et de corps, c'est-à-dire par la forme comme par la matière. Devenant homme, il sera aussi bourreau, non point contre le Christ « mais En-Son-Lieu ». Un vent germe de la terre, irrespirable (faut-il croire qu'il émane du vil sphincter qu'est l'orle ?) qui endort et fige les hérauts. Toutefois, avant la germination du roi futur annoncée par César tandis que la lumière précise le sol terrestre, un templier, à l'écu de gueules (rouge), à la croix d'argent (symboliquement le signe Plus) et un héraut, Fasce (pièce coupant l'écu horizontalement, le signe moins), interpellent le bâton-à-physique, comme déjà Maldoror en son troisième chant. « Phallus déraciné, ne fais pas de pareils bonds ». Selon ses positions, ils l'assimilent au pal, à la ligne, à la croix, à la roue, au cercle et à l'œil : « *Moins-en-plus,* tu es le hibou, le sexe et l'Esprit, l'homme et la femme » (p. 289). Nous avons là un ensemble d'identifications symboliques, semblable au réseau analogique que Jarry établissait déjà dans les « Prolégomènes d'Haldernablou » entre le membre viril, le grand serpent, la galère, le caméléon, les doigts et la chauve-souris[6].

Si l'on s'étonne d'une telle identification des contraires, il faut penser que mathématiquement, cela n'a rien de surprenant, plus l'infini étant égal à moins l'infini. Théologiquement, le rapport est plus délicat à établir. Mais, compte tenu des prémisses déjà exposées, qui assimilent l'Antéchrist au Christ, il paraît logique que le signe plus — la croix — et le signe moins, ne soient pas opposés. C'est ce qu'expriment le Templier et Fasce, dépendant l'un du Christ, l'autre de l'Antéchrist, en décidant de ne point en découdre :

> Le signe Plus ne combattra point contre le signe Moins, dit le Templier. Comme de toute lutte, l'issue possible ne serait que l'anéantissement car chaque adversaire est l'Infini de l'un et l'autre principe, ou leur réconciliation. De l'accouplement monstrueux ou de la fécondation par le fleuve de la semence éclora le zéro. De l'anéantissement d'un des signes naîtra le déséquilibre... (p. 291).

Puisque l'ensemble de la pièce, dédiée à Saint Jean Damascène, porte un contenu mystique certain, il n'est pas inutile de rappeler, comme le fait André Lebois, que « les textes mystiques ne sont guère stables en leur symbolique. Le *Bestiaire* de Hugues de Saint-Victor le constate naïvement : « Si quelqu'un demande pourquoi le Christ est parfois signifié par des animaux immondes, qu'il sache que le lion quand il signifie courage représente le Christ, et quand il s'agit de rapacité, le Diable »?[7] En ce sens, le Bâton-à-physique peut être porteur d'un signe double. En fait, selon la loi d'alternance évoquée plus haut, c'est maintenant l'heure de l'Antéchrist. En attendant la réapparition du Messie, le Templier change de signe et passe du Plus au Moins : il brise la hampe de sa croix. « Frère, je vais changer d'être, car le signe seul existe provisoire... le repos est le changement. » (II, 7,

---

6. Ces assimilations sont longuement précisées, justifiées et circonstanciées dans la thèse de Michel Arrivé.
7. André Lebois, *op. cit.*, p. 73.

p. 292). Biologiquement, le rapprochement est aussi simple qu'en mathématiques, à condition de se placer à un point de vue génétique. Faut-il rappeler la légende que Platon rapporte dans le *Banquet* ? Les premiers êtres, dit-il, étaient des androgynes porteurs des deux sexes à la fois. Déplaisant aux Dieux qu'ils voulurent combattre, ceux-ci les coupèrent en deux, séparant mâles et femelles. La *Genèse* et surtout l'interprétation traditionnelle exposent une opinion identique sur l'Adam Kadmon, le premier être. Mais, fait plus net, les naturalistes nous enseignent que le lombric, notre vulgaire ver de terre, vil animal autant que le bâton-à-physique, est constitué comme un hermaphrodite de deux ovaires et de deux testicules. D'autre part, les manuels d'anatomie s'efforcent tous de comparer l'appareil génital de l'homme et de la femme, en soulignant leur constitution identique. Au cours du développement de l'embryon humain, il existe une indifférenciation sexuelle ou bisexualité, dont certains caractères demeurent tout au long de l'existence, la différence entre les sexes étant, avant tout, d'ordre quantitatif. Dès lors, il n'est peut-être pas nécessaire de recourir à la psychanalyse pour rendre compte de ce passage du plus au moins. Michel Arrivé fait état des exemples de Freud pour qui le rêve use souvent de symboles contradictoires, un rameau aux fleurs blanches pouvant signifier à la fois la virginité et la défloration. Mais Jarry n'emprunte pas sa symbolique au rêve, puisque l'ontogenèse lui donne des exemples suffisamment nombreux de l'égalité qu'il entend établir. Faut-il s'étonner qu'en sa *Physique de l'amour* (Mercure de France, 1903) Remy de Gourmont expose en détail la question du dimorphisme et du parallélisme sexuels, rappelant les conceptions d'Aristote, de Galien, de Geoffroy Saint-Hilaire et de Diderot, concluant à la même indifférenciation sexuelle du fœtus et à la similarité des organes génitaux de l'homme et de la femme ? Enfin, le concept d'identité des contraires, longtemps insaisissable, nous paraît désormais justifié par la physique contemporaine qui a pu réaliser expérimentalement un noyau d'antihelium 3, permettant ainsi de mieux comprendre ce qu'est l'antimatière, qui serait en quelque sorte l'esprit de l'univers matériel, son double symétrique, hostile et explosif, en d'autres termes César Antéchrist par rapport au Christ. Il ne fait pas de doute que, s'ils venaient à se rencontrer, tout exploserait. Voilà pourquoi Ubu, reflet et incarnation de l'Antéchrist sur terre, détruit tout ce qu'il touche.

A la neuvième scène, Ubu et ses trois palotins germent en sphères grossissantes. Sa première parole n'est pas le mot d'Ubu Roi mais un jurement sur la puissance des appétits inférieurs : « Cornegidouille, Messieurs, je crois que voici ce qu'il faut demander : Qui sera *Roi* ? » Sur un fond d'aurore, les hérauts lui annoncent que ce sera lui. Alors que dans *Guignol* (3e partie, scène 3) les Palotins portaient des noms fortement évocateurs (Merdanpo, Mousched-Gogh, Quatrezoneilles), ils sont ici désignés par des vocables empruntés à la langue du blason : Giron (surface triangulaire dont la pointe aboutit au centre de l'écu), Pile (pièce de l'écu dont la pointe est tournée vers le bas) et Cotice (bande étroite traversant l'écu en diagonale). Ces noms leur resteront dans *Ubu Roi* où ils n'auront toutefois plus le même contenu significatif que dans cet « acte héraldique ».

L'« Acte Terrestre » de *César Antéchrist,* qui vient ensuite, est donc une version abrégée d'*Ubu Roi*, constituée des actes I, scènes 6 et 7, II, scènes 1, 2, 6, de l'acte III en entier, ainsi que du IV moins les deux premières scènes [8]. C'est presque l'ensemble du texte d'*Ubu Roi* qui constitue ainsi un seul acte. Autant dire qu'il en est la partie essentielle. Jarry a supprimé le début d'*Ubu Roi* qui montre comment la Mère Ubu incite son époux à conquérir le pouvoir. De telles scènes ne s'imposaient plus, compte tenu du contexte où Ubu est nettement appelé à régner, le destinateur étant l'Antéchrist lui-même. De même, il élimine les scènes 3, 4, et 5 de l'Acte II qui concernent le sort de la famille royale, ainsi que la scène 7, peut-être trop mouvementée, où Ubu consentait à ouvrir une partie de ses trésors au peuple. A l'acte IV, les deux scènes consacrées exclusivement à la Mère Ubu sont retranchées, ainsi que l'acte V

8. Deux erreurs se sont glissées à ce sujet dans la « chronologie du Père Ubu » (*T.U.*, p. 12) : Acte I, scène VII et non VIII; acte II scène VI et non IV.

170

en entier. On voit que Jarry concentre l'Acte Terrestre sur le seul Ubu, tout en rattachant la dernière scène à l'acte suivant, puisqu'Ubu rêve, comme César à l'acte dernier : « J'ai dormi, mon âme a dormi, mon corps agissant a rampé, mon Double » (IV, 4, p. 327). La parité d'Ubu et de César est ainsi nettement déterminée.

La nouvelle version contient quelques légères variantes : il est question d'Ubu et de Bordure au lieu du Père Ubu et du Capitaine Bordure. Le premier s'exclame « Vous êtes-vous fait mal » au lieu du « Vous estes », forme marquée, caractéristique de son parler archaïsant. La scène 6 de l'Acte Terrestre comporte un ajout de liaison, rappelant le passé d'Ubu : « je m'étais dit, quand je serais roi, que je me ferais construire une grande capeline comme celle que j'avais en Aragon et que ces coquins d'Espagnols m'ont impudemment volée » (p. 303). Deux répliques, mineures, ont été sautées. La scène 7 de l'Acte Terrestre comporte une addition notable, qui précise la nature de la machine à décerveler :

> *Bruit Souterrain.* — Pétrissant les glottes et les larynx de la mâchoire sans palais,
> Rapide il imprime, l'imprimeur.
> Les sequins tremblent aux essieux des moyeux du moulin à vent,
> Les feuilles vont le long des taquins au vent.
> La mâchoire du crâne sans cervelle digère la cervelle étrangère
> Le dimanche sur un tertre au son des fifres et tambourins
> Ou les jours extraordinaires dans les sous-sols du palais sans fin.
> Dépliant et expliquant, décerveleur,
> Rapide il imprime, l'imprimeur.

Il est possible que dans *Ubu Roi* la mécanique éliminatrice des Nobles, Magistrats et Financiers prenne la signification d'une « malthusienne machine » selon l'expression jarryque (dans « Visions actuelles et futures ») et qu'elle acquière alors un contenu de connotation sexuelle, mais ici sa signification est d'autant plus nette qu'Ubu condamne ses adversaires à la trappe « où l'imprimeur les décervelera » (p. 305, le texte d'*Ubu Roi* moins explicite, dit « où *on* les décervelera »). Les scènes 3 et 4 de l'Acte III d'*Ubu Roi* sont reliées en une seule, la scène 8 de l'Acte Terrestre, où manquent deux répliques secondaires d'Ubu et de Stanislas. Le reste de l'acte III est repris intégralement, à l'exception de la formule ubuesque « j'ai des oreilles pour parler et vous une bouche pour m'entendre » (sans doute inventée postérieurement) ; en revanche, la version abrégée contient deux ajouts. L'un complète le repentir d'Ubu : « je suis tout disposé à devenir un saint homme, je veux être évêque et voir mon nom sur le calendrier (scène 11, p. 311) ; l'autre présente un portrait effrayant des palotins avant l'épisode polonais :

> Nos Palotins sont aussi d'une grande importance, mais point si beaux que quand j'étais roi d'Aragon. Pareils à des écorchés ou au schéma du sang veineux et du sang artériel, la bile financière leur sortait par des trous et rampait en varicocèles d'or ou de cuivre. Ils étaient numérotés aussi et je les menais combattre avec un licou d'où pendaient des plombs funéraires. Les femmes avortaient devant eux, heureuses, car les enfants nés leur seraient devenus semblables. Et les pourceaux coprophages vomissaient d'horreur. (Sc. 12, p. 312.)

Enfin, modifications de détail, c'est le Palotin Giron qui est fauché ainsi que le coquelicot, au lieu du petit Rensky (*Ubu Roi,* IV, 5) ; les rôles de Pile et Cotice sont légèrement abrégés, et l'on passe directement au rêve parlé d'Ubu. Du fait de son intégration dans un contexte plus large, *Ubu Roi* prend ici un sens nouveau, définitif. Ubu et les palotins, communs à l'Acte Héraldique et à l'Acte Terrestre, mentionnés au début de l'Acte Final, sont clairement mis en relation avec César Antéchrist dont ils émanent à des degrés divers. Le Bâton à Physique, de simple accessoire, prend la stature d'un vrai personnage de signification majeure. Paul Chauveau avait bien remarqué que nous tenions dans *César Antéchrist* une des clés du personnage d'Ubu « l'un des innombrables aspects possibles de la Bête de l'Apocalypse »[9]. Mais il faut

9. Paul Chauveau : *Alfred Jarry,* p. 70.

être plus net, et dire qu'Ubu est tout simplement la projection de l'Antéchrist sur la terre.

Le dernier acte de ce drame est celui du jugement. « Le ciel se retire comme un livre qu'on roule » (*Apocalypse*, 6, 14). César évoque divers cultes antiques sous les espèces du Taurobole, et les grands prophètes de la tradition. « Ce sont les deux oliviers et les deux chandeliers qui se tiennent devant le Seigneur de la terre » (*Apocalypse*, 10, 4) ici identifiés à Enoch et Elie. Selon une croyance ancienne, l'Antéchrist sait que sa fin n'est pas arrivée car il n'a pas rencontré son double, Ubu et les trois palotins ayant pris leur ascension météorique avant sa marche terrestre. Enfin, le voici dans la vallée de Josaphat où un Grand Duc vient se percher sur son épaule, image symétrique de la colombe du Christ. A la sphinge symboliste il explique qu'il est le Christ parce que son contraire, tous deux formant un janus à double face, compréhensible aux intelligents comme les deux infinis. Arrive Dieu le Père qui regrette en lui son fils bien aimé. Mais c'est l'heure du triomphe du Christ. César se calcine. L'Ange du Jugement Dernier embouche sa trompette. « Les morts se lèvent et viennent au jugement ».

Avec *César Antéchrist*, Jarry nous a bien donné un drame symboliste, contemporain des œuvres de Maeterlinck et de Mallarmé, nourri de mythes empruntés à l'Antiquité, à la tradition ésotérique et à l'interprétation chrétienne traditionnelle. Son œuvre est comme une enluminure s'insérant entre deux versets de l'Apocalypse. Elle conte les luttes des temps derniers et la victoire de l'Esprit divin sur la bête et sur le faux prophète. Il faut bien voir que le Père Ubu, qui a un nombre d'homme comme la Bête, doit périr et débarrasser l'humanité de sa présence. Jarry ne nous demande pas de voir en lui un modèle, pas plus qu'en l'Antéchrist. S'il est quelque peu notre double, nous devons l'arracher de nous, comme les messagers de Dieu extermineront le Souverain Mal. En intégrant *Ubu Roi* à *César Antéchrist*, Jarry a mis en évidence leur identité, magnifiant ainsi l'œuvre d'enfants irrévérencieux, donnant un sens (et quel !) à ce qui n'était qu'un divertissement. « Il nous paraît [...] essentiel que l'informe pochade potachique ait été mise par Jarry sur le même plan et comme étant de la même venue que la plus opulente des littératures, et la plus savante, la plus ésotérique, la plus apprêtée, la plus attifée, et aussi, disons-le, la plus ostentatrice du don poétique »[10].

« Les Paralipomènes d'Ubu »

Avec l'art du mot juste qui lui est coutumier, Jarry intitule « les Paralipomènes d'Ubu » un article publié dans la *Revue Blanche* du 1er décembre 1896, avant donc la représentation de l'Œuvre. On sait que « Paralipomènes » est le titre d'une partie de la Bible qui ajoute au livre des Rois, comme ici Jarry relate d'autres passages de la geste royale dont il tient la chronique. Mais étymologiquement ce terme signifie « laissés de côté ». C'est bien de cela qu'il s'agit, puisque l'auteur hésitait entre deux ouvrages : *les Polyèdres* et *Ubu Roi*. Finalement, il donna le second à Lugné-Poe. Cependant, le premier, écarté, ne fut jamais achevé. Jarry y puisa pour *l'Autoclête* et pour l'article en question. Les textes cités nous éloignent considérablement des abîmes eschatologiques entrevus dans *César Antéchrist*. Ici, Jarry retourne à l'esprit d'enfance, donne une étymologie fausse d'Ubu (« peut-être le Vautour ») et surtout il essaie d'expliquer le personnage par son passé « afin de liquider entièrement ce bonhomme ». Les fragments primitifs sont caractéristiques du mode de création enfantine. L'un, calqué sur Manon Lescaut, chantait les études de Monsieur Ubu à Saint-Sulpice, sous la conduite de Frère Tiberge (que nous retrouvons dans *Ubu Enchaîné*). La verve potachique s'y déchaînait dans les traductions latines (« *Ego sum Petrus : Ego,* les gosses ; *sum,* ont ; *Petrus,* pété ; les gosses ont pété ») ; dans les réminiscences littéraires, Ubu déclarant « Il faut qu'une trappe soit ouverte ou fermée » ; dans la caricature magistrale, Achras voulant lire un passage de son traité sur les mœurs des Polyèdres « et de la thèse que j'ai mis 60 ans à composer sur la surface du carré », Bombus formulant des principes hautement philosophiques, dignes du Père Ubu : « La grande taille

10. J.-H. Sainmont, *Cahiers du Collège de Pataphysique,* n° 5-6, p. 64.

est l'indice de la tendance de l'âme à s'élever vers le ciel » (*T.U., p. 169*). On y retrouve les thèmes obligés, tel celui des écrase-merdre, et les figurants traditionnels comme les chiens à bas de laine, ou encore les accessoires symboliques, inséparables des personnages, comme la poche du Père Ubu. Jarry nous montre ainsi la manière de composer des lycéens rennais : ils puisaient dans un lot traditionnel de thèmes, de formules, de personnages, et pour conclure leurs drames, ils avaient recours à un morceau conventionnel, comme les trouvères du Moyen Age, où apparaissait un crocodile assimilé tour à tour à un oiseau, une baleine ou un serpent. La chanson du décervelage, qui faisait partie du folklore rennais, comme le montre la toponymie[11], subit des retouches, reflétant l'insertion de Jarry dans le milieu litté-raire parisien : il y est question de la rue de l'Echaudé, siège du Mercure. Peut-on conjecturer que, sur une trame an-cienne, elle est l'œuvre d'un adulte ? La machine n'est plus simplement la presse d'imprimerie, comme dans l'Acte Ter-restre de *César Antéchrist*. Elle subit un croisement compa-rable à celui que les surréalistes opéreront en jouant à *l'un dans l'autre,* l'un des joueurs s'efforçant de faire deviner à ses camarades l'objet auquel il a pensé avec des termes relatifs à un objet imposé par les autres. Par exemple, André Breton s'étant vu en tablette de chocolat a eu à se définir comme sanglier :

> Je suis un sanglier de très petite dimension qui vit dans un taillis d'aspect métallique très brillant, entouré de frondaisons plus ou moins automnales. Je suis d'autant moins redoutable que la dentition m'est extérieure, elle est faite de millions de dents prêtes à fondre sur moi...[12].

Il y a, chez Jarry, un phénomène de condensation analogique identique, puisque la machine à décerveler est à la fois une guillotine et une presse d'imprimerie. En outre, la chanson nous rappelle une spéculation de Jarry rapportant un fait

11. On trouvera toutes explications utiles à ce sujet dans « Rennes, visions d'histoire », par J. H. Sainmont, *Cahiers du Collège de Pataphysique,* n° 20, p. 32.
12. Cf. André Breton : *Perspective cavalière,* Gallimard 1970, p. 50-73.

divers : « à l'autopsie, on trouva la boîte crânienne d'un sergent de ville vide de toute cervelle, mais farcie de vieux journaux »[13]. Deux autres scènes nous font penser que Jarry, en les remettant à l'imprimeur, y a mis plus qu'elles ne contenaient à l'origine, dans la tradition potachique. Dans la première, Bombus conte à Achras un spectacle curieux auquel il a assisté et que l'autre pense avoir vu aussi. Finalement, on se rend compte que le narrateur relatait leurs propres aventures. Il y a là une forme de dialogue absurde qui préfigure bien des scènes du théâtre moderne. La scène du savetier Scytotomille (en grec : cordonnier) est célèbre. Mais alors que dans *Onésime* (*T. U.*, p. 188) Priou, après avoir examiné toutes les variétés d'écrase-merdre, se contente d'emporter une paire qu'il paiera lorsqu'il sera reçu au baccalauréat, ici Moncrif, aidé d'Achras, arrive à convaincre le vendeur qu'il ne lui doit rien puisqu'il a échangé une paire d'écrase-merdre contre une paire d'hommes entre deux âges, qu'il n'avait pas à payer puisqu'il ne les prenait pas ! Ces conjectures sur l'œuvre adulte ne sont point pour minimiser la portée des inventions potachiques; elles montrent simplement combien Jarry a su glorifier une verve, un esprit ludique qui, sans lui, eussent été perdus. Au reste, les situations appartiennent clairement au canevas primitif et elles soulignent le sens dramatique des jeunes lycéens.

Ubu Cocu

Ubu Cocu, pièce en 5 actes, n'a pas été éditée du vivant de Jarry qui, nous l'avons vu, en publia cependant maint extrait. Trois versions nous sont parvenues : 1) *Onésime ou les Tribulations de Priou*, pièce « alquemique », en cinq actes brefs, dont manque le 2e et le début du 4e acte, composée au lycée de Rennes pendant l'année scolaire 1888-89, Jarry étant alors en première; 2) *Ubu Cocu* « restitué en son intégrité tel qu'il a été représenté par les marionnettes du Théâtre des Phynances », texte certainement postérieur d'un an au

_____

13. Alfred Jarry : « la Cervelle du sergent de ville », *La Revue Blanche*, 15 fév. 1901, repris dans *la Chandelle verte*, p. 38.

précédent, constituant un ensemble achevé ; 3) *Ubu Cocu ou l'Archéoptéryx,* cinq actes formant une version nouvelle d'*Ubu Cocu* rédigée en 1897 ou 98, recopiée et dédiée « à Thadée Natanson, hommage de cet Ubu clandestin, qui devait dans l'intention de l'auteur être *Ubu détruit par le feu* ». Le manuscrit appartenant à M. Matarasso a été repris en partie dans *Tout Ubu,* p. 247-265 ; c'est le texte publié dans l'édition de la Pléiade (p. 491-518) .

Pour la commodité de l'exposé, nous analyserons uniquement *Ubu Cocu* (p. 199-246 de *Tout Ubu*). *Onésime,* à l'exception des scènes reprises moyennant quelques variantes, en diffère par une tonalité nettement potachique. La « pièce alquemique » suit une voie rabelaisienne, où des moines paillards écorchent le latin et songent essentiellement au service du vin. De même, le P.H. (nous sommes encore près de l'original) interroge un de ses palotins comme faisait Panurge, en exigeant une réponse monosyllabique. Et Onésime O'Priou, futur bachelier, articule une série d'injures (« soulard, pissard, pochard, paillard, Polognard ») qui évoque autant *Pantagruel* que *Les Polonais.* L'allusion littéraire est cependant surpassée par l'emprunt direct à la tradition des chansons de salle de garde (« Mon frère le poitrinaire », « On entend sous l'ormeau », etc.). Les jurons y expriment une fraîcheur créatrice davantage que dans *Ubu Roi* où, somme toute, ils seront figés et caractéristiques du seul personnage principal ; on y trouve même un « étron d'Hébert » prononcé par le P.H., ce qui ne manque pas d'allure. Les palotins, qui ne sont définis que par leurs fonctions, chantent leurs airs habituels. Tout ceci constitue un ensemble de thèmes obligés et interchangeables dans l'œuvre collective, au même titre que dans la lyrique médiévale. J.-H. Sainmont a montré que les élèves ajoutaient, à leur gré, des thèmes d'actualité, concernant par exemple l'élève Priou, éternel redoublant ; une œuvre traitait de sa rivalité amoureuse avec M. Bourdon

---

14. Pour ce qui concerne l'histoire de ces trois textes, on consultera les deux articles de J.-H. Sainmont : « Occultations et exaltations d'*Ubu Cocu* », Cahiers du Collège de Pataphysique, n° 3-4, p. 29-36 et « Rennes, visions d'histoire », *ibid*; n° 20, p. 27-36. Jarry ayant réutilisé maintes fois des passages d'*Ubu Cocu,* on consultera le tableau de concordance de *Pl.*, p. 1 187-1 189.

pour obtenir les faveurs de la fille du P.H. Ici, Priou, dont la geste chante les tribulations, est une fois de plus ajourné à l'examen du baccalauréat. Il croit trouver consolation auprès de la Mère Eb. quand le P.H. et les palotins le surprennent. Il tombe sur la tête. Son cerveau est endommagé à la circonvolution de Broca. C'est au rédacteur et non à la tradition que l'on doit les calembours de cette œuvre immortelle : les moines prononçant le mot *spirituo* pensent aussitôt aux spiritueux dont leur cave est pourvue ; la référence à l'antimoine renvoie ici, non à la chimie mais à Frère Pimor. Enfin Priou énonce une maxime digne de Corneille (par la concision). « Il n'y a pas de danger ; nous pouvons être brave ! ».

Ubu Cocu ou l'Archéoptéryx, outre une précision sur l'animal préhistorique fils de la Mère Ubu, présente, au premier acte, l'intérieur de la gidouille ubuesque, nous découvrant d'horrifiques visions un peu comme dans l'œuvre de Rabelais on rend compte de la visite d'un nouveau monde constitué par la bouche de Pantagruel. L'âme d'Ubu, qui siège en la gidouille, comme on s'en doutait, y fait aussi son apparition. Pour le reste, les interpolations du texte nous renvoient à la version antérieure.

Ubu Cocu (texte de 1888-1889) se déroule chez Achras, éleveur de polyèdres. Sans aucune justification particulière, Ubu survient en envahisseur, non sans prendre à rebours les précieux conseils de sa conscience. Ayant appris, on ne sait comment, qu'il est cocu, il prépare une terrifique vengeance, demandant à son hôte de bien vouloir essayer le pal nickelé qu'il mettra à la disposition de son rival. Les palotins dansent une ronde autour d'Achras récalcitrant, qui est empalé par surprise. La Mère Ubu découvrant le supplicié s'évanouit. Au deuxième acte, la Conscience désempale Achras avec qui elle prépare un châtiment exemplaire pour Ubu. Celui-ci s'effondre dans la trappe, ironiquement consolé par Achras. Ubu repentant est sauvé par sa conscience qui, montrant tout l'intérêt de la gymnastique, reste pendue par les pieds. Ubu, soucieux de sa digestion, ne bouge pas. La conscience finit par se décrocher et tombe sur la gidouille du Père Ubu. Celui-ci la jette dans le trou entre les deux semelles de pierre. Les palotins rendent compte à leur maître de leurs missions.

Mais Ubu, méditant sur la perfection de la sphère céleste et de sa propre personne, les fait taire. Interprétant Sénèque, il songe à substituer la pompe à merdre aux instruments en usage. Les palotins entonnent un chant glorieux pour terminer l'acte.

Ensuite, les rentiers se plaignent des exactions d'Ubu et de sa clique. En voulant fuir les palotins, Achras et Rebontier se donnent, dans leur terreur, pour de zélés serviteurs du Maître des Finances. Achras gifle Rebontier afin d'avoir sa carte de maître d'armes pour effrayer ainsi ses concitoyens. Memnon le vidangeur [15], amoureux de la Mère Ubu, chante la chanson du décervelage avec le chœur des palotins qui s'effacent quand le jour paraît. Rebontier, dépouillé par les chiens à bas de laine, se pourvoit gratuitement de chaussures chez Scytotomille le savetier. Les palotins s'emparent à nouveau de Rebontier et d'Achras, qu'ils jettent dans le tonneau infâme, et brûlent le savetier.

Au quatrième acte, Memnon et la Mère Ubu sont surpris dans leur dialogue amoureux par le retour d'Ubu. Memnon se jette dans son élément favori. Il en fait ressortir la Conscience qui y séjournait depuis l'acte II. Le danger pressant, tous trois se précipitent dans le trou noir. Ubu prend siège, tout s'effondre. Memnon, insultant à la personne d'Ubu, vante les avantages de ses tonneaux sur la pompe. Enfin, au dernier acte, Achras et Rebontier retour d'Egypte sont assaillis par Ubu qui accuse le second de vouloir le cocufier ; il le fait frapper et assommer par ses palotins, tout en lui promettant un beau supplice. La fin, artificielle, est la scène du crocodile déjà invoquée dans « les Paralipomènes d'Ubu » comme moyen de dénouer une situation inextricable.

On le voit par ce résumé, la pièce, qui présente une certaine continuité, est un assemblage de scènes plus qu'une œuvre fortement charpentée. Contrairement aux principes dramaturgiques définis par Jarry, tout ne gravite pas, ici,

---

15. Le Memnon chanteur, dont il est question à plusieurs reprises ici particulièrement en III, 4, p. 218, pourrait, aussi bien que d'Egypte, provenir du *Malade Imaginaire* : « Mademoiselle, ne plus ne moins que la statue de Memnon rendait un son harmonieux lorsqu'elle venait à être éclairée des rayons du soleil, tout de même me sens-je animé d'un doux transport à l'apparition du soleil de votre beauté » (II, 5).

autour d'un héros unique. Le sujet même du drame, qui devrait traiter du cocuage d'Ubu, est à peine entrevu. Voilà qui explique que l'œuvre ait pu changer de titre et même de personnages au cours de son élaboration. On y retrouve cependant les héros traditionnels, et tout d'abord la trinité ubique. Ubu, toujours aussi gros, brutal et cruel, y est envahissant. Il emploie le *nous* de majesté. Son vocabulaire est déjà constitutif du personnage, dont les préoccupations se limitent au profit de sa gidouille. Inventeur de la Pataphysique, et de la pompe, il ne manque pas d'un certain esprit de repartie avec Achras, et surtout d'à-propos avec sa Conscience, dont il utilise les conseils moraux à son bénéfice. La Mère Ubu, qu'à peine on entrevoit, ne manque pas de sensibilité (elle s'évanouit au spectacle d'Achras empalé), sinon de sensualité avec Memnon son amant. La Conscience d'Ubu, prolongement de l'image hugolienne, est un grand bonhomme en chemise qui ne manque pas de puissance dramatique. Ses tics verbaux, sa philosophie morale en font, nous l'avons vu, une belle caricature de professeur. Les palotins enfin, aux noms évocateurs, sont les instruments terrifiants du Père Ubu. Ils ont pour fonction essentielle d'exploiter les rentiers (les lycéens de Rennes auraient-ils déjà pris parti dans la lutte des classes ?) et de chanter la gloire de leur maître : « craignez et redoutez le maître des Finances », « Marchons avec prudence ». Un de leurs airs emprunte à Offenbach : « Ce tonneau qui s'avance », d'où provient peut-être le nom magique « ce roi barbu-bu qui s'avance ». Leur caractère mécanique est nettement marqué. Parmi les autres personnages, seul Achras se distingue par sa manie d'élever des polyèdres, et par ses tics de langage. L'œuvre montre donc sa liberté de conception dans la liaison des scènes et des actes. Un personnage ironise même sur les principes essentiels de la dramaturgie classique :

> *Achras.* — Pour ne point nuire, voyez-vous bien, à l'unité de lieu, nous n'avons pu nous transporter jusqu'à votre échoppe. (III, 4, p. 230.)

L'action qui se trouve dans chaque scène n'est jamais exploitée sur l'ensemble du drame. Par exemple Achras est désempalé par la Conscience, Ubu le constate simplement sans pour autant se mettre en colère ou se venger sur ses adversaires. Si la dénotation excrémentielle est très nette, la connotation est moins riche que dans *Ubu Roi*, *Ubu Enchaîné* et *César Antéchrist*. Ici le pal se donne exclusivement pour ce qu'il est, un instrument de supplice ; de même la chandelle verte est le produit d'un mélange chimique, et non un symbole plus ou moins obscur : « flamme de l'hydrogène dans la vapeur de soufre, et qui, construite d'après le principe de l'Orgue philosophique, émet un son de flûte continu » (II, 4, p. 218).

Plus que dans les autres cycles du Père Ubu, l'action est, si l'on peut dire, polarisée par les lieux secrets, les scènes importantes se déroulant autour, et parfois même à l'intérieur du trou.

On n'y cherchera point de mots d'esprits, bien que certains calembours ne manquent pas d'attrait (sur Epictète — le pique-tête, par exemple). L'essentiel de cette pièce nous paraît être l'invention de la conscience comme personnage véhiculé dans une valise, et la liberté de conception de l'ensemble, qui ouvre de larges perspectives sur l'imagination enfantine et ses thèmes obsédants. Le cocuage, thème constitutif de la littérature française, y figure un peu à titre d'hommage, comme un fait acquis et nécessaire, qui ne justifie en rien la méchanceté d'Ubu. Ici, les jeunes lycéens, et Jarry avec, n'apportent pas une vision bouleversante ou indignée de l'univers adulte, ils se contentent d'enregistrer le spectacle qui s'offre à eux, avec un rire moqueur.

C'est ce ton irrévérencieux qui semble avoir marqué la mise en scène originale du 21 mai 1946 à Reims, sous la direction de M. E. Peillet, alias J.-H. Sainmont, qui en rend compte dans les *Cahiers du Collège de Pataphysique* (*op. cit.*). Le décor, extrêmement schématique, était fidèle aux conceptions scéniques de Jarry : un rideau gris décoré d'une affiche représentant un dodécaèdre régulier sommant la devise « Soyez bons pour les Polyèdres », une table recouverte de polyèdres dont un icosaèdre en contreplaqué colorié qu'Ubu « devait fendre de son croc-à-merdre en le projetant sur les spectateurs ; côté cour, un paravent de lattes de bois surmonté du dessin d'une chasse d'eau et portant l'étiquette mordorée « libre » matérialisait suffisamment *les lieux* ».

L'acteur interprétant Ubu, Pierre Minet, portait le costume de la marionnette : « robe noire spirée de jaune avec la petite queue au cou, pantalons à petits carreaux bordés de dentelle, chapeau simili-cronstadt (mais-lie-de-vin), croc-à-merdre sang de bœuf, vastes ciseaux en bandoulière et dans la poche l'innommable balai ». Un masque terminé en porte-voix lui couvrait le visage. Le metteur en scène l'ayant voulu très gros, il devait être guidé pour entrer en scène et ne voyait pas devant lui, heurtant les objets comme un tank aveugle. M. Peillet s'étant informé de la diction jarryque auprès de Max Jacob et de Léon-Paul Fargue, Ubu et la Conscience prenaient, comme l'auteur l'avait voulu, la voix du personnage. Madame Ubu « fut incarnée par un étudiant de très haute taille, grandi encore par des talons Louis XV et un chapeau à plumes de la fin du siècle, de telle sorte que en hauteur et en minceur elle contrebalançait efficacement M. Ubu ; sa pâmoison, en fin de l'acte I, était impressionnante ». Les palotins, vêtus de blousons kakis et du casque à pointe de 1914, apportaient une note détonante. La mise en scène, fidèle aux indications du texte, s'efforçait de rendre compte de l'atmosphère particulière des lieux, quand Ubu ressortait « soigneusement enduit d'une évocatrice purée de pain d'épices ».

L'accueil du public fut, nous dit-on, excellent. Il est vrai que les élèves de l'animateur, ayant appris auparavant la chanson du décervelage et la reprenant en chœur, purent ainsi chauffer l'atmosphère d'une salle comble.

Fraternité de Grabbe

Bien qu'il ne s'agisse en aucune manière d'une œuvre jarryque, puisque celui-ci s'est contenté d'en traduire les meilleurs passages, il nous faut parler ici d'une pièce de C.D. Grabbe à laquelle Jarry s'intéressa au moment où il faisait « avancer le pion Ubu » (Lugné-Poe). En renonçant à faire jouer *les Polyèdres* au profit d'*Ubu Roi*, il proposait à Lugné-Poe d'inscrire cette œuvre parmi la liste, déjà longue, des pièces étrangères montées à l'Œuvre : « Si cela vous intéresse, je vous donnerai — lui écrivit-il — des renseignements sur des pièces allemandes un peu anciennes jamais traduites et quelques-unes d'un comique très voisin d'*Ubu Roi;* dont une par un auteur ivrogne célèbre en Allemagne » (12 mars 1896, *T. U.,* p. 134). Pour lui, cette comédie de 1827 s'inscrit dans l'éternité au même titre que le tragique de Shakespeare ou de Goethe, ce qu'il confirme dans une note préparatoire à l'article « De l'inutilité du théâtre au théâtre » (*T. U.,* p. 147). Comment Jarry, au demeurant excellent germaniste, eut-il connaissance de Grabbe ? Peut-être était-il séduit par la personnalité de ce poète, l'un des premiers représentants du théâtre épique allemand, qui illustrait parfaitement le déchirement de toute la génération post-romantique, suspectant à la fois le sentiment et l'intelligence, ne trouvant d'issue autre que dans le pessimisme et le scepticisme. Si l'existence de Grabbe, faite d'une lutte acharnée pour le triomphe de sa littérature et de constants renoncements, d'abandons à la débauche et à l'ivresse, a pu retenir son attention, Jarry a surtout fait preuve d'un sens critique aigu en découvrant une œuvre inédite en France [16] et dont la parenté avec *Ubu Roi* est évidente. La traduction qu'il en prépara, sous un titre inspiré de Rabelais : *Les Silènes* [17], paraît avoir été faite sur une version allemande très ancienne et défectueuse, au dire de Robert Valançay. En tout cas, elle n'a rien à voir avec l'édition proposée par les bibliophiles créoles [18] dont le poème liminaire et de nombreux passages érotiques ne sont ni de Grabbe ni de Jarry.

Pour l'étude de l'œuvre originale, nous nous reporterons donc à l'édition Valançay. L'analyse très brève que nous en donnerons ne saurait faire ressortir toute la variété de cette pièce où l'action, fort décousue, cède souvent la place à une critique de la littérature du temps et à une satire politique des événements qui secouaient alors l'Europe.

Dans un château de convention, le diable apparu sur

---

16. C. D. Grabbe : *Raillerie, satire, ironie et signification cachée.*
17. C. D. Grabbe : *Les Silènes,* trad. Alfred Jarry, *La Revue Blanche,* janvier 1900, p. 5 à 15.
18. Alfred Jarry : *Les Silènes.*

terre tandis qu'on faisait le ménage en enfer, va brouiller les cartes en séparant la belle et spirituelle Liddy de son fiancé et en faisant que ses trois prétendants se combattent jusqu'à l'extermination. Mais il sera déjoué et vaincu par un maître d'école fantaisiste (qu'André Breton compare fort justement à Groucho Marx), grand buveur, maniant le raisonnement jusqu'à l'absurde, qui parvient à l'enfermer dans une forte cage en fer en l'attirant avec les *Mémoires* de Casanova. Tout ce monde de fantoches finit par se dissoudre, les uns sortant de la pièce pour s'échapper dans la fosse du souffleur, les autres s'anéantissant devant la lanterne de l'auteur. Il faudrait pouvoir rendre compte de la truculence des personnages, des conversations de quatre naturalistes discutant sur la nature du corps diabolique étendu devant eux, concluant que c'est une femme de lettres, des paralogismes de l'instituteur, conseillant à l'un de ses compagnons de beuverie de monter sur la table afin de ne pas rouler en dessous. Nous avons là des formules aussi stupides que celles qu'énoncera Ubu. De même certaines métaphores rappellent l'éloquence creuse du maître des phynances :

> J'étais assis à ma table et mâchais ma plume,
> Comme le lion avant la pointe du jour
> Mâche le cheval sa plume alerte...

Ou encore des spéculations étymologiques sur le substantif Philosophie venant de Viele Strohwisch (énorme bouchon de paille) évoquant les versions latines du Docteur en Pataphysique. Le diable mourant de froid en plein mois d'avril n'est pas sans saveur : il passe d'excellents marchés, achetant Liddy à son fiancé pour 2 000 écus en monnaie de singe (moins quelques sous en raison de son intelligence), la promettant ensuite au baron Mordax à la condition qu'il tue treize tailleurs. Celui-ci exécute la convention en une scène très brève, plutôt pantomime, non sans avoir revêtu un grand tablier afin de ne pas tacher ses beaux habits. Enfin ce même diable nous révèle la signification cachée de la pièce, qui atteint à une ironie cosmique. C'est que l'univers n'est « rien d'autre qu'une médiocre comédie compilée pendant ses vacances par un ange imberbe et blanc-bec qui vit dans l'univers véritable, incompréhensible aux hommes, et qui est encore, sauf erreur, en classe de rhétorique [...]. L'enfer est la partie ironique de la pièce, et comme c'est d'usage, le collégien l'a mieux réussie que le Ciel qui doit en être la partie sereine et pure ».

L'outrance, le grotesque, la fantaisie verbale contribuent donc à dénoncer notre réalité quotidienne sans pourtant proposer un domaine idéal et mieux conçu, puisque toute existence est l'œuvre d'un grimaud de collège. Jarry participe de la même philosophie. S'il n'a pas été influencé par Grabbe, il a trouvé en lui un esprit-frère dont l'œuvre, comme la sienne, d'une « géniale bouffonnerie n'a jamais été surpassée, qui détonne au plus haut point dans son temps et est douée plus que toute autre de prolongements innombrables jusqu'à nous » [19].

L'Affaire Ubu

Nous n'avons pas l'intention de reprendre ici l'historique d'une affaire qui fit beaucoup de bruit dans les milieux littéraires et journalistiques aux environs de 1922. Qu'on se contente de savoir qu'à cette époque Charles Chassé [20] reprenant la tradition contemporaine consistant à contester l'existence des auteurs de chefs-d'œuvre (ainsi Abel Lefranc déniant à Shakespeare la paternité de ses œuvres) voulut démontrer ce que l'on savait déjà, c'est-à-dire que Jarry n'est pas le seul auteur d'*Ubu Roi*, ou plus exactement qu'il a repris une œuvre élaborée par plusieurs générations d'élèves du lycée de Rennes. L'entreprise du polémiste était douteuse dès l'abord. Ne voulait-il pas jeter la suspicion sur l'ensemble de la production symboliste ? « Car si tout de même il était démontré qu'*Ubu* fut cette « quasi mystification » dont M. Davray se risquait tout à l'heure à parler en termes voilés, est-ce que toute la littérature de cette période, qui fut admirée avec tant de foi, ne sortirait pas un peu déconsidérée de cette aventure ? » (p. 10). On voit le processus : si des cri-

---

19. André Breton, *Anthologie de l'humour noir*, p. 94.
20. Charles Chassé : *Sous le masque d'Alfred Jarry*, repris dans *Dans les coulisses de la gloire;* nous citerons d'après cette édition.

tiques de grande réputation comme Catulle Mendès, Henry Baüer et A.-F. Hérold ont pu se tromper sur *Ubu*, leur jugement devient contestable à propos de toute la littérature qu'ils défendirent et illustrèrent et c'est l'époque entière qui est mise en cause, à travers ses admirations. Charles Chassé n'ignore pas les témoignages qui ont fait état de cette « collaboration », mais il ne lui vient pas à l'esprit que les témoins tenaient leurs informations de Jarry lui-même, selon toute vraisemblance, et qu'à tout le moins ils voyaient en lui autre chose qu'un plagiaire ou un usurpateur. Déjà Vallette, dans l'article nécrologique consacré à Jarry, écrivait : « La plus connue de ses œuvres, *Ubu Roi*, fut écrite au collège en collaboration avec deux camarades » (*Mercure de France*, décembre 1907)[21]. Quelques années après, Laurent Tailhade fit connaître l'original du Père Ubu :

> Au collège de Rennes, Alfred Jarry avait pour maître un certain M. Hébé ou Ebée, illustre pour la ténacité de ses rancunes et la noirceur de sa méchanceté. Plusieurs générations d'écoliers (car le bonhomme était plus que mûr) se transmettaient ses dires mémorables, dont ils avaient formé une sorte d'anthologie. Alfred, à qui sa famille avait, pour une fête, donné la carcasse et les marionnettes d'un guignol, s'avisa de mettre en dialogue les propos du père Hébé, qui devint peu après le père Ubu et qui restera sous ce nom dans la mémoire des hommes, parmi les types éternels de Polichinelle, de Pierrot et d'Arlequin[22].

Enfin, dans un article de *l'Echo de Paris* (septembre 1920) Gérard Baüer signalait quatre collaborateurs de Jarry, dont trois, interrogés par Chassé, se récusaient. Restait Charles Morin que Chassé eut le mérite de rencontrer et d'interroger sans toutefois tirer tout le parti qu'on pouvait attendre de son

---

21. Louis Lormel fut encore plus explicite : « Jarry écrivit *Ubu Roi* avec la collaboration de deux amis, dont l'un est aujourd'hui officier et l'autre ingénieur. Mais il eut probablement, par son talent littéraire, la plus grande part de cette collaboration et la trouvaille fut de généraliser les traits du modèle observé au point de créer un type... », *La Rénovation esthétique*, mars 1908, p. 237-243.

22. Laurent Tailhade : *Quelques fantômes de jadis*, p. 221.

enquête. Passons sur les déclarations tonitruantes des frères Morin, réclamant la paternité d'Ubu et la désavouant en même temps (« Car il n'y a pas de quoi être fier quand on a fait une c... de pareille ! »). Chassé a établi avec précision que Charles Morin a travaillé à l'œuvre ubique (en fait il s'agissait encore du P. H., ou Hébert, le nom Ubu étant de l'invention de Jarry) en 1885 et 1886. Le 1er octobre 1887 il entre en taupe à Rennes et renonce à ce qu'il appelle « ces bêtises ». Mais son frère Henri, qui avait été son collaborateur, devait devenir, d'octobre 1888 à juillet 1890, le camarade de classe de Jarry et peut-être plus, en rhétorique puis en philosophie. Avec lui, il reprend la geste hébertique et monte *Ubu Roi* ou *les Polonais* sur une scène de guignol familial, puis en théâtre d'ombres.

Charles Morin a reconstitué, d'après la tradition orale, les origines du P.H. On apprend ainsi qu'il naquit, dans le désert du Turkestan, des œuvres d'un Homme-Zénorme avec une sorcière tartare ou mongole :

> *Caractéristiques du P.H.* Il naquit avec son chapeau forme simili-cronstadt, sa robe de laine et son pantalon à carreaux. Il porte sur le haut de la tête une seule oreille extensible qui, en temps normal, est ramassée sous son chapeau ; il a les deux bras du même côté (comme ont les yeux les soles) et, au lieu d'avoir les pieds, un de chaque bord comme les humains, les a dans le prolongement l'un de l'autre, de sorte que quand il vient à tomber, il ne peut pas se ramasser tout seul et reste à gueuler sur place jusqu'à ce qu'on vienne le ramasser. Il n'a que trois dents, une dent de pierre, une de fer et une de bois. Quand ses dents de la machoire supérieure commencent à percer, il se les renfonce à coups de pieds [23].

Le P.H., chargé par son parrain de paître les polochons (animaux semblables à de gros porcs, n'ayant pas de tête mais deux culs, l'un à l'avant, l'autre à l'arrière), les emmenait dans les steppes de l'Asie centrale, emportant sa nourriture

---

23. Charles Chassé : *Sous le masque d'Alfred Jarry, op. cit.*, p. 28.

« dans une énorme poche qu'il traînait derrière lui au moyen d'une bretelle ». Une année, le P.H. ayant dévoré l'un des polochons, son parrain s'en rendit compte et envoya les Hommes Zénormes à sa poursuite. Après diverses péripéties, le P.H. réussit à fuir, conclut un marché avec le diable et fut aussitôt transformé en poisson de cuivre. Après être resté mille ans dans les glaces de l'Océan, il arriva à l'embouchure de la Seine, remonta le fleuve et fut pêché à Paris où, reprenant sa forme première, il commença la série de ses méfaits. Ceci se passait sous le règne de Charles V. Il fut ensuite reçu au baccalauréat « avec la mention très mal par des professeurs terrorisés ». A la tête d'une bande commandée par le capitaine Rolando (qui deviendra Bordure chez Jarry) il s'empara du château de Mondragon dont il fit son repaire. Ce dernier lieu avait été choisi par les jeunes Morin, originaires de Provence. « Puis ce fut le voyage en Espagne, l'usurpation du royaume d'Aragon, le départ en Pologne comme capitaine de dragons, etc. » Certains épisodes ont été évoqués par Jarry lui-même en ses « Paralipomènes d'Ubu ».

Chassé, soulevant une controverse bien inutile, permit toutefois de mettre en lumière le vrai visage du modèle professoral. Rendant compte de cet ouvrage, Paul Souday évoquant le lycée de Rennes fit le portrait du professeur Hébert :

> Or, il y avait à ce lycée un professeur de physique, nommé Hébert, qui était, comme on dit, coulé à fond. Il se trouve par hasard que j'ai connu ce professeur Hébert. Très jeune moi-même à cette époque, je le rencontrais souvent au Havre, où il passait ses vacances en famille, ayant épousé une Havraise. C'était un gros homme, avec une grosse moustache, une vaste redingote noire, une rosette violette d'officier de l'Instruction publique, et un air de bonhomie un peu paterne ... . Toujours est-il qu'il était abondamment « chahuté ». M. Hébert devint en outre le héros de petites bouffonneries en vers et en prose, rédigées par ses collégiens en révolte, et que c'est lui le prototype du père Ubu [...]. (*Le Temps*, 5 janvier 1922.)

Le feuilletoniste s'étonne toutefois qu'on ait pu faire une

caricature féroce d'un tel modèle. Mais Jarry ne parle-t-il pas de « déformations » ? Le témoignage d'Henri Hertz, lui-même élève au lycée de Rennes quelques années après Jarry, permettra, malgré une emphase suspecte, de mieux saisir l'origine d'un mythe.

> Sur ses gardes, M. Hébert était au seuil. Il avait les jambes si courtes et le ventre si gros qu'il avait l'air assis sur son derrière. On ricanait un peu en le frôlant. Lui essayait de conjurer le démon en glissant vers le troupeau qui, dans quelques instants serait enragé, de ses petits yeux perdus dans un amas de graisse blafarde, des regards évangéliques...

Une fois professeur et élèves installés, le chahut commençait, Hébert se retournait

> puis entamait une harangue ma foi très belle, très soignée de forme, mais pleine de componction et surtout de contretemps. Il avait le talent du contretemps. Ses paroles ne se conformaient nullement à son visage, ni aux circonstances, ni à ceux à qui il en avait. Il menaçait les innocents et ne voyait pas les coupables.

Jarry entre alors en scène :

> Avec froideur, à l'emporte pièce, il posait au père Heb des questions insidieuses, abracadabrantes, qui rompaient ses périodes, qui déchiraient son onction. Il l'encerclait et l'étourdissait de sophismes. Il le surmenait. Le Père Heb se décontenançait, battait des paupières, bégayait, faisait le sourd, perdait pied. En fin de compte, se dérobant, il s'effondrait sur la table, au milieu des cornues et des machines, chaussait ses bésicles et griffonnait d'une grosse main grelottante un rapport au proviseur... (*NRF*, sept. 1924.)

On voit comment, à partir d'un personnage pittoresque comme en possèdent pratiquement tous les établissements scolaires, et l'imagination créatrice aidant, a pu s'élaborer une légende qui n'a plus rien à voir avec la réalité d'origine. C'est ce que la rhétorique classique appelait l'amplification.

Chaque élève apportait du sien en remaniant les manuscrits antérieurs, jusqu'au jour où Jarry reprenant tous les documents constitués par les anciens camarades transforma la légende épique en pièce de théâtre. Car, et c'est un point sur lequel nous voudrions insister, si Jarry a puisé dans une tradition collective (ce qu'il n'a jamais nié, au dire de ses contemporains), c'est bien lui qui, en compagnie d'Henri Morin, fit passer l'œuvre du plan narratif au plan dramatique et, surtout, consacra ses jours à la faire représenter à l'usage d'un public adulte, en 1888 comme en 1896. En d'autres termes, Jarry a su découvrir en Ubu le génie de l'enfance, et le faire reconnaître comme tel non seulement auprès de quelques amis, mais pour toute une foule assemblée dans une salle. Par là même, il bouleversait les conventions littéraires, mais aussi dramatiques, qui sont encore plus figées et contraignantes.

Devant de telles évidences, la thèse de Chassé s'effondre totalement. S'il est vrai que les œuvres postérieures de Jarry n'ont pas la même fraîcheur juvénile, c'est tout simplement, comme le rappelle Albert Thibaudet (*N.R.F.,* 1er juillet 1922) qu'on ne peut reproduire après dix-huit ans l'œuvre marquée au coin du génie enfantin.

Les amateurs de détails historiques feront toutefois remarquer que, dans sa démonstration, Charles Chassé alléguait un manuscrit des *Polonais* écrit par Charles Morin sur un cahier d'écolier de trente pages qui avait servi de catalogue pour une collection de fossiles. Outre la difficulté qu'il y aurait à faire tenir le texte d'*Ubu Roi* (98 pages dans l'édition du Livre de Poche) dans un espace si restreint, on notera que Franc-Nohain, signalé par Chassé comme ayant détenu un moment ce manuscrit, précisa (*L'Echo de Paris,* 26 avril 1928) qu'il s'agissait d'une simple copie d'acteur, sans ratures, « alors que le manuscrit original de Jarry est couvert de surcharges et de corrections ».

D'autre part, le témoignage de Paul Fort, premier éditeur d'*Ubu Roi,* nous semble devoir être retenu :

Nous étions trois amis d'Alfred Jarry, Charles Henry-Hirsch, Louis Ulmann et moi, qui le pressions de nous montrer cette pièce dont il parlait toujours. Il fallut aller chez lui, boulevard Saint-Germain, pour la voir. Nous nous trouvâmes en présence de cahiers d'écolier un peu vieillis déjà, et d'une écriture manifestement identique à celle de Jarry, quoique un peu plus jeune. Tout cela était épars, brouillé, sans suite. Çà et là on remarquait quelques corrections, toujours de l'écriture de Jarry, mais plus récente. Jarry ne voulut rien entendre pour mettre en ordre ces scènes, ces dialogues confus. Nous dûmes nous-mêmes nous mettre à la besogne et classer tout cela. Et voilà comment *Ubu Roi* sortit des limbes [24].

Il était dans le destin même de cette œuvre d'avoir plusieurs auteurs, mais il revenait à Jarry de trouver le nom magique, le nom écrin, Ubu, et d'incarner son personnage jusqu'à la fin.

« L'Affaire Ubu » aura finalement servi à mieux divulguer les origines de la pièce, à mettre l'accent sur les facultés créatrices des enfants, et à faire connaître quelques épisodes complémentaires de la légende du P.H. Enfin, et surtout, elle aura permis de montrer que malgré une tentative homicide sur sa personne, le Père Ubu avait la vie dure.

Les « Almanachs » du Père Ubu

Pour Jarry lui-même, Ubu n'avait pas disparu avec les pièces que nous avons examinés. Le personnage le hantait encore, comme il demeurait célèbre pour ses contemporains. D'où l'idée de le faire reparaître dans deux almanachs, l'un du premier trimestre 1899 (*T. U.*, p. 339-391), l'autre de l'année 1901 (*T. U.*, p. 393-441), illustrés tous deux par Pierre Bonnard. Comme dans tout ouvrage de ce genre, on y trouve d'abord un calendrier, pourvu, surtout pour le second, de noms de saints particulièrement cocasses. Jarry avait pu se procurer la liste officielle des prénoms autorisés par la loi du 11 germinal an XI, et il y puisa largement, non sans ajouter un certain nombre de fêtes émanant directement

---

24. Paul Fort, interview dans *Comœdia* cité par Rachilde, *Alfred Jarry ou le surmâle de lettres*, p. 111.

du vocabulaire ubuesque, telles que : Décervelage, Gidouille, Sagouin, Sainte Bouse, Sainte Bouzine, Saint Bordure, etc., auxquelles il convient d'ajouter les dates marquantes que sont Repopulation, Copulation (le vendredi, sans doute à cause des préceptes rabbiniques) ou bien Sainte Purge (le 29 février) et Sainte Foire (le 31 avril) autre rappel d'un usage profondément ancré dans les mœurs populaires.

Dans les variétés qui accompagnent ces calendriers, Jarry redonne la parole à Ubu, caractérisé par le langage et l'univers que nous lui connaissons déjà. Au moyen de sa science en physique, il invente une Tempomobile afin d'explorer le temps et de prédire l'avenir. De même il redécouvre le parapluie, les pantoufles et les gants. Mais ici son humour se fait plus laborieux ; c'est en quelque sorte l'adaptation et l'exploitation d'un conte d'Alphonse Allais, dans *A se tordre* (1891). Ubu se livre aux exercices traditionnels de la rhétorique classique. En réalité, toutes ces pages échapperaient à notre propos — puisqu'aussi bien nous voulons parler seulement de Jarry dramaturge — s'il n'y avait, parmi les conseils et indications (peu) pratiques dont se nourrissent de tels fascicules, une « pièce secrète en trois ans et plusieurs tableaux » intitulée *L'Ile du diable,* ce qui est une claire allusion à l'Affaire Dreyfus. En reprenant tous les thèmes constitutifs de l'univers ubuesque, Jarry joue sur une analogie de situation entre Dreyfus et Bordure, qui désormais ne font qu'un. Ubu sait fort bien qu'Athalie-Afrique (autrement dit Esterhazy) est coupable de trahison, tandis que Bordure ne fait que clamer son innocence. Mais c'est un dissident. Comme lorsqu'il était roi de Pologne, Ubu va lui rendre visite en sa forteresse de Thorn, et pour adoucir ses derniers moments, lui promet les supplices qu'il destinait à la Mère Ubu, pour finir par « la grande décollation par sur le billot, renouvelée de saint Jean Baptiste », le palotin Clam étant l'exécuteur des hautes œuvres. Mais voici que la conscience surgissant de la valise, comme dans *Ubu Cocu,* reproche à Ubu son comportement indigne puisque Dreyfus-Bordure est son fils adultérin ou le fils de Madame France (Louise France incarnait la Mère Ubu à l'Œuvre), son épouse. Malgré les « picquartements » de sa conscience (du nom du chef du

2e Bureau, le colonel Picquart, convaincu de l'innocence du malheureux capitaine), Ubu passe outre, et laisse au Général Lascy le soin de faire justice. Le sketch s'achève sur un long discours d'Ubu expliquant à son bon peuple les mesures qu'il a prises en faveur de Freycinet, tandis que le général invite les chefs des chœurs (où l'on reconnaît les noms des nationalistes les plus acharnés) à frapper les têtes de MM. Clemenceau, Gohier, Quillard, Anatole France, etc. On voit combien, par un ensemble d'assimilations habiles, Jarry pouvait infuser un ton nouveau, particulièrement mordant et ironique, aux traditionnelles revues de fin d'année, Ubu symbolisant toute la sottise aveugle d'une prétendue Raison d'Etat. Malheureusement, les autres épisodes de ces deux almanachs n'ont pas la même valeur dramatique. Ubu, secondé par un faire valoir qui est tour à tour le Fourneau ou la Conscience, passe en revue les principaux événements artistiques de l'année écoulée. Contrairement à sa nature profonde, il se montre alors bavard et (relativement) spirituel. Ses remarques tiennent de l'esprit des spéculations, et c'est Jarry qui parle nettement par sa bouche, plaisantant le Sénat, asile de vieillards d'où partit cependant la fameuse bombe Scheurer-Kestner (demandant la révision du procès Dreyfus), ironisant sur les prétentions à légiférer du peintre-pompier Bouguereau, saluant en revanche les artistes qu'il aimait : Gustave Moreau (mort en 1898), Gauguin, Vallotton, Vuillard et Rodin (dont la statue de Balzac fit grand bruit); dénombrant homériquement tout ce qui avait un nom à Paris en ce temps, selon un procédé qui tient de la poésie. Saint-Pol Roux est « celui qui magnifique », Fénéon « celui qui silence », Schwob « celui qui sait », etc. On remarquera qu'en 1899, Ubu-Jarry n'use guère d'une formule sympathique pour Lugné-Poe, « celui qui court à pied », lequel avait été, malgré tout, son seul metteur en scène, alors qu'Antoine est « celui qui théâtre » au même titre que Renoir « celui qui peint ». On objectera que ces formules font allusion à un événement récent (le duel héroï-comique de Lugné-Poe avec Catulle Mendès) ou à un état de nature (le Théâtre Antoine), et n'impliquent nullement un jugement de valeur. Mais tout de même, Jarry connaît trop le sens des mots pour ne pas jouer à dessein sur l'ambiguïté. Ceci est d'autant plus net qu'il publie ensuite un article à l'occasion de la mort de Mallarmé (le 9 septembre 1898) où perce toute l'émotion de l'admirateur douloureusement frappé. Dans l'*Almanach de 1901*, Jarry tente à nouveau d'associer Ubu à la politique du moment. Alors qu'il aurait pu se montrer aussi acerbe et ironiquement violent que dans l'*Ile du diable, Ubu Colonial* est plutôt diffus, incertain. La politique coloniale française en Afrique y est dénoncée (esclavage des « travailleurs libres ») parmi tout un fatras de considérations très ubuesques sur l'obscurité du noir. Ubu devient décidément très bavard, mais ses aventures érotiques ne manquent pas d'agrément, comme dans la chanson finale, Tatane, « chanson pour faire rougir les nègres et glorifier le Père Ubu ».

Outre l'institution d'un ordre de la gidouille, des conseils aux capitalistes et perd-de-famille (qui annoncent les publications du Mercure de France), on notera pour finir un « Alphabet » du Père Ubu qui pourrait bien être le seul commentaire sérieux et définitif du sonnet « Voyelles » d'Arthur Rimbaud, l'A étant la panse du Père Ubu, l'E sa mâchoire, l'I son bilboquet (ou tout autre instrument de sa jubilation), l'O son nombril, l'U ses larmes.

C'est de l'esprit des *Almanachs*, et plus précisément des sketches qui y figurent, qu'Ambroise Vollard s'inspirera dans les multiples suites d'Ubu qu'il livrera à partir de 1916. *Le Père Ubu à l'Hôpital, le Père Ubu à la Guerre...*, se fondant sur une réalité suffisamment tragique et absurde, sont de laborieuses amplifications sur la sottise et la férocité universelles où, curieusement, le Père Ubu fait figure d'enfant de chœur. C'est dire combien il s'éloignait de ses origines naturelles.

6

Apports de la marionnette :
le théâtre mirlitonesque

Si le père Ubu a occupé une place importante dans l'existence de Jarry, plus grande qu'il ne l'avait lui-même souhaité, on ne doit pas pour autant considérer que ses efforts de révolution théâtrale se soient limités à la mise en scène d'*Ubu Roi*. Parallèlement au cycle ubuesque, il a développé une série d'ouvrages groupés sous le titre de « théâtre mirlitonesque » qui illustrent sa réflexion sur l'art dramatique.

L'étude génétique nous a montré combien, à l'origine, la veine ubuesque était confondue avec une inspiration proche du guignol, s'exprimant en un langage versifié de manière très simple qu'on peut déjà qualifier de « mirlitonesque ».

En fait, l'activité dramaturgique de Jarry révèle chez lui une préoccupation constante : il s'agissait, pour lui, d'introduire dans le théâtre destiné aux adultes les formes et les mythes qui avaient ému sa sensibilité d'enfant. Le théâtre ne peut se justifier comme valeur artistique qu'en retrouvant le génie créateur de l'enfance ; ainsi s'explique la place primordiale que Jarry va faire à la marionnette et au mirliton dans sa production littéraire de 1897 à sa mort.

Mystique de la marionnette

Rethéâtraliser le théâtre par la marionnette : la position de Jarry s'insère dans un mouvement d'ensemble qui fut lui-même à la source de la réaction symboliste.

De 1888 à 1892, le « Petit Théâtre des Marionnettes » d'Henri Signoret et Maurice Bouchor, s'adressant aux adultes et particulièrement aux plus artistes d'entre eux, développait, dans son cadre restreint, une esthétique favorable au mouvement symboliste. L'animateur de cette entreprise avait résolu le traditionnel conflit entre les tenants de la poupée à fils et ceux de la poupée à gaine en optant pour un dispositif nouveau extrêmement mécanisé : « chacune des poupées mesurait de 75 à 80 cm et reposait sur un socle à l'intérieur duquel des leviers commandaient les gestes du personnage. Manœuvre assez lente et primitive qui donnait aux attitudes une raideur hiératique et qui faisait préférer les pièces antiques ou exotiques dans lesquelles la robe supprimait la difficulté du jeu de jambes » (H. Signoret)[1].

On peut s'étonner, à lire ces lignes, que la marionnette dicte son propre répertoire tout comme un comédien ou un metteur en scène. Ceci tendrait à montrer, comme nous le verrons par la suite, que la poupée n'est pas absolument neutre. Du fait de ces exigences techniques, les animateurs du « Petit Théâtre » se tournèrent surtout vers les chefs-d'œuvre du passé qu'ils adaptèrent aux conditions de leur spectacle. C'est ainsi qu'après avoir représenté *le Gardien vigilant* de Cervantès, ils montèrent *les Oiseaux* d'Aristophane, *la Tempête* de Shakespeare, et des légendes bibliques *(Tobie)*, chrétiennes *(la Légende de Sainte Cécile, la Dévotion à Saint André...)*, indiennes *(le Songe de Khéyam)*, mêlant le sourire et l'émotion propres à ravir leur public de grands enfants. Sur leur scène du passage Vivienne, avec les voix de Jean Richepin, Raoul Ponchon, Maurice Bouchor, Coquelin Cadet, et des décors de Maillol ou de Rochegrosse, ils contribuaient à la destruction du mythe de l'acteur. Grâce au mannequin anonyme, on pouvait débarrasser la scène de la personne physique du comédien, écran-obstacle entre le public et la création pure de l'auteur. C'est du moins la raison essentielle qu'Anatole France allègue pour justifier sa propre satisfaction :

---

1. On trouvera des renseignements précis concernant la confection de ces poupées dans : Ernest Maindron, *Marionnettes et guignols*. Paris, Félix Juven, 1900, particulièrement p. 361.

En attendant, j'ai vu deux fois les marionnettes de la rue Vivienne et j'y ai pris un grand plaisir. Je leur sais un gré infini de remplacer les acteurs vivants. S'il faut dire toute ma pensée, les acteurs me gâtent la comédie. J'entends les bons acteurs. Je m'accommoderais encore des autres ! mais ce sont les artistes excellents, comme il s'en trouve à la Comédie-Française, que décidément je ne puis souffrir. Leur talent est trop grand : il couvre tout. Il n'y a qu'eux. Leur personne efface l'œuvre qu'ils représentent...[2].

Dès lors, on ne s'étonnera pas que la représentation de *la Tempête* par des marionnettes ait pu être acclamée comme une victoire du symbolisme ! Jarry lui-même n'aura pas de sentiments plus favorables à l'égard des comédiens. En revanche, si les marionnettes cristallisent tous les enthousiasmes, c'est qu'elles ne se contentent pas d'établir dans l'espace une gestuelle rigoureuse et presque abstraite; elles s'affranchissent de l'univers quotidien et de la pesanteur : « ... la lenteur hiératique de leurs mouvements, l'invu de leurs gestes régulièrement saccadés, l'absolu, le rigide de leurs attitudes, tout cela est très caractéristique parce que tout cela crée un monde à part, reculé de nous, loin de la rampe, où le réel des idées et des types se présente à notre esprit nu, grâce à l'irréalité évidente de la représentation », déclare Adrien Remacle (*Mercure de France*, avril 1892).

Parallèlement, le théâtre d'ombres installé au cabaret du Chat Noir en 1881 par Rodolphe Salis et Henri Rivière habituait le public à une schématisation de l'expression corporelle, se développant sur deux dimensions seulement et en noir et blanc, comme allait faire bientôt le cinéma.

Marionnettes et théâtre d'ombres figureront parmi les spectacles de l'Œuvre, et Lugné-Poe s'inspirera de leurs principes pour ses mises en scène. Mais, par-delà l'histoire de l'art dramatique, il ne faut pas oublier qu'à l'époque tout le public avait baigné dans cette atmosphère magique que

2. Anatole France : « Les Marionnettes de M. Signoret », in : *la Vie littéraire*, Paris, Calmann-Lévy, 1899, tome II, p. 148.

procurent la lanterne ou le retable des merveilles. Il était d'usage, dans les familles bourgeoises, d'offrir un guignol aux enfants. Proust nous rappelle le pouvoir fascinant et surnaturel que revêtaient pour lui, en son enfance, Golo et Geneviève de Brabant projetés par la lanterne sur les rideaux et les murs de sa chambre.

Contrairement aux habitudes acquises, Jarry ne reçut pas de marionnettes de ses parents; il en confectionna lui-même avec l'aide de sa sœur : « Bientôt un crayon dans la main; on faisait le théâtre dans les feuilles du *Magasin pittoresque* avec des quilles habillées et la neige tombait... du papier par petits morceaux » (Charlotte Jarry, *O.C.*, I, p. 32-33). Après avoir interprété *les Polonais* avec des camarades dans le grenier des Morin en 1888, il reprit ce drame en marionnettes pendant les vacances du nouvel an de 1890. « A Rennes, le théâtre à Phynances commença dans un vieux paravent [...] la jeune Alice, blond d'or, fille aînée de Monsieur Hébert, professeur de physique, était merveilleuse, en soie bleue, l'ours en peluche et la sorcière aussi. » Ce témoignage de Charlotte Jarry (*O.C.*, I, p. 29) montre clairement que les trésors inventés par son frère ne nous sont pas tous parvenus. Toutefois Henri Morin précise, au cours d'une lettre adressée à Charles Chassé, que l'usage de ces marionnettes fabriquées de leurs mains leur parut trop compliqué et qu'ils lui substituèrent un théâtre d'ombres, dont Jarry lui-même atteste l'existence dans « les Paralipomènes d'Ubu » en disant qu'une première version d'*Ubu Cocu* y fut donnée. Bien entendu, la marionnette et le théâtre d'ombres ne sont pas, à nos yeux, deux formes équivalentes; mais on peut concevoir qu'elles tendent toutes deux vers une représentation symbolique et désincarnée, à mi-chemin entre la vision réaliste qu'impose le comédien et la création idéale du personnage par le dramaturge, plus proche, en somme, de l'idéal que du réel.

Il nous faut maintenant signaler une ambiguïté planant sur *Ubu Roi*, dont Jarry lui-même n'a pas donné la solution, au contraire. Apparemment, comme l'indique la page de titre de l'édition originale (« *Ubu Roi* — Drame en cinq Actes en prose. Restitué en son intégrité tel qu'il a été représenté

par les marionnettes du théâtre des Phynances en 1888 »),
cette œuvre a été écrite pour des marionnettes. Or, dans
son discours prononcé à la première d'*Ubu Roi*, Jarry, semblant répondre indirectement aux suggestions intempestives
de Rachilde écrivant à Lugné-Poe le 15 novembre 1896 :

> Poussez au *guignol* le plus possible, et, au besoin, j'ai
> cette idée depuis que je connais la pièce, faites relier
> vos acteurs (si possible) aux frises de votre théâtre par
> des ficelles ou des cordes, puisqu'ils sont de plus gros
> pantins que les autres[3].

Jarry indique une difficulté essentielle que présente la
transposition de marionnettes en acteurs :

> Car, si marionnettes que nous voulions être, nous n'avons
> pas suspendu chaque personnage à un fil, ce qui eût
> été sinon absurde, du moins pour nous bien compliqué,
> et par suite nous n'étions pas sûr de l'ensemble de nos
> foules, alors qu'à Guignol un faisceau de guindes et de
> fils commande toute une armée. (*T.U.*, p. 20).

Cette objection nous paraît d'autant plus curieuse que dans
Ubu Roi les foules sont interprétées par un seul personnage,
comme Jarry le propose à Lugné-Poe : « Suppression des
foules, lesquelles sont souvent mauvaises à la scène et
gênent l'intelligence. Ainsi, un seul soldat dans la scène de
la revue, un seul dans la bousculade où Ubu dit : « Quel tas
de gens, quelle fuite, etc. » (*T.U.*, p. 133). Il y a une contradiction apparente entre les vœux de Jarry, souhaitant une
mise en scène identique à celle du théâtre de marionnettes,
et certaines de ses indications. C'est qu'en fait il a découvert
entre temps ce qui fait le caractère génial de son entreprise :
Ubu Roi ne doit pas être joué par des marionnettes, mais par
des acteurs vivants qui s'identifieront à des marionnettes
sur une grande scène, pour introduire une véritable révolution au théâtre. D'où quelques notes discordantes. Au
lendemain de la représentation de l'Œuvre, Jarry précise :

---

3. Cité par Lugné-Poe : *Acrobaties*, p. 175.

Ubu Roi est une pièce qui n'a jamais été écrite pour marionnettes, mais pour des acteurs jouant en marionnettes, ce qui n'est pas la même chose. (*Mercure de France*, janvier 1897, p. 218).

Cette phrase, qui figure dans le texte de l'allocution initiale de Jarry auquel A. Ferdinand Hérold cède scrupuleusement la parole dans la partie de sa chronique théâtrale consacrée à *Ubu Roi*, n'apparaît plus dans les éditions postérieures de ce texte et particulièrement dans le fac-similé autographe de *Vers et prose* (avril-mai-juin 1910, p. 68-69). Il semble bien que Jarry l'ait ajoutée sur les épreuves du *Mercure* pour marquer l'originalité de son entreprise. Mais, ce faisant, il contredit sa propre affirmation liminaire selon laquelle ce drame a été représenté par les marionnettes du Théâtre des Phynances en 1888. Peut-être y a-t-il une solution historique à cette ambiguïté : à en croire Henri Morin, la pièce n'a été représentée avec des marionnettes qu'en 1890; auparavant, conformément à ses origines, elle avait été conçue pour des interprètes humains. En fait, Jarry n'a pas clairement tranché, parce que son œuvre est bifide, comme la fourchette à escargots. D'un côté, elle est une pièce de marionnettes, adaptée à la simplicité des castelets (c'est ainsi que la montera Jarry au Théâtre des Pantins en janvier 1898); de l'autre, on peut, selon les circonstances, la monter avec des acteurs jouant en marionnettes. C'est pourquoi il la qualifiait de « comédie guignolesque » dans la brochure-programme de la représentation originale.

De nos jours, avec l'évolution de la technique des marionnettistes et de leur ambition esthétique, la question ne se pose plus : les marionnettes d'Yves Joly, par exemple, découpées dans une toile de jute, animées chacune par un ou deux manipulateurs, atteignent la taille d'un individu normal en occupant tout l'espace scénique d'un théâtre ordinaire. La révolution amorcée par Signoret et Bouchor d'une part, Lugné-Poe et Jarry d'autre part, a atteint son point de fuite, puisque la scène traditionnelle peut confondre l'acteur et la marionnette tout en supprimant les risques de trahison, de cabotinage et d'illusion réaliste.

C'est ce que prouve la réalisation en Suède d'*Ubu Roi* par Michael Meschke :

Le plus grand succès artistique du théâtre fut, sans aucun doute, la mise en scène originale d'*Ubu Roi* d'Alfred Jarry que Meschke réalisa en 1964. Spectacle véritablement international : mise en scène de Meschke, décors et figures de l'artiste londonienne Franciszka Themerson, musique originale du Polonais Krzytzof Penderecki et traduction de Sture Pyk, un Suédois vivant au Danemark.

Le grand acteur Allan Edwall jouait le rôle principal. Seul acteur parmi les marionnettes de toutes dimensions, Edwall était entièrement peint en blanc; il avait l'allure d'un clown immense et il était accoutré conformément aux interprétations que Jarry lui-même donnait d'Ubu. La Mère Ubu : une caricature de la déesse de la maternité, en papier-mâché, avec d'énormes seins; le Capitaine Bordure : à la fois un rat et une machine; ces deux personnages étaient joués par des manipulateurs qui se tenaient sur la scène dans ces costumes. Tous les autres personnages étaient des silhouettes de papier-mâché à deux dimensions; de grandeurs différenres, elles étaient actionnées par des opérateurs habillés de blanc, à moitié visibles sur la scène ouverte. Le décor et les figures étaient entièrement en blanc avec des marques noires. Avec une imagination stupéfiante, Meschke se servit des possibilités qu'offre le théâtre de marionnettes de créer, par le libre jeu des dimensions et des proportions, la profondeur et la distance sur une petite scène. A tel moment, par exemple, la Mère Ubu apparaissait à l'avant de la scène, comme une marionnette de quelques centimètres seulement; l'instant d'après, elle surgissait au fond dans des proportions gigantesques. L'armée russe poursuit Ubu Roi à travers la scène, sous la forme d'un essaim de marionnettes plates en papier-mâché grouillant autour des talons d'Ubu [...]. Les critiques furent pleins d'éloges pour la présentation de Meschke : ils parlèrent d'une « œuvre faisant époque » *(sic)* et d'une « réalisation magistrale ». Le spectacle obtint le premier prix au Festival International de Bucarest en 1965 [4].

---

4. Jan Hakansson : « le Marionetteatern », *Théâtre dans le monde*, 1967, n° 4.

Sans pouvoir souscrire totalement à l'enthousiasme du chroniqueur dans la mesure où l'idée de représenter la Mère Ubu comme une déesse de la fécondité nous paraît être un contresens, il nous semble que ce spectacle allait exactement dans le sens des intentions de Jarry. Est-ce à dire que l'usage des marionnettes humaines soit la solution définitive apportée à tous les problèmes d'interprétation scénique ? Il ne nous semble pas : si la marionnette est bien un « faire semblant » anonyme, elle n'est pas absolument neutre, au dire des praticiens eux-mêmes. Recevant toutes les projections du groupe que forment les spectateurs, elle n'en a pas moins sa propre personnalité à l'égard de l'opérateur, due à sa structure et au type qu'elle est chargée de représenter : « Ce sont de terribles mandragores : dès que vous avez saisi leurs fils, apprenez que ce sont elles qui vous tiennent » écrit Marcel Temporal [5]. On sait que Gaston Baty prétendait subir un pouvoir maléfique de certaines d'entre elles. Peut-on, en effet, imaginer qu'elles ont perdu toute la puissance magique héritée de leurs origines religieuses ?

Toutefois cet aspect n'était pas le plus important aux yeux de Jarry qui comptait réaliser ses imaginations dramatiques à moindre frais, en évitant de se heurter à l'écueil que constitue, pour tout auteur, la mise en scène traditionnelle. C'est là une des raisons essentielles qui conduisit le compositeur Claude Terrasse et ses amis Franc-Nohain et Alfred Jarry à ouvrir le Théâtre des Pantins de décembre 1897 à février 1898, dans l'atelier du compositeur, 6 rue Ballu :

> On n'y donna pas de très nombreux spectacles, mais on s'y amusa fort. Aux Pantins, les décors étaient peints et les poupées étaient modelées par Bonnard, par Vuillard, par Ranson, par Roussel que n'estimaient alors que de rares amateurs ; Jarry tenait les fils; Terrasse était au piano; des camarades de bonne volonté chantaient et lisaient les rôles. Là, on joua *Ubu Roi* sans y faire de coupures; on joua un mystère traduit de Hrotsvitha, *Paphnutius;* on joua des noëls bourguignons; on joua une revue de M. Franc-Nohain, « Vive la France », pour

---

5. Marcel Temporal : *Comment construire et animer nos marionnettes,* Paris, Bourrelier, 1942, 150 p.

laquelle Terrasse avait écrit des chansons, des chœurs, voire des airs de ballet.[6]

En narrant dans le détail les aventures fort divertissantes de ce théâtre, Franc-Nohain s'efforce de distinguer les principes qui avaient conduit les deux principaux animateurs, Jarry et lui, à la « mystique des marionnettes » :

> Notre technique de montreurs de marionnettes tendait résolument et systématiquement à la simplicité ou, si vous préférez une expression plus technique elle-même, à la stylisation. C'était plus facile, je n'en disconviens pas; mais, commodité à part, cette stylisation correspondait le mieux à cette recherche des mouvements essentiels de nos personnages que, seuls, nous entendions nous appliquer à dégager, de même que, dans les textes, nous estimions que seul méritait d'être exprimé un minimum de sentiments par un minimum de mots, essentiels eux aussi : on n'a jamais plus oublié, qui persiste entre tous dans la mémoire des hommes, le mot *essentiel* d'Ubu. [7]

On voit clairement quelle théorie esthétique sous-tend leur action. Il s'agit pour eux, à l'opposé de certains marionnettistes qui ne rêvent que d'imiter l'homme, de styliser et de simplifier le mouvement, de rendre compte par un seul trait, essentiel, du *type* que l'on veut créer. On rejoint ici les préoccupations de Jarry en matière de dramaturgie : la marionnette répond parfaitement à son souci d'épurer le théâtre et en particulier d'éliminer l'obstacle que représente le comédien s'interposant entre les deux forces créatrices que sont le poète et le public actif. C'est ce qu'il exprime au cours d'une « Conférence sur les Pantins » en mars 1902 :

> Nous ne savons pourquoi, nous nous sommes toujours ennuyés à ce qu'on appelle le Théâtre. Serait-ce que nous avions conscience que l'acteur, si génial soit-il, trahit, et d'autant plus qu'il est génial ou personnel, davantage la pensée du poète ? Les marionnettes seules dont on est maître, souverain et créateur, car il nous

6. A. Ferdinand Hérold : « Claude Terrasse », *Mercure de France* 1er août 1923, p. 695-696.

7. Franc-Nohain : « La mystique des marionnettes », *Nouvelles littéraires*, 18 fév. 1933.

paraît indispensable de les avoir fabriquées soi-mêmes, traduisent, passivement et rudimentairement, ce qui est le schéma de l'exactitude, nos pensées (*T.U.*, p. 495).

Ainsi « la mystique des marionnettes » permet-elle de souligner toute l'inutilité du théâtre, c'est-à-dire du trompe-l'œil et du cabotinage au théâtre, elle apporte une solution pratique aux conceptions du dramaturge cherchant l'essentiel au-delà de l'accidentel, l'éternel sous l'artificiel. Elle établit une relation directe entre deux pensées en éliminant les risques de diversion. Pantin, fantoche, poupée, guignol, la marionnette reçoit (presque) docilement toutes nos projections. Elle est notre réalité tendue vers l'infini. Voilà ce qu'enseignent les œuvres de Jarry que nous allons étudier.

« Ubu sur la Butte »

Ubu sur la Butte, représentée aux Quatre Z'arts à Montmartre, par les marionnettes du théâtre guignol des Gueules de Bois à partir du 10 novembre 1901, imprimée en 1906 dans la collection du théâtre mirlitonesque, est plus qu'un raccourci d'*Ubu Roi* pour guignol, malgré l'affirmation de son auteur (*T. U.*, p. 497). C'est tout d'abord, et sans équivoque possible cette fois, une œuvre pour marionnettes comme le montre amplement le prologue où figurent guignol et le Directeur. Selon la dramaturgie propre au petit théâtre, coups de bâtons, gestes brusques et douloureux servent à exprimer tous les sentiments matérialistes de la poupée. Guignol identifie le Directeur grâce à son bâton, le meilleur des sérums de vérité, avec quoi il lui rafraîchit la mémoire et obtient le salaire très élevé qui lui avait été promis. La marionnette à la tête de bois, directement venue de Lyon, joue sur les mots à sa façon stupide (« Présentassez-moi aux personnes présentes »), mais elle n'est pas totalement de bois puisqu'elle aime le vin et se livre à une danse burlesque avec des petites femmes. Ce lever de rideau nous situe bien dans la tradition caricaturale qui l'une des marques du genre (l'autre, plutôt réservée aux enfants, ouvrant sur le monde merveilleux), et, dès lors, l'Ubu qui va suivre prend un aspect plaisant et gaillard que Jarry lui refusait dans l'œuvre originale, où il élevait la terreur au niveau du mythe. Notons qu'à la différence de *César Antéchrist,* où Ubu s'insérant dans le drame paraissait le double du fils maudit, ici Ubu n'a pas de rapport direct avec Guignol. *Ubu sur la Butte* obéit au principe de synthèse que Jarry inscrivait au premier rang de ses préoccupations dramatiques. Il suit le mouvement scénique d'*Ubu Roi* mais le concentre en ne gardant que l'essentiel du drame et les répliques les plus célèbres. On trouvera ci-dessous un tableau (Tableau VI) comparant l'utilisation d'*Ubu Roi* dans *César Antéchrist* et *Ubu sur la Butte.* Le retour de certaines scènes (l'assassinat du roi, la trappe, le départ en guerre d'Ubu, les combats) montre bien leur caractère essentiel dans la trame du drame.

Jarry ne se contente pas d'éliminer ou de contracter ce qui, à la rigueur, peut paraître secondaire, il nous donne une œuvre pour guignol, comprenant des chants ou des parties versifiées qui, sur un rythme bref et sautillant, accélèrent l'action. Le rêve d'Ubu cède la place à une scène classique de guignol « scène du lit, avec apparition de souris, araignées, etc. » (p. 488) et s'achève sur des coups de bâtons frappant la Mère Ubu confondue par méprise avec l'ours. Conformément à la tradition de ce genre de théâtre, l'auteur fait place à l'actualité en inventant une sauce financière dans la composition de laquelle entrent, *ad libitum,* les principaux personnages et événements contemporains. Il insiste aussi sur les amours de la Mère Ubu et de son palotin, ménage une place importante au général Lascy et à l'intendance militaire. Mais il modifie le sens du combat avec l'ours qui, ici, dévore le général Lascy, et surtout il transforme l'épisode final en ajoutant deux gendarmes qui aident Bougrelas à reconquérir son trône. Il y a là, bien entendu, une concession au genre : on ne conçoit pas guignol sans le gendarme. Mais alors Ubu, loin de repartir pour de nouveaux méfaits, est conduit en prison, où il sera décervelé à son tour.

Est-ce ainsi que Jarry a pu « liquider entièrement ce bonhomme » comme il le souhaitait depuis 1896 ? *Ubu sur la Butte* est la dernière incarnation scénique du type, mais il n'est pas certain que Jarry, devenant de plus en plus le Père Ubu lui-même, en fut débarrassé pour autant.

Ubu Roi		César Antéchrist (Acte Terrestre)	Ubu sur la Butte
			(ajout : prologue)
I. 1	Incitation au régicide.		
I. 2	Attente des invités.		
I. 3	Dîner chez Ubu		
I. 4	Complot.		
I. 5	Messager du roi.		
I. 6	Palais royal, Ubu récompensé.	+ (sc. 1)	+ (I, 1) [synthèse]
I. 7	Plan de la conspiration.	+ (sc. 2)	
II. 1	Craintes de la reine.	+ (sc. 3)	
II. 2	Revue, assassinat du Roi.	+ (sc. 4)	+ (I, 1) [synthèse]
II. 3	Poursuite des enfants royaux.		
II. 4	Fuite de la reine et de Bougrelas.		+ (I, 2)
II. 5	Mort de la Reine.		+ (I, 2)
II. 6	Ubu doit distribuer de l'or.	+ (sc. 5)	
II. 7	Dons de joyeux avènement.		
III. 1	Avertissements de la Mère Ubu.	+ (sc. 6)	+ (I, 3) [extrait]
III. 2	La trappe.	+ (sc. 7) [ajout]	+ (I, 4) [ajout]
III. 3	Paysans assemblés.	+ (sc. 8)	
III. 4	Ubu ramasse la phynance.	+ (sc. 8)	
III. 5	Ubu nargue Bordure.	+ (sc. 9)	
III. 6	Brodure trahit.	+ (sc. 10)	
III. 7	Salle du Conseil, la guerre.	+ (sc. 11)	
III. 8	Ubu part en guerre.	+ (sc. 12)	+ (II, 1) [ajout]
IV. 1	Mère Ubu cherche le trésor.		+ (II, 2) [transposition]
IV. 2	Bougrelas rameute le peuple.		
IV. 3	L'armée polonaise en marche.	+ (sc. 13)	+ (II, 3)
IV. 4	Bataille contre les Russes.	+ (sc. 14)	+ (II, 3) [ajout]
IV. 5	Ubu dans la caverne.	+ (sc. 15)	+ (II, 4)
IV. 6	Combat avec l'ours.	+ (sc. 16)	+ (II, 5) [modifié]
IV. 7	Rêve d'Ubu.	+ (sc. 16)	+ (II, 5) [transposition]
V. 1	La Mère Ubu en apparition.		+ (II, 5) [extrait final]
V. 2	Bougrelas poursuit Ubu.		+ (II, 5) modifiée
V. 3	Fuite des Ubu.		[ajouts : chansons]
V. 4	Navire sur la Baltique.		

En revanche, il est sûr que l'auteur ne s'est pas laissé débordé par son personnage; il a nettement dominé sa matière et fait de sa pièce une comédie pour marionnettes, non seulement par l'intervention de Guignol dans le prologue et de la gendarmerie à la fin, mais aussi dans la structure d'ensemble [8]. Partant d'une œuvre dont nous avons déjà montré le caractère simplifié et rudimentaire proche de l'univers guignolesque, Jarry accentue ces traits en recourant à une gestuelle très symbolique, comme la bastonnade pour signifier la colère, le recul brusque avec choc du crâne contre les portants pour marquer l'étonnement. Ici Ubu n'écrase plus les pieds du Roi pour donner le signal de l'assassinat, il le frappe d'un coup de tête dans le ventre et l'achève avec sa batte, précipitant ensuite les cadavres du Roi et de la Reine à la trappe où vont les rejoindre les nobles, les magistrats, les financiers, en une chute mécanique, rythmée par des coups de bâton. L'œuvre étant une synthèse, les éléments gestuels d'*Ubu Roi* conservés ici prennent un plus grand relief, comme par exemple les manœuvres militaires, l'armement d'Ubu et ses déboires équestres. Les boulets rebondissent sur sa gidouille comme une pelote basque sur le fronton. Les accessoires constitutifs du Père Ubu demeurent, comme le balai et la nourriture infecte qui entraîne les convulsions de l'armée. Enfin la scène où l'ours dévore un personnage nous paraît caractéristique de ce genre de théâtre où les effets les plus gros sont les plus appréciés. Ainsi, pour marquer le caractère intemporel de l'œuvre, le coucou chante trois fois, ce qui fait dire au général Lascy qu'il est onze heures du matin !

Le langage reste celui d'*Ubu Roi,* mais la contraction du texte en souligne les traits essentiels. Si le « mot » n'est pas prononcé dès le lever de rideau, il intervient à la fin de la première scène comme insulte et signal du massacre. L'équation merdre-physique-phynance s'établit moins clairement. En somme, le réseau de connotations dégagé dans *Ubu Roi* est moins rigoureux, et si le bâton peut être pris pour un symbole sexuel, comme tout objet de la création, ici il est d'abord un bâton et sert uniquement à l'usage qui lui est assi-

8. On regrettera que dans un ouvrage consacré aux *Structures textuelles de la marionnette de langue française,* où une large place est faite à l'univers d'Ubu, R. D. Bensky n'ait pas dit un mot de la version délibérément guignolesque qu'est *Ubu sur la Butte.*

gné au théâtre; mais, évidemment, le spectateur peut y voir un caractère phallique, très naturel à qui songe aux origines de guignol ou de Karagheuz. Jarry s'est donc contenté de reprendre le langage qui assura la cohérence et l'originalité de l'œuvre première, et particulièrement les jurons, les expressions significatives de la méchanceté d'Ubu. Il a donné une place de choix aux insultes paronomastiques (sacripant, mécreant... pochard, soûlard, ... capon, cochon), créant une série nouvelle (« choknosof, catastrophe, merdazof! », p. 485), glissant de faux lapsus (troupiers-troupions, p. 483) des calembours pénibles (un pot-polonais, p. 477), des plaisanteries ineptes (« quand on craint les courants d'air, il ne faut pas se réfugier dans un moulin à vent », p. 488). Notons que si la part de la physique est restreinte, c'est désormais la science pataphysique qui est à l'origine des inventions futures d'Ubu (p. 479).

La réduction en deux actes amène nécessairement le dramaturge à supprimer des scènes, voire un acte entier, mais aussi des personnages. La trinité palotine se réduit à l'unité, le capitaine Bordure, annoncé dans la distribution, reste dans la coulisse. Le rôle de la Mère Ubu est singulièrement restreint : elle n'est plus à l'origine du complot ; dès lors son caractère devient très secondaire. Si elle essaie de tempérer la férocité du Père Ubu dans la scène de la trappe, on ne voit plus chez elle l'appât du gain qui la faisait agir auparavant. Tout au plus pourrait-on dire que Jarry insiste sur ses rapports libidineux avec le palotin Giron. C'est en fait le Père Ubu qui bénéficie de la transformation scénique. Toute l'attention se concentre sur lui, donnant ainsi une plus grande unité à l'œuvre de théâtre que Jarry voulait consacrer à un seul personnage-type. Son caractère reste constant : il est toujours animé de la même férocité bestiale et d'une lâcheté non moins congénitale. Sa confusion mentale ne s'est pas modifiée, mais, par l'effacement de la Mère Ubu, il semble capable d'ambition et d'action, puisqu'il tue lui-même le Roi. Enfin, vaincu par Bougrelas et livré à la gendarmerie nationale, il semble réduit à l'impuissance définitivement.

On observera qu'une fois de plus Jarry bouleverse les conventions et trompe nos habitudes. Dans la tradition du guignol lyonnais, profondément implanté dans le milieu des canuts, la satire sociale et politique était si importante qu'elle amena la police du Second Empire à interdire les improvisations sur canevas. Guignol, porte-parole d'une population très marquée par l'évolution économique, triomphait toujours de la maréchaussée, pour le plus grand plaisir des spectateurs. Ici, c'est l'inverse qui se produit, prouvant, s'il était encore nécessaire, que le drame ubuesque n'est pas politique. Ubu n'est en effet porteur des aspirations d'aucune classe sociale puisqu'il est le double ignoble de l'humanité tout entière. S'il termine sa carrière sous deux gendarmes, ce n'est pas que Jarry veuille montrer la victoire de l'ordre sur le désordre, mais pour se débarrasser d'un individu ignoble qui l'obsédait. De fait, il cessera de s'intéresser à lui après *Ubu sur la Butte*.

Le théâtre mirlitonesque

Très tôt, Jarry s'est préoccupé de ce qu'il appelait le théâtre mirlitonesque, c'est-à-dire un spectacle léger, extrêmement conventionnel, fait de mauvais vers, par définition. Il y retrouvait la texture des œuvres de son adolescence et l'idée directrice de sa dramaturgie consistant à découvrir les principes éternels sous une forme artificielle. Pour lui, la farce n'a rien de comique. Elle est un ensemble de procédés mécaniques aptes à retenir l'intérêt du spectateur et, allant plus loin, à le faire pénétrer dans un univers arbitraire qui ne prend consistance que dans la mesure où il est alimenté de nos sentiments les plus obscurs, de nos obsessions les plus profondes. Comme il vide la farce de son contenu apparent pour mettre au jour le tréfonds de l'individu, Jarry transforme l'opérette mirlitonesque :

> Ces personnages de livret, factices et drôles seulement à moitié ; leurs aventures et leurs sentiments plus qu'à demi-faux, l'atmosphère déplacée de ces opéras, où la nécessité de la musique fait dérailler toute vraisemblance, le toc des décors indissolublement vrais et faux et que Jarry voulait encore plus synthétiques, voilà un univers vraiment et purement pataphysique, où, pour reprendre

une expression française que nous gonflerons de tout son sens, *l'on se moque du monde* .[9]

Comme le remarque justement Roger Shattuck, l'œuvre mirlitonesque de Jarry revêt, à ses propres yeux, autant d'importance que sa littérature la plus littéraire. Ce n'est pas par hasard qu'ayant à peine terminé les *Gestes et opinions du Docteur Faustroll pataphysicien*, il s'est appliqué à la rédaction d'une telle littérature de convention, qui l'occupera jusqu'à la fin de sa brève existence. Ne nous méprenons pas : il ne s'agit pas d'une production de divertissement, où il chercherait à compenser l'énergie dépensée à l'élaboration d'une œuvre hautement intellectuelle. Le théâtre mirlitonesque comporte autant de vérité qu'une œuvre comme *Faustroll, Messaline,* ou le *Surmâle,* derrière son apparence factice. Il est, en quelque sorte, l'achèvement de la dramaturgie exposée par Ubu. Il s'agit toujours de montrer, au-delà du décor, l'univers artificiel qu'est le nôtre, régi, comme le disait déjà Grabbe, par un grimaud de collège.

En 1906, Jarry eut l'intention de publier chez Sansot une série de six œuvres intitulée « Théâtre mirlitonesque » comprenant des inédits d'Ubu (*Ubu intime* ou *Ubu Cocu*), *Ubu sur la Butte,* des *Spéculations* et *Par la taille, L'Objet aimé, Le Moutardier du pape.* Seuls parurent à la place prévue *Ubu sur la Butte* et *Par la taille.* Dans sa conférence de 1902 sur les pantins, Jarry, justifiant une des répliques les plus arbitraires d'*Ubu Roi* : « Sire, acceptez de grâce, un petit mirliton », [10] expliquait la fonction de cet objet irritant et dérisoire.

> Le mirliton — cette « pratique » de Polichinelle prolongée en tuyau d'orgue — nous semble l'organe vocal congruent au théâtre des marionnettes. Les héros d'Eschyle, comme on sait, déclamaient dans des porte-voix. Et étaient-ils autre chose que des marionnettes exhaussées

---

9. Roger Shattuck, note liminaire à *l'Objet aimé*, Paris, Arcanes, 1953, p. 10-11.
10. Le même instrument intervient tout aussi curieusement dans *Ubu Enchaîné* (V, 8) : « *Mère Ubu :* Quelle étrange musique ! Sont-ils tous enrhumés par la rosée, qu'ils chantent ainsi du nez ? — *L'Argousin :* Afin de vous être agréable, Monsieur et Madame, j'ai remplacé le bâillon habituel de la chiourme par des mirlitons ».

> sur cothurne ? Le mirliton a le son d'un phonographe qui ressuscite l'enregistrement d'un passé — sans doute rien de plus que les joyeux et profonds souvenirs d'enfance alors qu'on nous conduisait à Guignol. (*T. U.*, p. 495).

En faisant la part de la provocation dans cette formulation, on voit que l'intention de Jarry est sérieuse : par le vers de mirliton, analogue, d'une certaine manière, à l'instrument nasillard, on retrouve le principe esthétique de l'enfance. Non seulement le charme que nous goûtions autrefois quand, très jeunes, nous pénétrions dans l'univers de la fête, mais encore le plaisir naturel que nous avions à nous exprimer selon un rythme fortement scandé, sur deux ou trois notes. Grâce au théâtre mirlitonesque, Jarry entend bien ouvrir aux sens affaiblis de l'adulte l'univers magique entrevu autrefois et bien vite jugulé par les règles contraignantes de la civilisation.

Par la taille

Achevée en décembre 1898, parue dans la collection du théâtre mirlitonesque en 1906, elle date, selon une dédicace à Rachilde, du temps « où le Père Ubu se repaissait de rossignols et d'herbe sainte au Phalanstère », maison louée en commun par l'équipe du Mercure de France, Alfred Vallette et Rachilde, Marcel Collière, A. Ferdinand Hérold, Pierre Quillard et Jarry. Ce dernier s'y livrait à la chasse aux rossignols et, encore plus, à l'ivresse de l'absinthe.

La pièce, « acte comique et moral en prose et en vers pour esjouir grands et petits », selon l'indication portée sur l'édition originale, relate la mésaventure cocasse d'un géant et d'un bossu qui se distinguent, par la taille, du type d'amoureux idéal auquel rêve la jeune fille. Le décor, extrêmement schématique, représente une place publique ornée en son centre d'une borne monumentale surmontée d'un double bec de gaz éteint; au fond on aperçoit la fenêtre de la jeune fille. Jarry se sert de cette unique plantation théâtrale pour justifier son dialogue. Au début, le Géant et le Bossu, tous deux employés de ministère, dissimulés l'un à l'autre par la borne, engagent un faux duo, fait d'échos surprenants. Tous deux, désespérés, veulent quitter la vie. Le Géant va se pendre avec ses bretelles mais, voyant qu'il est plus grand que le réverbère, il se résoud : « Mes transes ne sont pas mortelles ». De son côté, le Bossu, trop petit pour « un geste théâtral », s'efforce de grimper au réverbère, puis d'en atteindre le sommet avec un lasso constitué par sa cravate attachée à un pavé. A la suite de gestes désordonnés, ils allument le bec de gaz, découvrant leur commune présence. Le Géant, dans sa bonté d'âme, veut aider le Bossu à se pendre, mais ce n'est plus un suicide. Tous deux se balancent au bout des bretelles qui se rompent, et la scène s'achève sur la lutte grotesque des deux désespérés. Quand soudain la jeune fille se met à chanter, chacun s'identifie à ses paroles; pour charmer la belle, ils exhibent l'un un basson, l'autre une flûte et, sur des vers guillerets ou martiaux, vantent leurs mérites. Mais la jeune fille, accourant, doit déchanter en ne trouvant pas parmi eux le bien-aimé dont elle rêve et qu'elle décrit d'après son permis de chasse, ajoutant, pour finir par une ritournelle :

> Signe particulier
> Je l'aime ! Je l'aime !
> Celui que j'aime est un homme ordinaire !

C'est là un coup de tonnerre pour les deux prétendants, tel qu'il fait s'ouvrir la borne d'où sort l'Homme ordinaire, qui ressemble à un mannequin.

On goûtera la fantaisie générale de cette œuvre, où les conventions et artifices théâtraux ne demandent aucune justification logique. Le mouvement scénique, rapide et animé, s'agrémente d'un texte chanté et parlé, très léger, aérien même. L'ensemble illustre un thème psychologique (et non moral) très général, que tout le monde a pu expérimenter. La pièce constitue une sorte de parenthèse rêvée dans l'existence monotone de ces deux employés qui reprennent leur marche vers leur ministère respectif.

L'Objet aimé

Pastorale en un acte, elle fut achevée le 18 octobre 1903, et parut en partie seulement du vivant de Jarry. Roger

Shattuck a conté, dans son édition intégrale de 1953, comment on avait pu se contenter d'un texte partiel (publié dans la revue d'Apollinaire, *le Festin d'Esope*, nº 2, décembre 1903) pendant une cinquantaine d'années, jusqu'à sa découverte de l'ensemble, dans la revue de Marinetti, *Poesia*, nº 11-12 (décembre-janvier 1908-1909). Le texte intégral a paru dans *Fantasio* du 1er août 1909, ce que M. Shattuck semble ignorer. Le même présentateur a fort justement souligné l'importance du sous-titre mentionné par Jarry dès la première publication : « *L'objet aimé*, le premier suicide de Monsieur Vieuxbois, d'après Töpffer. » En effet, si Jarry a pu s'inspirer, pour la forme, des pastorales de Florian, c'est à Töpffer qu'il a très précisément emprunté les caractères et les événements dramatiques de cette pièce. Maintenant que Töpffer est quelque peu relégué au rang des écrivains du second ou troisième rayon, il ne faudrait pas croire que Jarry soit allé chercher, afin de s'en inspirer, un auteur tout à fait inconnu en France à l'époque, comme il fit pour Grabbe. Rodolphe Töpffer (Genève, 1799-1846), non seulement célébré par Goethe, Saint-Beuve, Xavier de Maistre pour ses *Nouvelles genevoises*, ses romans, ses récits de voyage dans les Alpes, était connu en France pour ses albums illustrés, dont le format à l'italienne et la dorure sur tranche ornaient la bibliothèque des jeunes, au même titre que les aventures du Sapeur Camember ou du Savant Cosinus. Les *Histoire de Monsieur Jabot* (1835), *Histoire de Monsieur Crépin* (1837), *Histoire de Monsieur Vieuxbois* (1837), *Histoire du Docteur Festus* (1840), *Voyages et aventures du Docteur Festus* (1840), *Histoire de M. Cryptogame,* etc. connurent de nombreuses rééditions. On ne saurait qualifier la teneur de ces albums mieux que ne le fit l'un des contemporains de l'artiste genevois, De la Rive :

Dès son enfance Töpffer avait contracté, sous l'influence de l'exemple, l'habitude de rendre graphiquement avec une facilité et en même temps une fidélité des plus grandes toutes les impressions qu'il éprouvait. Il leur donnait un corps et savait ainsi les représenter par un ou deux traits caractéristiques. C'est à cette habitude, qu'il avait toujours entretenue, que nous devons ces séries de tableaux où l'imagination la plus vagabonde se trouve à chaque instant associée à la morale la plus sévère et au bon sens le plus pratique. Tantôt les ridicules du monde, tantôt les dangers de l'esprit de système, tantôt les leçons sérieuses d'une morale alarmée, tantôt simplement les élucubrations d'un esprit enjoué qui veut folâtrer, viennent prendre les formes les plus pittoresques et les plus propres à frapper l'imagination [11].

On ne peut dire avec certitude à quel moment Jarry a connu ces ouvrages, mais il est possible, sans trop de risques, de conjecturer qu'ils firent les délices de ses enfances provinciales. Habitué lui-même à saisir sur le vif les traits les plus caractéristiques de ses condisciples ou de ses maîtres, comme le montrent ses dessins [12], on conçoit qu'il ait tenu à transposer pour le théâtre les principes du pédagogue genevois dont les albums s'ornaient systématiquement de l'exergue suivant : « Va petit livre, et choisis ton monde. Car, aux choses fortes, qui ne rit pas, baille, qui ne se livre pas, résiste; qui raisonne se méprend, et qui veut rester grave en est maître. » Au delà de ces excellents principes de bonne vie, Jarry trouvait dans les ouvrages de Töpffer un ensemble de gags, de codes gestuels, de formes stylisées qui lui convenaient particulièrement. « Les personnages de Töpffer avaient tout pour le séduire, types universels en leur gesticulation dérisoire, conventions supérieures en ce que leur universalité même les hausse au rang d'exceptions, créations pures puisque leur vie tient rigoureusement à un fil, celui que commande le montreur de marionnettes [13] ».

Roger Shattuck a montré comment la fable de l'*Objet Aimé* est combinée à partir de trois récits de Töpffer. De *Monsieur Vieuxbois*, Jarry garde le trio fondamental : Monsieur Vieuxbois, l'Objet aimé, et le Rival, qualifié d'Heureux. Des deux histoires du Docteur Festus, il prélève le Maire, qui verbalise toujours, l'Habit, symbole de l'autorité édilitaire,

11. De la Rive, préface à : Rodolphe Töpffer, *Rosa et Gertrude*, 1847, p. LXII.
12. Cf. *Peintures, gravures et dessins d'Alfred Jarry*, préface et commentaire des œuvres par Michel Arrivé, 1968, et spécialement planches 1 à 15.
13. Noël Arnaud : « Alfred Jarry ou la majesté du mirliton » *Paris Théâtre* n° 240, 1967, p. 9.

indépendante de sa personne, la Force Armée enfin, deux sol-
dats qui suivent aveuglément les ordres indiqués par l'Habit.

L'Objet Aimé se situe dans un décor naturel, un vert
bocage abritant, comme il se doit, le chœur des divinités
bocagères. Les accessoires, outre l'Habit élevé à la dignité
de personnage, seront les ornements bucoliques traditionnels. L'Objet Aimé traversant la scène en chantant un air
mirlitonesque déclenche un coup de foudre qui frappe M.
Vieuxbois démuni de paratonnerre. Celui-ci, ne voyant plus
l'objet de ses vœux se désespère et se suicide. Arrive le Maire
(suivi de la Force Armée), tout heureux de verbaliser. Exami-
nant la victime, il conclut à un suicide. Mais en fait, l'épée a
passé sous le bras et M. Vieuxbois revient à lui pour voir
l'Objet Aimé et le Rival Heureux enlacés. Aussitôt, M. Vieuxbois surpris que la foudre n'ait point frappé son rival en
conclut qu'il n'est pas valablement amoureux, il engage un
duel dont l'Objet Aimé sera le prix. Le Maire, entendant le
bruit des fers, se prépare à verbaliser. M. Vieuxbois en pro-
fite pour glisser une botte traîtresse à son adversaire, il
frappe le Maire d'un coup de bâton et le dépouille de son
habit que la Force Armée suit toujours. Pour se débarrasser
de cette présence gênante, le héros, sur le conseil de l'Objet
Aimé, fait rendre l'Habit qui est remis, par méprise, au Rival,
lequel, simplement évanoui, s'enfuit. M. Vieuxbois et l'Objet
Aimé chantent leurs amours comme le berger et la bergère,
Tircis et Chloris. Cependant le Maire en chemise, déshonoré
par la perte de son prestigieux vêtement, se livre à un acte
dément, il répand l'incendie sur le village et compose des
vers à ce spectacle, tel Néron devant Rome. Brusquement,
comme pour finir selon les lois du genre une œuvre qui s'éga-
rait dans la nuit éclairée de la tragédie, Jarry fait intervenir la
Force Armée qui revêt le Maire de sa tenue officielle, lui permettant ainsi d'unir Monsieur Vieuxbois et l'Objet Aimé.

Par cette très rapide analyse, on voit à quels principes
dramaturgiques Jarry adhère. Délaissant tout appareil logique
il prend les clichés au pied de la lettre, le coup de foudre
(amoureux) devenant une véritable décharge électrique
naturelle; il se plaît aux artifices les plus éculés du théâtre :
faux suicide de M. Vieuxbois, fausse mort du Rival Heureux,

quiproquo de la Force Armée. Mais, plus encore que dans *Par la taille*, Jarry se livre à une véritable opération de désagrégation du langage. Pour renforcer les tics de M. Vieuxbois, Jarry le fait bafouiller constamment, par permutation des syllabes. Le caractère mécanique et factice de la versification est souligné par la segmentation des mots en fin de vers, ainsi vert rime avec ver(-balisons) autori (-té) avec habit.

Plus classiquement, et l'on rejoint ici les plaisanteries stupides d'Ubu, Jarry joue sur la polysémie : en se suicidant, M. Vieuxbois déclare : « Mourons ! (*sanglot*) pour les petits oiseaux »; le Maire se réjouit des frais — tout frais — qu'il engagera ensuite; avant de propager l'incendie, il se reconnaît un « typ... ran dans le genr' de Néron » et le héros grimpé sur un poste élevé où l'œil, embrasse l'horizon, se lamente de ne pas embrasser l'Objet Aimé.

Enfin, les vers de mirliton ont ceci de bon qu'ils alignent des séries de mots agréables à l'oreille pour leur seule identité sonore : tracasse, fricasse, fracasse, pap'rasse...

Par la taille et *l'Objet Aimé* ont été joués du 26 octobre au 8 décembre 1966 dans une mise en scène de Nicole Juy, décors et costumes de Jérôme Savary, avec Hilcia d'Aubeterre, Georges Tournaire et Jérôme Savary, au théâtre du Kaléidoscope, à Paris. Selon l'animatrice du spectacle, ce fut en partie un échec parce que le langage de Jarry a échappé au public et surtout pour la raison suivante : « Puis nous avons cédé aux tentations de traduire une suite de situations rocambolesques, ce qui donnait au spectacle l'aspect d'une « panoplie » de gags, d'inventions, mais malheureusement dénaturait la pièce, sa texture, atteignait sans doute à sa portée. [14] » Le défaut majeur de l'entreprise (Nicole Juy, qui travailla avec le marionnettiste Yves Joly, devait le savoir) était d'avoir voulu faire jouer ces œuvres par des comédiens, ajoutant leur pesanteur à ce qui n'est que grâce, aisance d'un langage délivré du souci de signifier. Plusieurs artistes l'ont expérimenté à leur détriment, il est impossible de transposer au cinéma ou au théâtre (traditionnel) ce qui relève de la bande dessinée. Ici, l'univers dramatique de Jarry oscille

---

14. Nicole Juy : « Au service du jeune théâtre », *Paris Théâtre*, n° 240, 1967, p. 16. On consultera avec profit les clichés de la mise en scène reproduits dans ce numéro.

entre le type et le tic, comme le dit excellemment Roger Shattuck, seuls le théâtre de marionnettes ou le film d'animation pourraient lui convenir.

Pantagruel

Comme, dans ses œuvres précédentes, Jarry pervertissait les lois du genre qu'il adoptait (le drame avec *Ubu Roi*, la pastorale avec *l'Objet Aimé),* il poursuivit son entreprise de dénaturation dans le domaine de l'opérette-bouffe avec *Pantagruel* et *le Moutardier du Pape* en mêlant à ce genre bien défini les principes du guignol. La première de ces œuvrettes d'apparence légère et facile donna lieu à quatre versions. La dernière, publiée après sa mort, en 1911, est le fruit d'une collaboration avec Eugène Demolder dont il est difficile d'apprécier le rôle exact. Il semble avoir eu pour tâche de rendre acceptable pour un impresario un livret passablement long et divers. Nous ne nous attarderons pas sur l'histoire de ce texte, entrepris à l'origine pour le Théâtre des Pantins qui devait le mettre à son programme en 1898 [15].

L'Almanach du Père Ubu pour le premier trimestre de 1899 annonçait dans ses pages de publicité une grandiose prophétie : la représentation pour l'exposition de 1900 de *Pantagruel* « pièce nationale en cinq actes et un prologue que viennent de terminer Alfred Jarry et Claude Terrasse » (*T. U.,* p. 389-391). Suivait une table, très détaillée, des tableaux prévus. On remarque que Jarry, familier de longue date de l'œuvre rabelaisienne, avait choisi de mettre en scène les épisodes les plus célèbres des cinq livres, mais il négligeait ses propres conceptions dramatiques, nettement affirmées à propos d'Ubu, en ne centrant pas l'action sur un personnage principal. Le résultat fut, selon J.-H. Sainmont, un texte injouable parce que trop long. Claude Terrasse voulant adapter la pièce aux besoins de la salle lui suggéra de tailler dans l'ensemble. Jarry prit la résolution de tout transformer en considérant Rabelais non comme un collaborateur respectable, mais comme un fournisseur de matière première.

---

15. Cf. J.-H. Sainmont : « Dix ans de la vie de Jarry, l'interminable histoire de *Pantagruel* », *Cahiers du Collège de Pataphysique,* n° 15, p. 19-38.

Il fit une synthèse du premier et du cinquième livre, plaçant au centre le voyage et le mariage de Pantagruel. Ce travail s'effectua au cours d'un hiver que Jarry passa dans la propriété de Terrasse, au Grand Lemps. Evoquant cette période, Jarry écrivait au docteur Saltas : « ...Début de la maladie : fin de la terrible besogne de Pantagruel, six mois en Dauphiné (novembre 1903 - mai 1904). Je n'aime pas la montagne et n'être pas chez moi » (*O. C.*, VII, p. 280).

De reports en retouches, Jarry mourut sans avoir pu assister à la représentation d'une œuvre qui avait occupé environ dix ans de son existence et qui ne fut jouée qu'en 1911 au Grand Théâtre de Lyon.

Estimant qu'il est inopportun de commenter méthodiquement la dramaturgie d'une pièce à laquelle Jarry n'a pas mis la dernière main (et l'on sait combien l'ordonnance des actes et des scènes est capitale dans le domaine théâtral, au même titre que pour le montage d'un film), nous résumerons brièvement le livret de *Pantagruel*. Le premier acte, qui se déroule aux abords de Notre-Dame de Paris, s'ouvre sur une fête que Pantagruel donne aux ribauds. Survient Panurge, poursuivi par les bourgeois qui menacent de le pendre pour avoir dérobé les cloches de Notre-Dame. Frère Jean les arrête dans leur mouvement sacrilège, puisqu'ils veulent pendre un homme avec une corde consacrée, enfin il fait la leçon à son ami et lui conseille de se marier. Une sorcière, paraissant soudain, annonce à Panurge qu'il fera un grand voyage avec son maître, et que tous deux se marieront. Pantagruel et Panurge discutent sur les avantages et les risques du mariage, puis le peuple vient faire ses adieux à son souverain.

Le deuxième acte nous présente le royaume de Picrochole, au pays de Satin. Les brodeuses, belles langagières, ne peuvent achever la confection du manteau d'Allys, fille du roi, car une divinité a jeté la précieuse laine dans une caverne gardée par des dragons. Allys rêve à l'impossible. Les sculptures de la salle du Palais s'animent et prennent la forme de lutins qui lui révèlent son avenir :

Tin, tin, tin, tin,
Tes amis, les petits lutins,

Vont te montrer l'avenir prochain,
Douce princesse,
Parure et liesse
De ce beau pays de Satin ;
Tin, tin, tin, tin,
Regarde avec les yeux du rêve !

Pantagruel apparaît dans son rêve tandis que, dans la réalité les prétendants, les rois Quaresmeprenant, Bringuenarilles, Pétault, viennent sommer son père de choisir parmi eux. Picrochole leur demande avant de se prononcer de ramener la Toison d'Or, et leur fournit le berger Dindenault comme guide.

Le premier tableau du troisième acte montre les prétendants naufragés recueillis sur le pont du navire de Pantagruel. Une tempête survient, où Panurge a l'occasion de confirmer qu'il ne craint que le danger. Le calme revenu, il retrouve son plaisant caractère et envoie les moutons de Dindenault à l'eau, avec les trois rois. Le deuxième tableau du même acte est essentiellement une célébration de la Dive Bouteille, suivie d'un ballet-divertissement.

Pantagruel et ses deux compagnons abordent, à l'acte suivant, au pays de Satin. En tenue de bergers, ils font la connaissance d'Allys et de sa suivante Nanie. C'est alors une très agréable pastorale où Pantagruel et Allys s'avouent leur amour. Frère Jean rapporte la Toison d'Or permettant ainsi leur union.

Mais, au dernier, acte, les trois prétendants reviennent avec un bélier auquel ils ont mis des cornes d'or. Dindenault révèle la supercherie. Les brodeuses apportent le manteau achevé. Pantagruel, conquérant de la légendaire toison, obtient la main d'Allys et Panurge épouse Nanie.

Le décousu de ce résumé montre que les auteurs ne se sont pas trop souciés de la logique dramatique. Ils se sont par ailleurs nettement démarqués de l'œuvre rabelaisienne, à laquelle ils empruntent seulement le point de départ ainsi que des épisodes célèbres, comme celui de la tempête ou des moutons de Panurge. En fait, Jarry semble avoir voulu retrouver le charme des légendes enfantines, aux pays de Satin, allié aux plaisantes eaux-fortes de Rabelais. Mais surtout, et le mérite en revient à lui seul, il a su conserver la savoureuse couleur du langage en moyen-français. Il reste permis de regretter, toutefois, l'affadissement de la truculence rabelaisienne en un conte de fées un peu trop joli.

Contrairement à l'usage bien ancré dans nos provinces, la mise en scène de cette opérette-bouffe ne fut point étriquée, si l'on en croit la presse du temps et surtout les nombreuses photographies qui en demeurent. Il s'agissait d'une féérie à grand spectacle, genre Châtelet, alors que, bien entendu, l'œuvre suppose, de par ses origines, une interprétation synthétique et stylisée, comme au Théâtre des Pantins. La musique de Claude Terrasse illustrait la même confusion des genres que le livret :

La partition toutefois est complexe en ce sens qu'elle relève au premier et au troisième actes (celui de la tempête) de la comédie musicale; au deuxième acte, de l'opérette (car la scène des rois est traitée de façon bouffonne) et au quatrième acte de l'opéra-comique.

Certaines scènes ne sont au surplus point sans mérites. La dispute de Panurge et de Pantagruel sur le mariage, la ronde populaire qui termine le premier acte et que je soupçonne être authentique, donnent à ces scènes une couleur très variée. L'acte de la tempête est certainement celui où M. Claude Terrasse a déployé le plus de science musicale; mais il s'est parfois souvenu de plusieurs tempêtes célèbres, notamment celle du *Vaisseau fantôme*. Je disais que l'opéra-comique avait sa part au quatrième acte de Pantagruel, c'est aussi du même genre que peut se réclamer l'air d'entrée d'Allys au deuxième acte. Il y a dans ces pages diverses de la clarté, de la lumière de jolies sonorités qui font un heureux contraste avec les pages bouffonnes de la partition. Mais ce qu'il faut louer avant tout c'est l'écriture des parties chorales. Là, Claude Terrasse est apparu comme l'excellent élève de l'école Niedermeyer, à qui nous devons des musiciens tels que MM. Gabriel Fauré, André Messager, et à laquelle M. Camille Saint-Saëns a conservé une estime particulière.

M. Claude Terrasse a aussi le sens parodique, et il sait « ramentever », comme disait Rabelais, par de piquants ressouvenirs, ses études classiques. L'invocation de Pantagruel aux géants rappelle des motifs de la Tétralogie; le trio des rois se rattache à l'arrivée des géants dans *L'Or du Rhin...* [16].

Le Moutardier du Pape

Bien que n'ayant pas été mise en musique comme *Pantagruel*, c'est aussi une opérette-bouffe en trois actes, inspirée par le roman de Rhoïdès, *la Papesse Jeanne*, que Jarry traduisit avec le docteur Saltas. Elle fut publiée en 1907 au Mercure de France pour venir en aide à Jarry, alors très misérable. Cette édition, dit-il, lui sauva la vie. Cette œuvre est, comme la précédente, plus importante pour sa virtuosité verbale que pour sa valeur proprement dramatique. Jarry part de la légende selon laquelle un moine anglais aurait accédé à la papauté sous le nom de Jean VIII après une série de subterfuges très particuliers. Ce pape accoucha lors d'une procession et, malgré la protection d'évêques dévoués, fut destitué. Son nom fut rayé de l'histoire du Saint-Siège, et c'est de cette époque, dit-on, que date l'institution de la cérémonie de la chaise percée dont Jarry nous enseigne le sens (*O.C.*, VI, p. 17) :

> O Rome ! reçois dans ton sein
> Jean Huitième, notre Saint-Père,
> Qui, s'il a tout pour être saint,
> Doit avoir tout pour être père.

Jarry prend donc prétexte de cette innovation pour laisser libre cours à son imagination et nous donner une farce truculente, dont la splendide insolence n'a plus rien à voir avec les pompes de l'Eglise. Jane, une jeune anglaise, a été enlevée à son époux légitime par un évêque qui a fait d'elle un pape et qui s'est vu récompenser par la charge de Moutardier. Jane craint que sa supercherie soit découverte, d'autant

---

16. Louis Schneider : « Grand Théâtre de Lyon, *Pantagruel*, opéra héroï-comique en 5 actes et 6 tableaux de MM. Alfred Jarry et Eugène Demolder, musique de M. Claude Terrasse », *le Théâtre*, n° 293, mars 1911, p. 11-16. Cet article comporte onze photographies de scène, dont une en pleine page; par ailleurs, on se reportera, pour une synthèse sur la composition musicale à l'étude de Nicolas Cromorne « La musique de Pantagruel », *Cahiers du Collège de Pataphysique*, n° 15, p. 39-40, ainsi qu'à la revue de presse « La Première de Pantagruel, 31 janvier 1911 », *ibid.*, p. 41-42.

qu'elle a cru apercevoir son mari parmi la foule : c'est en effet l'ambassadeur Anglais qui, en baisant la mule du pape, reconnaît sa femme. Comme il crie au sacrilège, on menace de le jeter en prison. Sa garde écossaise proteste, mais on l'assure que la cérémonie de la chaise élucidera toute équivoque. Au deuxième acte, Jane, en déshabillé galant, s'entretient avec le Moutardier son amant. Elle tend un piège à son mari qui, croyant retrouver en elle une femme repentante et docile, la serre de trop près. Jane le fait arrêter pour attentat à sa personne. Mais il faut franchir l'écueil de la cérémonie. Jane, pleine de ressources, soûle le Colonel des zouaves pontificaux et le fait asseoir à sa place. C'est ainsi que le pape est reconnu valablement homme.

Le troisième acte donne lieu à une alternance de chœurs et de ballets bouffons où, en particulier, zouaves et Highlanders se livrent combat. Jane, paraissant, congédie les combattants, fait sortir son mari des oubliettes et, afin de n'être point bigame, fait déchirer son contrat de mariage, épouse son Moutardier et abdique en faveur du Colonel.

Sur cette trame burlesque, Jarry se plaît à mêler les époques, les genres et les tons. Le Moutardier déclare : « En notre siècle de progrès, au IXe s., la cérémonie qui se prépare est vraiment superflue » (p. 20); plus loin, il annonce qu'il va téléphoner « sans fil provisoirement en attendant qu'on en invente. » A la fin, Jane suggère qu'à l'avenir on mette un appareil photographique sous la chaise, afin de mieux prévenir une erreur !

Nous ne reviendrons pas sur les vers mirlitonesques, si ce n'est pour signaler les calembours familiers à Jarry équivoquant sur la chaise du Père La Chaise, faisant rimer *presque* avec *sesque*. montrant des gondoliers qui se gondolent, joyeux et familiers, écrivant un bel hymne à l'absinthe, liqueur sainte et couleur d'espérance, que les ambassadeurs préfèrent battre dans leur coupe plutôt que leur couple. Jarry, sans doute las de donner à ses personnages le ton de leurs fonctions, leur fait parler une langue très « *modern style* » :

Jane : Elles sont chouettes, tes inventions. Quand on enlève une Anglaise et une femme mariée encore, ça peut paraître drôle d'abord d'avoir l'idée, pour la cacher, de la mettre pape. J'ai commencé par trouver ça très chic. Ça prouve que tu as de belles relations.

En fait, il parodie ici les procédés du vaudeville, imaginant des situations scabreuses, dans la tradition gauloise, mais ne versant jamais dans les excès du genre. La papesse s'écrie « Ciel mon mari », comme dans toute pièce de boulevard qui se respecte. Elle paraît en déshabillé galant, s'évanouit au moindre soupçon, tend un piège où son mari s'enferre, use d'une rouerie toute féminine pour faire asseoir le Colonel à sa place. Enfin, Jarry emprunte à la farce maint procédé, comme par exemple l'entrée grotesque des Ambassadeurs, à quatre pattes pour présenter leurs hommages au Pape, ou encore, dans la tradition moliéresque, le ballet des apothicaires avec leurs clystères, les constipés, les vierges folles et les vierges sages.

Comme dans tout le théâtre mirlitonesque, les personnages évoluent entre le type (la Camérière qui a eu déjà trois papes morts *sur* elle, le Moutardier, parfaite illustration de l'amant jaloux) et le tic (ambassadeurs, qualifiés par leur accent, le Colonel ivrogne dont l'occupation est la pêche à la ligne). Tout ceci mené fort joyeusement, *allegro vivace,* dans un ensemble parfaitement arbitraire où rien ne pourrait être envisagé avec sérieux.

L'esthétique du mirliton

Certes, les pièces que nous venons d'examiner ne sont pas toutes de valeur égale, mais il ne faudrait pas prendre prétexte de leur facilité apparente pour les mépriser. Elles revêtent en fait une très grande importance dans la réflexion dramatique de Jarry qui, nous l'avons vu, s'est orienté de plus en plus vers l'esthétique du guignol. Deux raisons, nécessaires et suffisantes, le justifiaient sur ce point.

D'une part, il s'agissait pour lui de prouver, une fois de plus, l'inutilité du théâtre au théâtre : l'art dramatique, tel qu'il était conçu traditionnellement, ne l'intéressait pas; plus même, la réalisation scénique de sa seule œuvre jouée de son vivant,

Ubu Roi, l'avait déçu. Affronté aux problèmes pratiques, il avait compris que le théâtre ne pouvait réaliser ses intentions. Les acteurs n'avaient pas su — ou pas voulu — se prêter à ses initiatives; au lieu de s'identifier à des marionnettes, ils étaient restés comédiens. Le temps, le manque de moyens, n'avaient pas permis de les munir des masques prévus. L'orchestre avait été réduit à sa plus simple expression. En outre, les interprètes ne savaient pas le texte entier, de sorte que Jarry dut procéder à des coupures. Enfin le public ne l'avait pas réellement compris. Le théâtre de marionnettes, dont il était lui-même l'auteur, le metteur en scène, le manipulateur et l'interprète, ne pouvait le trahir à ce point.

D'autre part, la scène du Théâtre des Pantins (ou la série du « théâtre mirlitonesque ») devait lui permettre de rendre compte, à sa manière très personnelle, d'un univers dramatique parfaitement cohérent où la gestuelle mécanique et stylisée de la marionnette était prolongée et complétée par un langage adéquat, le mirliton, dans sa double nature d'accessoire et d'instrument verbal.

De la sorte, Jarry achevait et concrétisait la révolution théâtrale entrevue, très partiellement, par Musset dans certaines pièces des *Comédies et proverbes.* Ce dernier, refusant, par idéalisme, d'envisager la réalisation scénique de ses œuvres, introduisait des fantoches, première approximation des marionnettes jarryques, dans *les Caprices de Marianne* ou *On ne badine pas avec l'amour,* par exemple. En recherchant leur origine dans le théâtre de Shakespeare, on s'est refusé à voir combien ils libéraient la scène de ses conventions. Eléments stupides, inertes et glacés, caricatures de la sottise et du vice aux traits délibérément grossis, ils préludaient à l'univers arbitraire de Jarry et d'Ionesco, situé au point de jonction du comique et du tragique. Par leur méchanceté et leurs allures plaisantes, les grotesques personnages de Musset ne peuvent être pris au sérieux; mais leur fonction essentiellement tragique, puisqu'ils sont toujours annonciateurs de la mort, fige le rire, le transforme en grincement des dents. Musset, jouant sur les mouvements mécaniques : répétition, symétrie, inversion, avait bien vu l'intérêt de l'insertion des marionnettes au théâtre. Mais il se contentait de les juxtaposer à des personnages regis par des lois humaines, créant une sorte de contrepoint entre l'irréalité de leur action et l'inquiétude sentimentale de ses héros. Déjà, certains de ses fantoches sont caractérisés par leurs tics : Dame Pluche par sa pruderie, Blazius par son langage pâteux, mais en règle générale, ils conservent un certain réalisme, une épaisseur humaine, par le langage de leur état. Jarry, pour sa part, refuse cette ambiguïté : ses personnages sont aussi artificiels par leurs paroles que par leur comportement. Son théâtre mirlitonesque constitue un univers autre, reflet démesurément déformé du nôtre, tel qu'Eugène Ionesco a pu le voir lorsqu'enfant on le menait à guignol :

> Le spectacle du guignol me tenait là, comme stupéfait, par la vision de ces poupées qui parlaient, qui bougeaient, se matraquaient. C'était le spectacle même du monde, qui, insolite, invraisemblable mais plus vrai que le vrai, se présentait à moi sous une forme infiniment simplifiée et caricaturale, comme pour en souligner la grotesque et brutale vérité [17]

Ce principe selon lequel le plaisir que nous pouvons éprouver au théâtre ne provient que du souvenir des joies de l'enfance, Jarry pouvait le voir confirmé dans l'essai de Bergson sur le rire :

> Qui sait même si nous ne devenons pas, à partir d'un certain âge, imperméables à la joie fraîche et neuve, et si les plus douces satisfactions de l'homme mûr peuvent être autre chose que des sentiments d'enfance revivifiés, brise parfumée que nous envoie par bouffées de plus en plus rares un passé de plus en plus lointain ? Quelque réponse d'ailleurs qu'on fasse à cette question très générale, un point reste hors de doute : c'est qu'il ne peut y avoir solution de continuité entre le plaisir du jeu, chez l'enfant, et le même plaisir chez l'homme [18]

---

17. Eugène Ionesco : *Notes et contre notes*. Paris, Gallimard, 1970, p. 53.
18. Henri Bergson : *le Rire, essai sur la signification du comique*, Paris, P.U.F., 1967, p. 52. Première publication : *Revue de Paris*, 1er, 15 février, 1er mars 1899.

D'ailleurs, tout le théâtre de Jarry, particulièrement l'œuvre mirlitonesque, pourrait illustrer la théorie bergsonienne, à ceci près qu'à la différence de la comédie ou du vaudeville sur quoi s'appuie le philosophe, ses personnages ne rappellent plus l'humain que de très loin, par l'excès. De sorte que son œuvre ne déclenche pas le rire, mais plutôt une sorte particulière de gaieté qui marque le triomphe du principe de plaisir sur la réalité.

Toutefois, si l'on considère que le comique dont parle Bergson, pris au sens le plus large du terme, est bien du « mécanique plaqué sur le vivant », on peut dire que tout le théâtre de Jarry découle de cette affirmation. Ainsi le comique des formes, le Bossu et le Géant dans *Par la taille,* grossissement et simplification de la vie, de même que tous les procédés mécaniques qui abondent dans son œuvre. Rappelons, pour mémoire : les bastonnades d'*Ubu sur la Butte;* les répétitions d'écho de *Par la taille;* les morts ressuscités de *l'Objet Aimé;* l'obsession verbalisatrice du Maire dans la même pièce; l'agencement mécanique des répliques (Panurge tiré entre deux partis opposés, exemple cité par Bergson lui-même); l'effet de boule de neige, fréquent dans les albums de Töpffer, et qui se retrouve, à propos de l'Habit, dans *Par la Taille;* la coïncidence extraordinaire, rencontre de Jane et de son mari au Saint-Siège dans *le Moutardier du Pape;* l'inversion, Ubu menaçant de tuer tout le monde et se retrouvant vaincu par le jeune Bougrelas dans *Ubu sur la Butte;* la méprise ou le quiproquo dans *l'Objet Aimé* où l'Habit revêt le Rival au lieu d'être restitué au Maire. Dans cette dernière pastorale le comique mécanique est poussé au maximum puisque la Force Armée en vient à n'obéir qu'aux vagues mouvements d'un habit. Ajoutons, mais nous l'avons suffisamment montré, que tous les personnages sont de pures abstractions ambulantes, des types ou de simples tics. Bien entendu, la veine ubuesque et le théâtre mirlitonesque sont confondus sur ce plan. En fait, le théâtre mirlitonesque suppose une définition extensive du rire, que Jarry a pressentie lorsqu'il rend compte d'un ouvrage de Franc-Nohain, esprit proche du sien, ne serait-ce que pour le goût qu'ils affichaient en commun pour les marionnettes :

Le rire n'est pas, croyons-nous, seulement ce que l'a défini notre excellent professeur de philosophie au Lycée Henri IV, M. Bergson : le sentiment de la surprise. Nous estimons qu'il faudrait ajouter : l'impression de la vérité révélée – qui surprend, comme toute découverte inopinée[19].

Toujours à propos du même librettiste, Jarry est amené à préciser l'analyse bergsonienne :

> Le rire naît de la découverte du contradictoire. Donc le scaphandrier, homme aquatique, se promènera sur les grandes routes, dans la poussière des tas de cailloux; donc la baronne en armure, « chien de plomb » par excellence, se précipitera dans les eaux avec la belle confiance d'y surnager [...]. Et l'admirable logique dans l'absurde ! Le scaphandre est un uniforme, il comporte un casque, donc il faut revêtir cette tenue pour plaire aux belles.[20]

Nous n'avons point d'exemple aussi probant à citer dans le théâtre mirlitonesque, mais *Ubu Enchaîné,* que Jarry envisageait de monter en marionnettes, développe tout au long ce principe de contradiction.

Jarry n'a pas abordé un genre aussi facile, en apparence, que le théâtre mirlitonesque, sans avoir longuement réfléchi sur sa dramaturgie particulière. Ses notules sur le théâtre et les livres en témoignent, malheureusement trop brièvement, et de manière fragmentaire. A propos d'un vaudeville de Tristan Bernard, il remarque que « l'hilarité naît de la « salade » la plus épileptiquement bouleversée[21] », c'est-à-dire de la collision la plus capricieuse des situations. Et c'est bien ce qui se passe dans *le Moutardier du Pape.* Ailleurs, parlant de *l'Abbé Prout,* guignol pour les vieux enfants, de Paul Ranson, il écrit : « Il faudrait toute une dramaturgie pour

19. Alfred Jarry : « Ceux pour qui il n'y eut point de Babel », *la Plume,* 15 mai 1903, repris dans *la Chandelle verte* p. 301.
20. Alfred Jarry : « Franc-Nohain et Claude Terrasse : « la Fiancée du scaphandrier », *la Revue Blanche,* 15 juin 1902, in *la Chandelle verte,* p. 630.
21. Alfred Jarry : « les Théâtres [...]] *la Famille du Brosseur* de M. Tristan Bernard », *la Revue Blanche,* 1er février 1903, in *la Chandelle verte,* p. 648.

expliquer — et approuver — les « tics » irrésistibles, fonds si important de tout théâtre de marionnettes dont Ranson a doté ses fantoches...[22] ».

Nous ne reviendrons pas sur cette dramaturgie du tic, fort excellemment analysée par Roger Shattuck et commentée tout au long de ces pages. Signalons surtout le fait que Jarry a eu l'incomparable génie d'associer toujours le tic à un langage spécifique, le mirliton, où l'auteur se livre au plaisir de jouer sur le signifiant, en dehors de toute référence au signifié. « Quand les mots jouent entre eux c'est qu'ils reconnaissent leur cousinage ».

Résumons les divers jeux verbaux que nous avons pu dénombrer au passage dans le théâtre mirlitonesque. Ils se ramènent à deux catégories essentielles : d'une part, le mot employé habituellement au sens figuré est pris au sens propre; d'autre part, le mot est l'objet d'une série d'opérations propres à souligner sa parenté avec d'autres termes éloignés du champ sémantique auquel il appartient.

Les jeux de la première catégorie sont donc, en général, un transfert de sens. C'est le cas, le plus souvent, des formules stupides d'Ubu, ainsi : « quand on craint les courants d'air, il ne faut pas se réfugier dans un moulin à vent ». De même des expressions toutes faites, employées au sens moral, se traduisent physiquement sur la scène. C'est le cas du « coup de tonnerre » dans *Par la taille* et du « coup de foudre » dans *l'Objet Aimé*. Ici s'applique très concrètement la loi énoncée par Bergson : « On obtient un effet comique quand on affecte d'entendre une expression au propre, alors qu'elle était employée au figuré. Ou encore : dès que notre attention se concentre sur la matérialité d'une métaphore, l'idée exprimée devient comique. »[24] Mais on peut aller plus loin et confondre dans une même image, les deux représentations concrètes d'un seul terme : ainsi la mule du pape, pantoufle et animal (*O. C.*, VI, p. 19) :

22. Alfred Jarry : « Les livres [ ] Paul Ranson : *L'abbé Prout* », *La Revue Blanche*, 15 décembre 1902, in *la Chandelle verte*, p. 636.
23. Alfred Jarry : « Ceux pour qui il n'y eut point de Babel », article cité, *la Chandelle verte*, p. 299.
24. Henri Bergson, *le Rire, op. cit.*, p. 88.

Mule, agite tes grelots !
Dansez, selon la formule
Dansez le pas de la mule !

ou encore de deux synonymes, la chaise et le siège (*O. C.*, VI, p. 21) :

La chaise,
Ne vous déplaise,
Est, comme il sied,
Le siège
Le Saint Siège
Sous les auspices du Sacré Collège,
Où le pape s'assied.

Ce procédé est en quelque sorte un calembour, au sens le plus général du terme : « le calembour joue sur les sens divers que peuvent prendre deux segments homophones quand on fait varier les contextes » (J.-Cl. Chevalier). Jarry en fera l'un des principes recteurs de ses *Spéculations* où, par exemple, il justifie une tribu primitive d'avoir dévoré les explorateurs partis à sa rencontre : le chef de la mission, rescapé, ne parle-t-il pas de son ami, « le bon gros M. de Vries ? » « Les Papous, à moins qu'on ne les suppose inintelligents à l'excès, n'ont pu comprendre que : *bon*, c'est-à-dire bon à manger; *gros,* c'est-à-dire : il y en aura pour tout le monde. » (*Ch. V.*, p. 175). Nous avons là le même effet que dans la formule de M. Vieuxbois : « Mourons *(sanglots)* pour les petits oiseaux »; la réaction sensible du lecteur ou du spectateur est rendue impossible par l'éloignement des significations suggérées.

La deuxième catégorie des jeux de mots est liée à l'effet paronomastique, c'est-à-dire au rapprochement de termes en partie homophones. Ainsi, les séries « sacripant, mécréant... », « pochard, soulard, bâtard... », « capon, cochon... » d'*Ubu Roi*, via *Ubu sur la Butte*. Mais Jarry abandonne la tradition rhétorique quand il rapproche « troupiers » et « troupions », quand il sépare la syllabe initiale d'un mot, produisant, par la répétition un effet de sens (« un pot-polonais »), enfin quand il caractérise M. Vieuxbois par son bafouillage :

> Dans le taillis
> Oyez, oyons,
> Le gazillon
> De l'oisouillis.

Roman Jakobson considère, dans ses *Essais de linguistique générale*, qu'il n'y a que deux types de rimes : grammaticale ou antigrammaticale. Cependant, la rime a-grammaticale existe bien dans les vers de mirliton, ainsi dans *l'Objet Aimé* :

> Quéque chos' nous dit
> Que c'est l'autori
> — Té suprêm' qu'habi
> — Te dans un habit
> D'un tel acabit.

Il s'agit là de coupes arbitraires à l'intérieur des mots, constantes dans tout le théâtre mirlitonesque, qui soulignent le caractère artificiel de la versification et, feignant d'obéir à la règle, la pervertissent. Michel Arrivé analyse les manipulations ludiques du langage mirlitonesque :

> Le langage y est traité comme un vulgaire matériau.
> A ce titre, il subit des modifications en l'un de ses plans —
> celui de l'expression — sans que ces manipulations puissent atteindre l'autre plan — celui du contenu. D'où
> l'impression de légèreté absolue qui se dégage de ces
> textes et les fait souvent considérer comme « secondaires »[25].

Bien entendu, Arrivé le fait justement remarquer, il n'y a pas d'œuvres mineures chez Jarry, en vertu du principe de l'égalité de toutes choses. Les lois régissant la création mirlitonesque se retrouvent, identiques, dans tous ses ouvrages. Par exemple l'impression d'absurdité qui émane du théâtre pour marionnettes se retrouve dans les *Gestes et Spéculations* que Jarry publia dans *la Revue Blanche* en 1901-

---

25. Michel Arrivé : *Les langages de Jarry*, thèse citée, p. 108.

1902 et dont il comptait tirer un petit florilège sous le titre *Siloques, superloques, soliloques et interloques de Pataphysique* pour la série du théâtre mirlitonesque chez Sansot [26]. Elle tient au système d'inversion du point de vue : quand une voiture et un piéton entrent en collision, on dit généralement que le véhicule a écrasé l'homme, mais rien n'empêche de considérer que l'homme a voulu heurter la voiture; Jarry en fait le sujet de sa chronique « le piéton écraseur » (*Ch. V.,* p. 98). De même si certains accidents se produisent à l'occasion de la fête nationale, les journaux en parleront dans la rubrique des faits divers, mais Jarry préfère établir un lien de causalité tel que c'est la célébration rituelle qui exige « les sacrifices humains du 14 juillet » (*Ch. V.,* p. 106). Très scientifiquement, Jarry invite ses lecteurs à retrouver la loi darwinienne (selon laquelle les organes inutiles s'atrophient et disparaissent au cours des siècles) à travers une mesure britannique décidant « la suppression du sabre » (*Ch. V.,* p. 101).

Si l'insertion des « Spéculations » dans l'œuvre mirlitonesque peut étonner a priori, elle se justifie en ce sens que ces deux genres relèvent du même principe poétique qu'est l'analogie, dont la métaphore n'est qu'une catégorie. Toute chose peut être, sous un certain angle de vue, analogue à une autre; la poésie, nous l'avons vu au chapitre précédent à propos de la machine à décerveler, consiste à mettre en relation des points homothétiques. De la justesse de ces rapports naîtra la surprise, donc le rire, devant la vérité révélée, si nous en croyons Jarry. Celui-ci est toujours resté fidèle à la même conception : « Nous écrivions dans la préface de notre premier livre (*les Minutes,* 1894), que si l'auteur a su déterminer deux points en corrélation absolue (encoche, point de mire), tous les autres, sans nouvel effort de sa part, seront sur la trajectoire » (*Ch. V.,* p. 301). Supposons, image banale, qu'un omnibus est comparé à un pachyderme; on pourra alors le chasser dans la jungle des villes comme un vulgaire éléphant : tel est le sujet de la « Cynégétique de l'omnibus »

---

26. Voir à ce sujet les plans possibles de l'ouvrage prévu dans *la Chandelle verte,* p. 684-685.

(*Ch. V.*, p. 141). Il en sera de même pour un volant, semblable à un oiseau se heurtant au filet d'une raquette (« De quelques animaux nuisibles, le volant », *Ch. V.*, p. 186), pour un noyé que l'on décrira comme un poisson d'une espèce particulière (« Mœurs des noyés », *Ch. V.*, p. 196), pour une gare, identique à une église par le fait qu'on y trouve des troncs ou des distributeurs automatiques (« Les pauvres des gares », *Ch. V.*, p. 213).

Notons qu'ici, comme dans tout phénomène proprement poétique, nous nous trouvons à l'intersection du procès métaphorique et du procès métonymique (pour parler comme Jakobson) en ce sens que l'analogie formelle (métaphore ou similarité) repose souvent sur un jeu verbal (métonymie ou contiguïté). C'est le cas pour « le drapaud » (*Ch. V.*, p. 188) qui résulte du croisement de deux paronymes et de l'assimilation possible du commandement « au drapeau ! » avec une interjection du type « à l'assassin »; d'où un rassemblement de militaires s'efforçant d'atteindre l'emblème patriotique décrit comme un animal de vénerie. En tout état de cause, l'analogie ne peut que se renforcer si l'on utilise, au cours de la narration, des homonymes : le mess des officiers est bien une célébration cultuelle, comme la messe, puisqu'il s'agit d'y adorer un Dieu, un taureau dont on mange la chair. A cet égard, la célèbre « Passion considérée comme course de côte » qui ne figure pas dans le regroupement prévu par Jarry, développe parfaitement le processus indiqué, « car il n'y a que la lettre qui soit littérature » disait-il (*Ch. V.*, p. 230).

C'est ainsi que l'univers mirlitonesque, si délicieusement absurde, paraît d'une extraordinaire légèreté. En fait, il possède sa logique propre, qui n'a rien à voir avec la nôtre. Le principe de non contradiction n'y a pas cours, le langage ne renvoie pas à un signifié unique, l'espace est à deux dimensions, le temps n'y est pas chronologique et les époques, les tons, les genres s'y télescopent. Jarry avait trouvé là le meilleur moyen de « se rire des injures du temps » et de faire pénétrer son œuvre dans l'éternité :

Si l'on veut que l'œuvre d'art devienne éternelle un jour,

> n'est-il pas plus simple en la libérant soi-même des
> lisières du temps, de la faire éternelle tout de suite ?[27]

Le théâtre mirlitonesque représente un aboutissement concret des théories que Jarry soutenait sur le théâtre à partir de la mise en scène d'*Ubu Roi*. Il est une réponse effective aux amateurs qui refusaient de choisir entre théâtre réaliste et symboliste, mais se mettaient d'accord pour dénoncer l'illusion comique — c'est-à-dire celle qui relève du métier de comédien. La solution des marionnettes et du vers de mirliton apparaît comme le seul moyen de résoudre toutes les antinomies théâtrales, tout en suscitant le plaisir créatif du spectateur. On ne saurait dire si Jarry s'est montré précurseur sur ce point, la brève existence du Théâtre des Pantins n'étant pas une preuve suffisante, et des œuvres comme celles de Franc-Nohain ou d'André Ranson, d'ailleurs signalées par Jarry lui-même, constituant un précédent. Il est sûr que les idées de Jarry étaient partagées par bon nombre de ses contemporains. Elles découlent en fait de la réaction idéaliste au théâtre ; on ne s'étonnera pas de les retrouver sous la plume d'un des plus grands rénovateurs de la scène, E.-G. Craig. Celui-ci considère que le jeu de l'acteur ne peut en aucune façon passer pour un Art : victime qu'il est de ses propres passions, enchaîné au texte d'un autre, son corps est impropre à servir d'instrument. Le comédien se contente d'imiter la réalité au lieu de créer ; il lui faudrait pouvoir s'effacer pour enfin atteindre à l'art. Craig lui propose de céder la place à la « Sur-Marionnette » (terme forgé pour distinguer le personnage inanimé des pantins de bois trop galvaudés) :

> Celle-ci ne rivalisera pas avec la vie mais ira au-delà ;
> elle ne figurera pas le corps de chair et d'os, mais le
> corps en état d'extase, et tandis qu'émanera d'elle un
> esprit vivant, elle se revêtira d'une beauté de mort.[28]

27. Alfred Jarry : « Le Temps dans l'art », conférence prononcée en 1901 au Salon des Indépendants, in *la Chandelle verte*, p. 566.

28. Edward Gordon Craig : *De l'art du théâtre*, Paris, Lieutier, 1942 : « L'acteur et la Sur-Marionnette », texte de 1907, p. 68.

Craig songe surtout à retrouver l'origine des marionnettes qui, avant toute idée de spectacle étaient des « idoles à l'image d'un Dieu. » Mais la légende — faite pour être agréable à Jarry — veut que deux femmes, jalouses du miracle que réalisait l'idole, conçurent l'idée de la parodier afin d'être le symbole de ce qu'il y a de divin dans l'homme. C'est pourquoi le metteur en scène anglais reprend, non sans humour, les paroles de la Duse qu'il avait guidée : « Pour que le théâtre soit sauvé, il faut qu'il soit détruit; que tous les acteurs et actrices meurent de la peste... ils rendent l'Art impossible » (Eléonora Duse, *Studies in seven Arts*, Arthur Symons — Constable, 1900). N'est-ce pas la même condamnation radicale qu'on entendra une trentaine d'années après, prononcée par Artaud, co-fondateur du Théâtre Alfred Jarry qui se proposait de contribuer à la ruine du théâtre par des moyens spécifiquement théâtraux ?

7

Dramaturgie et pataphysique

La diversité de l'œuvre jarryque étonne. On ne voit guère le rapport pouvant s'établir entre des ouvrages manifestement symbolistes comme l'*Amour Absolu,* les *Gestes et opinions du Docteur Faustroll* et les cycles ubuesques ou, à plus forte raison, le théâtre mirlitonesque. Devant Jarry, la critique se trouve dans la même position ambiguë qu'à l'égard de Rabelais, embarrassée en outre d'une légende d'originalité qui risque de fausser la vision. On pense alors aux Silènes que ces auteurs révéraient :

> Silènes estoient jadis petites boëtes, telles que voyons de présent ès bouticques des apothicaires, pinctes au-dessus de figures joyeuses et frivoles, comme de harpies, satyres, oysons bridez, lièvres cornuz, canes bestées, boucqs volans, cerfz limonniers et aultres telles pinctures contrefaictes à plaisir pour exciter le monde à rire (quel fut Silène, maistre du bon Bacchus); mais au dedans l'on réservait les fines drogues comme baulme ambre gris, amomon, musc, zivette, pierreries ou aultres choses précieuses... (Prologue de *Gargantua*)

Pour Rabelais, Socrate était à l'image de Silène, que la tradition nous dépeint comme un être fort laid, au ventre très gros, ne se soutenant qu'à peine sur son âne, tant son ivresse était grande et continuelle. Mais sous des dehors si grossièrement matéralistes, il possédait une sagesse révélée seulement sous la menace.

Toutes proportions gardées, Jarry ne nous semble pas très éloigné des portraits de Socrate et de Silène tels que Rabelais les rapporte en son prologue; en font foi son comportement et surtout le sens que l'on peut inférer de l'ensemble de son œuvre, souvent pareille à ces petites boîtes... Comme Socrate incarnant pour Rabelais l'unité du bas et du sublime, de l'esprit et de la matière, de la folie et de la sagesse, Jarry représente cette constante de l'esprit humain qui tend à unifier les contradictions en une seule et fraîche respiration.

En ce sens, son œuvre dramatique constitue une part importante du rituel dionysiaque que les dramaturges contemporains semblent avoir ressuscité. En effet, Silène, Rabelais le rappelle, passe pour avoir élevé Dionysos. Cette brève évocation d'une haute figure de l'antiquité et des origines religieuses ou mystiques du théâtre permettra de confirmer pourquoi Jarry traduisit sous le titre *les Silènes* la pièce de Grabbe qui, mot à mot, s'intitule : « Raillerie, satire, ironie et signification cachée ». C'est que, au-delà des apparences les plus contradictoires, une explication s'impose, et une seule : l'univers est une création ratée. Inutile de se rebeller, d'accuser qui que ce soit et encore moins de se désespérer. Le mieux est d'en prendre son parti et d'observer, d'un œil égal, toute créature. Son attitude devant le monstre est, à ce propos, significative :

> Il est d'usage d'appeler *Monstre* l'accord inaccoutumé d'éléments dissonants : le Centaure, la chimère se définissent ainsi pour qui ne comprend. J'appelle monstre toute originale inépuisable beauté[1].

On remarquera d'ailleurs que l'un des bois anciens (reproduit dans le même numéro de *l'Ymagier*) ayant inspiré cette définition figure un centaure, énorme crapaud à plumes et carapace, pattes arrières palmées, avant griffues, tête d'homme laissant passer de sa bouche un enfant à demi dévoré, tandis qu'à gauche, agenouillé, un homme implore

---

1. Alfred Jarry : *l'Ymagier*, n° 2, janvier 1895, repris dans *Pl.*, p. 372.

sa pitié. Or, cette même composition picturale paraît avoir servi de base à une lithographie de Jarry pour l'affiche d'*Ubu Roi* représentant deux paysans polonais dans la même attitude de supplication devant le monstre qui a pris l'apparence terrestre d'Ubu, par simple translation. La gravure sur bois originale illustre *César Antéchrist,* juste avant l'Acte Terrestre qui est *Ubu Roi.* Il apparaît donc qu'Ubu est le Monstre, source de toute beauté !

Il convient, dans ce chapitre conclusif, de voir quels rapports l'œuvre dramatique entretient avec le reste de l'œuvre jarryque, comment l'univers qu'elle ·représente est régi par les lois de la pataphysique, science de l'unité, et enfin de dire quels sont les fondements psychologiques d'un tel système.

Deux docteurs en pataphysique : Ubu et Faustroll

Abordons ici, ne serait-ce que tangentiellement, la question de la Pataphysique à laquelle plusieurs textes dramatiques font allusion.

Dès sa première publication, dans l'*Echo de Paris* du 28 avril 1893, Jarry annonce, par la voix du Père Ubu, la naissance de cette science nouvelle, héritée, comme le personnage lui-même, des activités lycéennes de Rennes. La carte d'Ubu l'autoclète porte ses titres : « ancien roi de Pologne et d'Aragon, docteur en pataphysique... ». Achras, le savant éleveur de polyèdres, qui s'inquiète de savoir quelle est cette nouvelle profession s'entend répondre :

> M. *Ubu :* Pataphysicien. La pataphysique est une science que nous avons inventée, et dont le besoin se faisait généralement sentir.

Malheureusement, Ubu n'éprouve pas le besoin de mieux définir l'objet, le contenu et les méthodes de ce corps de connaissances. Mais nous verrons, dans la troisième partie de ce *Guignol,* sous-titrée « L'art et la science », qu'il est à la fois une interprétation du monde et un savoir technique. Ubu se flatte en effet de pouvoir supplicier Achras au moyen d'un magnifique pal nickelé « que les esprits dociles à sa science en pataphysique ont fait germer de terre ainsi qu'une lance de glaïeul » (*Pl.*, p. 188). On voit aussitôt combien un tel pouvoir d'invention est mis au service d'un esprit pratique et pervers, orgueilleux au point de supprimer les ouvriers vidangeurs qui blasphèment son image : « Car dans notre Science nous leur substituerons les grands Serpents d'Airain que nous avons créés, Avaleurs de l'Immonde... » (*Pl.* p. 188). Par la même occasion on constate que la pataphysique est inséparable de l'œuvre d'extrême jeunesse, au contenu fécal et fœtal indéniable. Ubu, n'est, en quelque sorte, pas différent de Rouget, le génial inventeur de la pompe à merdre.

Nous avons déjà analysé, au chapitre 5, le fonctionnement du principe d'identité des contraires dans *César Antéchrist,* sans dire exactement en quoi il appartenait à la pataphysique. C'est le Bâton-à-physique (altération phonétique du néologisme ubuesque ?) qui est chargé d'en faire la démonstration. Fasce l'annonce catégoriquement sinon clairement :

> Axiome et principe des contraires identiques, le pataphysicien, cramponné à tes oreilles et à tes ailes rétractiles, poisson volant, est le nain cimier du géant, par-delà les métaphysiques; il est par toi l'Antéchrist et Dieu aussi, cheval de l'Esprit, Moins-en-Plus, Moins-qui-es-Plus, cinématique du zéro restée dans les yeux polyédrique infini. (*Pl.*, p. 290).

Ainsi, quelles que soient ses transformations, Ubu demeure pataphysicien; il use de sa science pour des inventions utiles et merveilleuses. Si cette dernière n'est pas toujours qualifiée de « pataphysique », elle n'en appartient pas moins à la catégorie, comme le prouvent les variantes textuelles. Dans *Ubu Roi*, le Père Ubu entend parler au conseil « d'un petit système que j'ai imaginé pour faire venir le beau temps et conjurer la pluie » (*T.U.*, p. 82); inversement, dans *Ubu Enchaîné*, il déclare : « au moyen de notre science en physique nous avons inventé un dispositif ingénieux pour qu'il pleuve tous les matins à travers le toit, afin de maintenir suffisamment humide la paille de notre cachot » (*T.U.*, p. 293).

Assurément, il ne s'agit encore que d'une science ordinaire, mais à la scène suivante Ubu s'affirme à nouveau « docteur en pataphysique ». C'est que dans l'esprit de Jarry la science nouvelle englobe l'ancienne et la dépasse. Il est donc logique que « pataphysique » se substitue à « physique », le cas échéant, sans modifier le contexte. Ainsi Ubu fatigué de traîner son cheval par la bride, déclare : « nous imaginerons, au moyen de notre *science en physique* et aidé des lumières de nos conseillers, une voiture à vent pour transporter toute l'armée » (*T.U.*, p. 94); assertion qui devient dans *Ubu sur la Butte* : « nous imaginerons, au moyen de notre *science en pataphysique* et aidé des lumières de nos conseillers, une automobile pour traîner notre cheval et une voiture à vent pour transporter toute l'armée » (*T.U.*, p. 479). Des réalisations semblables s'annoncent aussi bien dans *Ubu Cocu* que dans les *Almanachs du Père Ubu* dont une publicité parue dans *la Revue Blanche* affirme qu'un trait nouveau, inutilisé dans *Ubu Roi* et sa contrepartie, apparaît à l'actif du héros « nous parlons de la... « pataphysique » du personnage, plus simplement son assurance à disserter de *omni re scibili*, tantôt avec compétence, aussi volontiers avec absurdité, mais dans ce dernier cas avec une logique d'autant plus irréfutable que c'est celle du fou ou du gâteux » (*T.U.*, p. 392).

Il semblerait donc qu'aux yeux de Jarry, la pataphysique soit consubstantielle à Ubu. Mais en 1897-98, voulant oublier définitivement le gros bonhomme, il la transfère au Docteur Faustroll. Or, nous l'avons vu, Ubu ne se laisse pas facilement mettre à la trappe, il réapparaît investi de sa science, elle-même enrichie par un mode de raisonnement supérieur mis en œuvre, préalablement, par Faustroll.

C'est au livre deuxième des *Gestes et opinions du Docteur Faustroll, pataphysicien,* que se trouvent consignés par René-Isidore Panmuphle, huissier, les « éléments de pataphysique » que chacun doit méditer et gloser pour en-entrevoir la pensée jarryque, singulièrement difficile à suivre dans cet ouvrage, à tel point que le manuscrit porte la mention : « Ce livre ne sera publié intégralement que quand l'auteur aura acquis assez d'expérience pour en savourer toutes les beautés. » On sait qu'il ne parut qu'en 1911.

Avant d'entreprendre à notre tour[2] l'exploration d'une pensée aussi hardie, nous devons faire observer que la définition de la pataphysique présentée en ce chapitre n'est nullement théorique, elle fait partie d'un discours romanesque et néo-scientifique; elle est donc de l'ordre du poétique, et n'est pas séparable de l'ensemble narratif dans lequel elle s'insère. Il faudrait donc étudier les *Gestes et opinions du Docteur Faustroll* et toutes les œuvres de Jarry relevant du même propos (soit « l'intertexte ») pour en rendre compte, ce qui nous éloignerait singulièrement de l'objet de cette étude. En outre, cette définition inséparable du contexte nous est donnée de l'intérieur, en termes relevant de la pataphysique et non de notre vocabulaire scientifique usuel. Pour faire bref, et puisqu'il est impossible de tout dire de la pataphysique qui est Tout, (cf. Faustroll *Pl.,* p. 729), nous en dégagerons six traits essentiels :

1) « La pataphysique [...] est la science de ce qui se surajoute à la métaphysique, soit en elle-même, soit hors d'elle-même, s'étendant aussi loin au-delà de celle-ci que celle-ci au-delà de la physique » (*Pl.,* p. 668). C'est une ultra-science, comme on dit un ultra-son, qui s'érige sur ce qui se prétend science, réflexion ou méditation. La pataphysique englobe à l'infini la physique et la métaphysique.

2) « La pataphysique sera surtout la science du particulier » (*Pl.,* p. 668). Jarry, prenant exemple de l'épiphénomène, suppose (à la suite de divers travaux scientifiques dont il se tenait informé et qui se retrouvent dans les chapitres suivants) qu'il y a un univers supplémentaire au nôtre « que l'on peut voir et que peut-être l'on doit voir à la place du traditionnel » et, par conséquent, qu'il est possible d'édifier une science rendant compte de tous les univers ellipsoïdaux comme l'est le *vrai* où nous vivons. A cet égard, il s'oppose (comme il fit à propos d'*Ubu Roi*) au principe du consentement universel pour valider une investigation scientifique;

---

2. On lira avec profit les gloses antérieures de Roger Shattuck : « A la quête de la Pataphysique active », *Dossiers du Collège de Pataphysique*, n° 13 ; article paru originellement en anglais dans l'*Evergreen Review*, n° 13, et repris en partie dans : Ruy Launoir, *Clefs pour la Pataphysique*, Seghers, 1969, p. 5 - 13, ainsi que les scolies de ce dernier, *ibid.*, p. 12-39.

3) « Définition. — La pataphysique est la science des solutions imaginaires, qui accorde symboliquement aux linéaments les propriétés des objets décrits par leur virtualité » (*Pl.*, p. 669). Par cette formule, science et poésie sont réconciliées. Toute l'œuvre de Jarry en découle pratiquement, comme il apparaît déjà au linteau des *Minutes de Sable mémorial* où il suffit de deux jalons placés par intuition « pour *Tout* décrire [...] et découvrir » (*Pl.*, p. 172). Les spéculations nous semblent en être une application systématique, comme d'ailleurs Ubu, structure virtuelle, ensemble de linéaments que chaque spectateur développe pour son propre compte. Apollinaire en donnera une illustration à sa manière avec la statue en creux du peintre Bleu dans *le Poète assassiné*.

4) La pataphysique opère par inversion du point de vue commun : « Au lieu d'énoncer la loi de la chute des corps vers un centre, que ne préfère-t-on celle de l'ascension du vide vers une périphérie, le vide étant pris pour unité de non-densité, hypothèse beaucoup moins arbitraire que le choix de l'unité concrète de densité positive *eau* ? » (*Pl.*, p. 669).

5) La pataphysique remet en cause le principe d'identité et affirme même que les contraires s'identifient. Ainsi l'exclamation tautologique de Bosse-de-Nage « Ha, Ha », s'orthographiant A A, « c'est la formule du principe d'identité : une chose est elle-même. C'en est en même temps la plus excellente réfutation, car les deux A diffèrent dans l'espace, quand nous les écrivons, sinon dans le temps [...] » (*Pl.*, p. 704). A A énonce tout uniment l'idée de l'unité et celle de dualité « de l'écho, de la distance, de la symétrie, de la grandeur et de la durée, des deux principes du bien et du mal » (*Pl.*, p. 704). Si nous avons retenu ici un aspect de la pataphysique que n'énonce pas Faustroll, c'est que son singe papion, qui l'accompagne en son périple, est inséparable de son discours, comme les répliques des interlocuteurs dans le dialogue socratique.

6) « *Dieu est le point tangent de zéro et de l'infini* » (*Pl.*, p. 734) : cette conclusion de la réflexion du Docteur Faustroll montre bien que la pataphysique est une science incluant la métaphysique et qui, à nos yeux, se rattache en

quelque sorte aux systèmes des philosophes de la Renaissance, celui de Nicolas de Cuse et peut-être plus précisément encore celui de Giordano Bruno tel que le résume Beckett : « Les maxima et minima de contraires particuliers sont identiques et indifférenciés. La chaleur la plus faible équivaut au froid le plus faible. En conséquence, toute transmutation est circulaire. Le principe (minimum) d'un contraire emprunte son mouvement au principe (maximum) d'un autre. Ainsi donc, non seulement les minima coïncident avec les minima et les maxima avec les maxima, mais les minima coïncident avec les maxima dans la série de transmutations. La vitesse maximale est repos. La corruption maximale est identique à la génération minimale : en principe, corruption et génération ne font qu'un. Et tout en dernière analyse[3] assimilé à Dieu, monade universelle ou monade des monades. »

Une dramaturgie pataphysique

Si Ubu, docteur en pataphysique, n'atteint pas les hautes sphères spéculatives de son confrère Faustroll, en revanche, les œuvres où il apparaît, de même que tout le théâtre de Jarry, relèvent des principes énumérés ci-dessus.

Du sentiment de l'unité infinie « où n'entrent ni altérité ni diversité, où l'homme ne diffère pas du lion ni le ciel de la terre, où pourtant toutes choses sont présentes de la façon la plus véritable », comme dit le Cusain, découle chez Jarry une représentation originale de l'espace et du temps, un principe de synthèse qui s'affirme dans son langage et, d'une façon plus générale, dans sa dramaturgie. L'identité des contraires se manifeste, nous l'avons vu en détail, dans la relation qui s'établit d'*Ubu Roi* à *Ubu Enchaîné* et *César Antéchrist*. Toute chose s'identifiant à elle-même et à son contraire, la liberté est l'esclavage, le despotisme l'anarchie, le Christ l'Antéchrist, Ubu est Dieu et son adversaire, le Monstre et le Beau, il est Tout « mais sait-on si Tout est un

3. Samuel Beckett : *Our Exagmination*, Shakespeare et Cº, Paris, 1929, p. 6 ; cité dans David Hayman : « Molloy à la recherche de l'absurde », *Configuration critique*, nº 8, *Beckett*, Lettres Modernes, 1964, p. 141-42.

cristal régulier, ou pas plus vraisemblablement un monstre. »
(*Pl.*, p. 722).

Du cycle ubuesque au théâtre mirlitonesque, la dramaturgie jarryque tend vers la synthèse. Tout d'abord dans
la conception du personnage central, unique ayant plus de
réalité qu'un simple vivant, s'imposant à la conscience universelle chaque soir durant des siècles. Le « personnage un »
monopolise toute l'attention et justifie les déplacements
imaginaires dans le temps et dans l'espace. Tout gravite
autour de lui, il est le pivot, le centre de l'univers dramatique,
univers lui-même avec Ubu, vaste sphère dont le centre est
partout, la circonférence nulle part selon la définition de Dieu
prêtée à la pontife Bacbuc [4]. Dans une telle perspective,
tous les autres personnages, « comparses, il le faut », sont
de simples accessoires, des éléments animés du décor, en
quelque sorte. Nous touchons ici au cœur du problème dramatique. Il faut, pour faire œuvre théâtrale, insuffler la vie à
un personnage, mais il faut le faire en intégrant les facultés
créatrices du spectateur. De nombreux écrivains ont imaginé
des héros avec une telle précision de détails qu'on se dit :
il ne leur manque que la vie. C'est bien là qu'est la difficulté :
plus le personnage sera dépeint, analysé, fouillé, moins il
aura de chances de devenir un type, et encore moins un type
dramatique. On doit, au théâtre plus qu'ailleurs, donner les
éléments de base, les « linéaments » qui susciteront le plaisir
actif de créer, « seul plaisir des Dieux » octroyé aux spectateur. Mais, dira-t-on, au théâtre, c'est Gémier ou Georges
Wilson qui incarne Ubu, alors parlons du comédien, ne parlons
pas du « type » ! L'acteur est en effet l'obstacle majeur au
principe unitaire examiné précédemment, puisque être de
chair, au physique bien défini, il est chargé de représenter
un être virtuel, symbole, abstraction ou idée. L'acteur est en
lui-même la dualité réalité — apparence. Le trait de génie
d'Alfred Jarry est d'avoir eu recours à *l'acteur jouant en
marionnette* pour résoudre cette antinomie (et il a été suivi

---

4. « Allez, amys, en protection de ceste sphère intellectuelle, de laquelle en tous lieulx
est le centre et n'a en lieu aulcun circonférence, que nous appelons Dieu », Rabelais,
Pléiade, p. 888.

sur ce point par tout ce qui se distingue dans le théâtre contemporain). Non pas la marionnette seule qui, dans sa forme classique, qu'elle soit à gaine ou à fil, renforce l'illusion; non pas l'acteur seul qui, quant à lui, entrave l'imagination créatrice, mais un composé des deux, une synthèse, s'adressant à l'adulte pour qu'il retrouve le plaisir de l'enfance, l'âge d'or de la création continue. Si Jarry a dû accepter l'une de ces formes figées et amputées de représentation, c'est qu'il était trop en avance sur son temps.

De la même façon, sa conception du personnage déplaçant le décor avec soi impliquait la révolution scénographique qu'il introduisit. S'opposant au décor naturaliste, simple trompe-l'œil, s'opposant, en fin de compte, au décor utilisé dans les mises en scène symbolistes, trop lourd de significations et imposant une certaine conception de la scène au spectateur, Jarry découvre le décor naïf, « décor parfaitement exact » puiqu'il suggère tous les lieux, toutes les époques de l'action, en une seule vision. Toile hybride et monstrueuse, c'est la synthèse idéale qui permet d'atteindre à l'universel et à l'intemporel. Car le drame est, par définition, sans histoire. Pour éviter toute confusion, l'anachronisme paraît à Jarry le meilleur moyen de situer une œuvre dans l'éternité, la libérant ainsi des lisières du temps. C'est ce que réalise le théâtre mirlitonesque, qui ne nous paraît si léger que parce qu'il se place d'emblée dans « l'éthernité », comme écrivait Jarry.

Pourtant, l'ambition de créer un théâtre « unitaire » selon les principes entrevus risque de rester lettre morte si elle n'est pas servie par un langage adéquat. De même qu'un physique de comédien peut empêcher l'adhésion du spectateur, le langage peut imposer, en dépit des intentions, une interprétation univoque. C'est pourquoi la langue d'Ubu mêle les tons et les styles, tout en gardant un caractère direct.

Ainsi, la place que Jarry assigne à l'amateur de théâtre, au lieu même où les contradictions se fondent et se dépassent, ne nous semble pas très éloignée d' « un certain point de l'esprit d'où la vie et la mort, le réel et l'imaginaire, le passé et le futur, le communicable et l'incommunicable, le haut et le bas cessent d'être perçus contradictoirement », selon la belle formule du deuxième Manifeste du surréalisme.

244

Le principe de l'égalité des contraires informant toute la dramaturgie jarryque s'accompagne d'un corollaire évident : la liberté d'indifférence. Ubu n'a pas plus de raisons de choisir la royauté que l'esclavage. Si Oui = Non, comme le propose Jarry, on récuse en bloc toute logique ; c'est le « démolissons même les ruines » d'*Ubu Enchaîné,* conduisant à la *tabula rasa* cartésienne ou, mieux, Dada. Comme Tristan Tzara nous ne pouvons qu'affirmer : « *Dada* doute de tout. Dada est tatou. Tout est Dada. »[5] On s'interdit par là de prendre parti. Toute chose revêt, comme son contraire, la même valeur d'indifférence. Il importe peu à l'auteur que la pièce soit interprétée au tragique ou au comique. Pour lui, le rire et les larmes ne sont pas dans l'objet considéré mais dans la façon dont on l'envisage. Libre au spectateur de prendre le parti du rire ou de l'émotion tragique ! Quant à l'auteur, imperturbable mais non impassible, il rit peut-être, mais *en dedans*. C'est ainsi que nous imaginons Jarry ou Beckett, comme Vitrac ou Raymond Roussel. L'indifférenciation de l'œuvre nous paraît un trait essentiel du théâtre contemporain, où comique et tragique se fondent.

L'unité des antinomiques entraîne un second corollaire : l'analogie. Si A est à la fois A et non-A, il peut être B, C ou D, etc. Ainsi toutes les interprétations réaliste, symboliste, matérialiste, psychanalytique... des drames jarryques sont acceptables en même temps. Les palotins, serviteurs d'Ubu, qui prolongent extérieurement sa volonté, selon un système de figuration polyplan cher à l'auteur, sont à la fois la trinité phallique, de simples exécutants et le symbole réduit du pal suppliciatoire ; enfin ils peuvent provenir d'un ordre religieux polonais, pour faire couleur locale. De la même façon, la Machine à Décerveler peut représenter toutes les atteintes du cerveau : amnésie, sénilité, démence précoce...[6], aussi bien qu'un instrument de supplice, une cuiller de médecin-

---

5. Tristan Tzara : *Sept manifestes Dada,* Pauvert, 1963, p. 62.

6. Cf. *Les Minutes de Sable mémorial* : « Il y aura des apparitions (sachons moudre nos souvenirs sur la Pathologie du cerveau-mémoire ou volonté — en la Machine à Décerveler de notre mémoire ou de notre oubli, sinon la peur, purgatoriale vertèbre, s'épanouit au crâne de l'enfer) », Pl., p. 236. Allusion certaine à l'ouvrage de Th. Ribot : *Les maladies de la mémoire* que Jarry avait lu.

légiste, ou bien une simple presse d'imprimerie, machine à produire des textes qui font perdre la tête ! Sans parler d'Ubu qui est lui-même le Tout.

L'idée d'universelle analogie est un mode de rêverie éminemment poétique, « dans une ténébreuse et profonde unité ». Transposée sur le plan logique, elle implique le renversement de l'anthropocentrisme. De même que les philosophes de la Renaissance furent poursuivis par l'Eglise qui leur reprochait de détrôner l'homme, de l'évincer du centre de la création, Jarry est taxé d'absurdité parce qu'il inverse le sens des vecteurs, proposant de substituer la loi de l'ascension du vide vers une périphérie à celle de l'attraction terrestre. Ainsi Jarry suggère une nouvelle méthode scientifique qui consiste à prendre systématiquement le contre-pied du point de vue commun. Imaginons qu'un Africain entre à Paris dans un café, qu'il y consomme et reparte sans payer : rien ne nous empêche de considérer que c'est un explorateur s'inspirant des mœurs européennes en Afrique ! On le voit, ce mode de raisonnement est une hygiène mentale.

Placer toute son œuvre sous le signe de l'unité des contraires manifeste sans doute chez Jarry une profonde réflexion, une réaction contre le positivisme et le rationalisme régnants; mais aussi cela témoigne d'une fidélité exceptionnelle à l'esprit d'enfance, lequel se meut naturellement dans un univers libéré des postulats logiques. Les manuels de psychologie enseignent que l'enfant n'est pas capable de synthèse. Jarry s'inscrit en faux contre cette opinion. Il affirme à propos d'*Ubu Roi* : « cette pièce ayant été écrite par un enfant, il convient de signaler, si quelques-uns y prêtent attention, le principe de synthèse que trouve l'enfant créateur en ses professeurs » (*T.U.*, p. 166). Ce n'est pas la pédagogie qui développe une telle faculté : l'enfant atteint la synthèse par la caricature qui fut à l'origine, bien loin dans le temps du type Ubu comme de M. Vieuxbois.

L'enfant apprend par le mimétisme, mais il ne possède de savoir propre que lorsqu'il est capable de distance. C'est pourquoi la parodie, qui parcourt toute la dramaturgie jarryque, n'est pas preuve de débilité mais au contraire garantie du développement spirituel. Comme la parodie, la scatologie, la goinfrerie, la cruauté, la verdeur de langage témoignent que l'esprit d'enfance s'est affirmé en dépit des conventions adultes. Seul l'adulte, se fondant sur une morale antinaturelle, introduit une réprobation hypocrite. Il convient de nuancer notre appréciation : Jarry, il est vrai, n'a rien ajouté au thème fécal dans *Ubu Roi,* mais dès *César Antéchrist* il l'a sublimé en thème sexuel, comme pour retracer l'évolution naturelle du stade oral-anal au stade génital.

L'acquisition des connaissances, l'appropriation du monde s'opèrent, chez le jeune enfant, au travers du langage. L'enfant ne fait pas de différence entre le signifiant et le référent; pour lui, les mots sont des choses et réciproquement. Il est rejoint sur ce point par toute la tradition gnostique, qui tend à unifier le réel et le verbe, fixant l'origine du monde dans une énonciation première. L'enfant crée le monde par la magie de sa parole. C'est là l'origine du principe de *littéralité* que l'on trouve dans le théâtre contemporain, et dont l'œuvre de Jarry fournit maint exemple. Ce principe est à double sens : on prend un cliché au pied de la lettre (avoir le coup de foudre et donc s'évanouir) ou bien, inversement, on crée un vocable (phynance, etc.) auquel on prête une réalité nouvelle.

Mais il est une autre manière de s'emparer du savoir : elle consiste simplement à prendre le discours d'autrui et à l'intégrer au sien : citation ou collage verbal. *Ubu Cocu* nous en fournit un exemple caractéristique pour dépeindre les lésions d'un personnage tombé sur la tête :

> Messieurs, pardon ! demandez à tous les philosophes : « Cette dissolution intellectuelle a pour cause une atrophie qui envahit peu à peu l'écorce du cerveau puis la substance blanche, produisant une dégénérescence graisseuse et athéromateuse des cellules, des tubes et des capillaires de la substance nerveuse ! »

En note, Jarry renvoie à l'ouvrage de Théodule Ribot : *Les Maladies de la mémoire,* p. 93, où se trouve effectivement ce texte. Ce collage est, à notre connaissance, l'un des premiers employés comme tels dans le théâtre moderne.

Outre les manipulations linguistiques analysées dans le

théâtre mirlitonesque et ubuesque (paronomases, contre-pèteries, calembours, lapsus, créations verbales), c'est le rythme et l'intonation qui rendent le mieux compte de la nature particulière du langage enfantin. On prétend que l'intonation si particulière de Jarry, détachant les syllabes sur deux notes, lui serait venue de ses habitudes scolaires, lorsqu'il apprenait ses leçons. Elle était si bien ancrée en lui que le vers de mirliton, qui en est la représentation graphique et sonore, investit toute son œuvre.

En fait, le sentiment de l'unité, d'où découlent les deux corollaires indiqués, et l'esprit d'enfance ne font qu'un. Tous deux revêtent le même caractère incohérent aux yeux de l'homme raisonnable, au point qu'on a longtemps considéré l'enfant comme négligeable, puisqu'il n'avait pas de logique propre, et que la pensée analogique est devenue l'apanage des poètes ou des déments qui, comme chacun sait, n'ont pas de contact avec la réalité. C'est que ce type d'esprit exprime avec sérieux le plaisir du jeu où justement le théâtre et la vie ne font qu'un.

Or, pour Jarry, le théâtre *est* la vie. C'est pourquoi il est devenu si naturellement Ubu dans l'existence, se qualifiant lui-même de pataphysicien (cf. *le Privilège d'Ubu, T.U.,* p. 159). N'allons pas jusqu'à dire :

> Il faut prendre garde aux enfantillages de cette existence. Ses excentricités, ses gageures, le Père Ubu les a voulues exemplaires, leur a conféré une valeur héroïque. La vie de Jarry semble avoir été conduite par une pensée philosophique. Jarry s'est offert en hostie à la dérision et à l'absurdité du monde. Cette vie est une sorte d'épopée humoristique et ironique, qui est poussée jusqu'à la destruction volontaire, bouffonne et minutieuse de soi-même. L'enseignement de Jarry pourrait se résumer ainsi : tout homme peut bafouer la cruauté et la stupidité de l'univers en faisant de sa vie propre un poème d'incohérence et d'absurdité [7].

Mais reconnaissons que l'existence de Jarry témoigne, à tra-

7. Gabriel Brunet : « Alfred Jarry, par Paul Chauveau », *Mercure de France,* 1er février 1933.

vers toutes les anecdotes rapportées sur son compte[8], qu'il ne faisait pas de différence entre l'art et la vie, deux entités considérées généralement comme antinomiques. Ne dit-on pas qu'après avoir tiré (à blanc) sur un peintre dont le physique lui déplaisait, il demanda l'assentiment des amis qui tentèrent de l'éloigner : « N'est-ce pas que c'était beau comme littérature ? » Ainsi il fallait à ses yeux déthéâtraliser le théâtre et rethéâtraliser la vie. Ce que fit, en quelque sorte, André Gide en l'insérant, seul personnage réel et nommément désigné, dans le banquet des Argonautes[9] où il figure sous les traits d'« une sorte de jocrisse étrange, à la face enfarinée, à l'œil de jais, aux cheveux plaqués comme une calotte de moleskine », à la fois apprêté, impassible, prévenant et d'une cruauté perverse.

La dramaturgie jarryque se déroule dans un espace privilégié, selon des lois très précises. C'est celui du mythe, où tout s'énonce et se réalise en un même mouvement. Il n'accepte aucune censure d'ordre social, franchit tous les obstacles concrets. Afin de nous faire pénétrer de plain-pied dans cet univers mythique, (après une phase, inéluctable, de réaction scandalisée), Jarry a voulu un théâtre dépouillé de toute convention réaliste, s'affublant du masque, de la marionnette et du mirliton, prônant l'artificiel pour mieux dissoudre le rationnel. Ainsi parvient-on au véritable plaisir théâtral, celui qui nous amène à retrouver les émotions de l'enfance.

On l'aura compris, le théâtre de Jarry recrée les conditions particulières du jeu, tel que Huizinga l'a défini du point de vue formel :

> une action libre, sentie comme « fictive » et située en dehors de la vie courante, capable néanmoins d'absorber totalement le joueur ; une action dénuée de tout intérêt matériel et de toute utilité ; qui s'accomplit en un temps et dans un espace expressément circonscrits, se déroule avec ordre selon des règles données, et suscite dans la vie des relations de groupes s'entourant volontiers de

8. On en trouvera bon nombre — et souvent les mêmes — dans les ouvrages de Rachilde, Chauveau, Fernand Lot, André Breton, J.-H. Lévesque, André Lebois (cf. Bibliographie).
9. André Gide : Les Faux-Monnayeurs, Livre de poche 1956, p. 369 sqq.

mystère ou accentuant par le déguisement leur étrangeté vis-à-vis du monde habituel.[10]

Quelles que soient les explications fonctionnelles communément admises à l'égard du jeu comme décharge d'énergie, imitation de la réalité, besoin de détente, préparation à la vie adulte, acquisition de la maîtrise de soi, sublimation d'instincts ou de désirs nocifs; il faut admettre avec l'essayiste hollandais que le jeu échappe au domaine rationnel, qu'il n'est pas de l'ordre du sérieux (quoiqu'il y ait du sérieux dans le joueur) et que, d'une certaine manière, il s'apparente au sacré. Sans discuter sur ce point la thèse de Huizinga, nous conviendrons que Jarry s'est efforcé de recréer les conditions de la fête au temps de la Renaissance. Dès lors, son œuvre ne relève pas des jugements de valeur esthétiques (Beau-Laid) ni éthiques (Bien-Mal). Mais Jarry est allé plus loin. Alors que le jeu marque précisément sa frontière avec le réel, la vie active, il a tout fait pour abolir les barrières, par son comportement quotidien. Avec lui, il n'y a pas de limites convenues d'avance; il ne pèse pas ses risques. Il met le jeu dans la vie, et sa vie en jeu. Voilà pourquoi sa création théâtrale a franchi le temps au-delà d'une seule représentation, aussi scandaleuse fût-elle. Inconsciemment, le public a compris qu'il mettait sa conception de l'art en pratique. Alors, ce même public associa dans un seul mythe Ubu et Jarry, sans voir qu'en les rejetant tous deux dans la légende il s'écartait à nouveau du point où le théâtre et la vie fusionnent. Il fallut attendre Antonin Artaud pour qu'à nouveau le théâtre et la vie ne fassent qu'un, dans des conditions tragiques cette fois.

Humour et pataphysique

La pataphysique, avec ses lois propres régit l'univers théâtral et vital de Jarry. Il faut bien considérer qu'avec lui, et peut-être pour la première fois dans notre histoire littéraire, l'auteur est inséparable de son œuvre :

10. Jan Huizinga : *Homo ludens,* Gallimard, 1951, p. 35. On lira la discussion de cet essai dans : Roger Caillois, *L'homme et le sacré,* Gallimard, Idées, 1963, p. 199-213.

La littérature, à partir de Jarry, se déplace dangereusement en terrain miné. L'auteur s'impose en marge de l'œuvre; l'accessoiriste, désolant à souhait, passe et repasse sans cesse devant l'objectif en fumant un cigare; il est impossible de chasser de la maison terminée cet ouvrier qui s'est mis en tête de planter sur elle le drapeau noir.[11]

La pataphysique pose en absolu l'équivalence des antinomiques, ce qui entraîne, pour le témoin, le sentiment qu'on se met à l'écart ou qu'on méprise les réalités de la vie quotidienne. S'agit-il d'humour ? Encore convient-il de s'entendre sur le sens de ce terme que plusieurs enquêtes n'ont pas réussi à définir[12]. A en croire Jacques Vaché qui s'inspire beaucoup d'Ubu, il s'agirait d'« une sensation — j'allais presque dire un *SENS* — aussi — de l'inutilité théâtrale (et sans joie) de tout. »[13] Ceci implique indifférence totale, retrait de l'individu en soi comme en dehors de soi. Cependant, André Breton définissant l'humour noir dont Jarry lui paraît être l'un des plus éminents représentants, se réfère à la théorie freudienne. Pour lui, comme pour le docteur Viennois, l'humour est « *une révolte supérieure de l'esprit* ». En d'autres termes, l'individu ne supportant pas les conditions qui lui sont faites par la société environnante réagit spirituellement. Il ne s'attaque pas par des moyens matériels aux causes de son mal, il refuse tout simplement d'en supporter la souffrance. Freud fournit à cet égard l'exemple célèbre du condamné mené à la potence un lundi et qui s'écrie « Voilà une semaine qui commence bien ! ». L'humour est alors « un processus de défense »[14] par lequel le sujet s'épargne une dépense affective; c'est un élément libérateur sublime et élevé. « Le sublime tient évidemment au triomphe du narcissisme, à l'invulnérabilité du moi qui s'affirme victorieuse-

11. André Breton : *Anthologie de l'humour noir,* Livre de poche, p. 273.
12. Voir en particulier l'enquête de la revue *Aventure* n° 1, novembre 1921, et celle de *la Nef,* janvier 1951.
13. Jacques Vaché : *Lettres de guerre* 29-4-17, K/éditeur, 1949.
14. Sigmund Freud : *Le mot d'esprit et ses rapports avec l'inconscient,* Gallimard, Idées, 1969, p. 362.

ment »[15] . En conclusion, Freud décèle le rôle prépondérant du surmoi à l'origine de l'humour, comme élément régulateur de la vie psychique, assurant la victoire du principe de plaisir sur le principe de réalité.

A bon droit, la pataphysique peut passer pour un refus de prendre en considération la turbulence universelle, mais elle se présente avant tout comme une science, comme la Science, c'est dire que l'inconscient ne saurait la diriger. Voilà un point qui a beaucoup embarrassé les exégètes, à preuve les hésitations de Roger Shattuck. Dans sa thèse, il déclare tout d'abord :

> L'humour de Jarry était quelque chose d'énorme, sans pitié. On doit bien se garder de chercher la vérité psychologique de la satire dans ses écrits. Il ne procédait pas comme Molière, Aristophane ou Mark Twain, chez qui nous trouvons une exagération des caractéristiques humaines habituelles; il abandonna les conventions de la perspective optique. « Cela ne ressemble à rien » disait-il de son œuvre. L'humour de Jarry peut plutôt être considéré comme un refus psychologique de réprimer les images nauséabondes. Il riait et nous invitait à rire devant le comportement le plus monstrueux d'Ubu, non que nous soyons immunisés — en fait, nous sommes mortellement effrayés de la « vérité » d'Ubu — mais parce que c'est un moyen de domestiquer la peur et la douleur. Jarry a supporté la pauvreté, le scandale et la solitude en s'en riant, et l'une des leçons de sa vie est que l'humour offre à la fois une forme de sagesse et un moyen de survie dans un monde menaçant. Cela demande que nous comptions avec les réalités de la nature humaine et du monde sans tomber dans la rage et le désespoir.

Ici, il se réfère précisément à l'analyse de Freud, puis il poursuit :

> L'esprit de blague chez Jarry ne reculait pas devant les questions les plus troublantes qui auraient pu détruire

---

15. S. Freud, *ibid.*, p. 369.

sa personnalité. Il riait du sexe sous forme d'aventures érotiques et il parodiait sans pitié l'Eglise catholique. Sa propre nature sexuelle et la réalité de l'expérience spirituelle sont les deux problèmes qui le hantèrent constamment. La silhouette abjecte d'Ubu et l'absurdité sans limites du Docteur Faustroll témoignent du courage que Jarry avait pour affronter les représentations les plus extrêmes et les plus dénaturées de l'humanité. Nous pouvons tous nous en effrayer, mais il faut une certaine grandeur d'âme pour rire au moment où non seulement la vie, mais l'humanité elle-même est en danger. En danger non seulement à cause du comportement scandaleux de Jarry, mais parce que son attitude est latente en chacun de nous.[16]

Mais lorsqu'il en vient à définir la pataphysique, Shattuck affirme que Jarry fut l'objet d'un contre-sens : « La Pataphysique n'a rien à voir avec l'humour, non plus qu'avec cette espèce de folie apprivoisée, bruyamment mise à la mode par la psychanalyse... »[17]

D'autres auteurs sont encore plus catégoriques, ils refusent de faire figurer Jarry dans quelque anthologie de l'humour que ce soit, puisque l'humour est une simple réaction de défense contre la coercition extérieure, « une naïveté non scientifique, comme l'épicerie », tandis que « la pataphysique ne peut être qu'au-dessus de la défense comme de l'attaque — qu'elle considère du dehors et tout uniment »[18]. Et Maurice Saillet de renchérir dans sa préface à l'édition de *la Chandelle Verte* :

Mettant un terme à cette tradition de badauderie électorale qui fait de l'auteur d'*Ubu Roi* le parangon de l'humour, de la satire, de l'ironie et de toutes les petites lâchetés dont se pare l'esprit de négation pour masquer son propre néant, *la Chandelle verte* démontre, au contraire, que jamais Jarry ne bouffonne ni ne bafoue, et

---

16. Roger Shattuck : *The banquet years,* New York, Vintage books 1968, p. 248-49; traduction H.B.

17. Roger Shattuck : « A la quête de la Pataphysique active », *op. cit.* p. 83.

18. J.-H. Sainmont : « De Minimis », *Cahiers du Collège de Pataphysique*, n° 26-27, p. 32.

qu'il n'est pas de génie plus affirmatif ni plus résolument constructeur que le sien. (*Ch. V.*, p. 12).

Il est vrai que Jarry a refusé le moindre esprit, le moindre caractère de satire à Ubu. Il est exact aussi que l'ensemble *Ubu Roi, Ubu Enchaîné, Ubu Cocu, César Antéchrist*, le théâtre mirlitonesque (dont les *Spéculations*) relèvent intégralement de la Pataphysique qui, nous l'avons vu, est une réflexion très sérieuse sur la connaissance de l'être absolu, des causes de l'univers et des principes premiers de la connaissance. Ne peut-on s'expliquer le contresens (s'il y a lieu) dont font état les auteurs précédents ?

Il semble bien que l'œuvre de Jarry comme son existence présentent certains traits spécifiques de l'humour (sans parler des jeux de mots et calembours qui relèvent de « l'esprit »). Lorsque, dans *Par la taille*, les deux protagonistes ne parviennent pas à se pendre l'un l'autre, d'autant que ce ne serait plus un suicide mais un crime, la pitié que pourrait éprouver le spectateur est épargnée ou détournée; de même pour la représentation par le contraire qui caractérise les *Spéculations* dont Freud dit qu'elle est commune au rêve et à l'esprit; de même enfin quand, sur le point de mourir, Jarry demande un cure-dents. L'affect pénible que nous devrions ressentir dans tous ces cas est sublimé par l'humour. La pataphysique et l'humour ont, sur le plan littéraire du moins, des apparences identiques. Il faut écarter d'emblée ce qui est simple mise cause du raisonnement (comme dans la scène du savetier des *Paralipomènes d'Ubu*) dont Freud se demande s'il s'agit d'un mot d'esprit ou d'un simple sophisme [19]. C'est bien entendu la mise en évidence d'un paradoxe logique; mais, pour le reste, pataphysique et humour dominent les affects pénibles, marquent le triomphe de l'esprit sur la réalité extérieure et ont pour fonction capitale l'acquisition du plaisir.

Leurs différences sont cependant encore plus importantes que leurs points communs. L'humour et le mot d'esprit procèdent d'une élaboration inconsciente, alors que la

---

19. Cf Freud : *Le mot d'esprit, op. cit.*, p. 87.

pataphysique est une opération de l'esprit toujours consciente. D'autre part, celle-ci ne met pas la réalité entre parenthèses, elle ne la nie pas et se contente d'établir que tout a une égale importance, le rêve et la réalité, la lettre et l'esprit, la vie et la mort...

Alors que le mot d'esprit et l'humour plongent dans l'inconscient et trouvent leurs racines dans la petite enfance [20], nous avons montré que la dramaturgie pataphysique recréait l'espace ludique de l'enfance. Il y a donc entre eux la différence du latent au manifeste. L'humour, pour s'expliquer, requiert les bons soins de la psychanalyse, la dramaturgie jarryque ne nécessite aucun révélateur. Elle est manifestation du plaisir pur de l'enfance et ne témoigne d'aucun sentiment de supériorité à l'égard de l'existence commune. Ici le sujet évolue naturellement du rêve à la réalité, qui sont deux vases absolument communicants. On conçoit dès lors que Breton ait pu s'écrier : « C'est peut-être l'enfance qui approche le plus de la *vraie vie*. [21] »

La pataphysique, en dépit de certaines apparences, n'est donc pas humour, mais esprit d'enfance. C'est particulièrement le cas pour *Ubu Roi,* œuvre créée par des enfants et transmise par Jarry, mais aussi pour toute son œuvre dramatique, qui fonctionne selon les mêmes principes. Il reste à savoir pourquoi cet esprit d'enfance a pu se faire jour après 1890 par l'intermédiaire de Jarry uniquement. La réponse à cette question relève de l'histoire des idées plus que de l'étude littéraire et dramaturgique. Il faudrait, pour cela, faire état des conditions sociales environnantes, de la nature, des formes et des moyens de la pédagogie en usage à l'époque, analyser les constantes psychologiques et sentimentales de l'auteur lui-même. Au demeurant, Jarry participe d'un mouvement collectif très profond, renouant avec les époques anciennes, par-delà les siècles de rationalisme triomphant. Ce n'est pas un hasard si, en une vingtaine d'années, se succèdent les travaux de Hartmann, Bergson et Freud qui porteront leur attention sur l'intuition, la spontanéité, le rêve,

---

20. Cf. Freud : *Le mot d'esprit, op. cit.,* p. 261.
21. A. Breton : *Manifeste du surréalisme,* Gallimard, Collection Idées, 1963, p. 55.

l'enfance; ceux de Durkheim, de Lévy-Bruhl et de l'école française de sociologie qui, peu après, étudieront le fonctionnement de la pensée pré-logique. Conjointement, des esprits scientifiques comme Lord Kelvin, Max Planck, Einstein, sans renoncer à la raison, vont relativiser les doctrines les mieux établies; après eux, on ne se hasardera plus à marquer d'un trait net la frontière entre l'idéal et le naturel, le domaine du jeu et celui du sérieux. Autant que par le mouvement spirituel de son temps, Jarry a été marqué par le mouvement poétique. Avec les symbolistes il secoue les chaînes de la raison perpétuées par un système d'éducation figé. Après Rimbaud et Lautréamont, il fait l'expérience de l'inconnu, il se fait voleur de feu. Toute son œuvre affirme avec Baudelaire : « Le génie, c'est l'enfance retrouvée à volonté. »

Bibliographie

Manuels de bibliographie

H. Thième, *Bibliographie de la littérature française de 1800 à 1930*, Droz, 1933.

S. Dreher et M. Rolli, *Bibliographie de la littérature française de 1900 à 1939*, Lille, Giard; Genève, Droz, 1948.
Prend la suite de Thième.

M. Drevet, *Bibliographie de la littérature française*; complément à la bibliographie de Thieme, Lille, Giard, 1940-1949; Genève, Droz, 1954.

H. Talvart et J. Place, *Bibliographie des auteurs modernes de langue française (1801-1927)*, Ed. de la Chronique des Lettres françaises.

O. Klapp, *Bibliographie der französischen Literaturwissenschaft*, Francfort sur le Main, Klostermann, 1960-1965.

Alden et coll., *French VII Bibliography, critical and biographical references for the study of XXth Century French*.

R. Rancœur, *Bibliographie de la littérature française du Moyen Age à nos jours*, Armand Colin.

Œuvres d'Alfred Jarry

1893

« Guignol », *l'Echo de Paris,* mensuel illustré, 28 avril 1893.

« La régularité de la châsse », *l'Echo de Paris,* mensuel illustré, 23 mai 1893.

« Lieds funèbres », *ibid.,* 18 juin 1893.

« Berceuse pour endormir le mort », *l'Art littéraire,* n° 13, décembre 1893.

1894

« Ames solitaires », *l'Art littéraire,* n° 12, janvier-février 1894, p. 21-15.

« *Fusains,* poésies par Jean Volane », *ibid.,* p. 30.

« Compte-rendu d'une conférence de Gabriel Randon », *ibid.,* p. 31-32.

« Etre et vivre », *l'Art littéraire,* n° 3-4, mars-avril 1894, p. 37-41.

« Compte-rendu de *Plusieurs choses* de Paul Fort », *ibid.,* p. 61.

« Minutes d'art [I] », *les Essais d'Art libre,* février-mars-avril 1894, p. 40-42.

« Minutes d'art [II] », *l'Art littéraire,* n° 3-4, mars-avril 1894, p. 56-59.

a - « Visions actuelles et futures », *l'Art littéraire,* n° 5-6, mai-juin 1894, p. 77-82.

b - *Visions actuelles et futures. Prolégomènes de Sa Magnificence le Vice-créateur-fondateur du Collège de Pataphysique,* Paris, Collège de Pataphysique, 1950, 32 p.

« Théâtre de l'Œuvre : *Solness le constructeur* », *ibid,* p. 85-86.

« *Le Cycle* par Albert Trachsel », *ibid,* p. 93-94.

« Minutes d'art [III] », *ibid.,* p. 89-91.

« Les indépendants », *les Essais d'Art libre,* juin-juillet 1894, p. 124-125.

« Phonographe », *ibid.,* p. 106-109.

« Haldernablou », *Mercure de France,* juillet 1894, p. 213-228.

« César-Antéchrist, Acte unique » [deviendra l'Acte Prologal], *l'Art littéraire,* n° 7-8, juillet-août 1894, p. 98-108.

« Filiger », *Mercure de France,* n° 57, septembre 1894, p. 73-77.

« Les Minutes de sable mémorial, Prose, Saint Pierre parle », *l'Art littéraire,* n° 9-10, septembre-octobre 1894, p. 136-138.

a - *Les Minutes de sable mémorial,* Mercure de France, 1894,
   IX, 210 p.

b - *Les Minutes de sable mémorial* suivies de *César Antéchrist,* Fasquelle, 1932, 263 p.

« La passion », *l'Ymagier,* n° 1, octobre 1894, p. 11-16.

« Tête de martyr », *ibid.,* p. 42.

« Le XIe monstre », *Mercure de France,* n° 60, décembre
1894, p. 372-373.

1895

« Les monstres », *l'Ymagier,* n° 2, janvier 1895, p. 73-78.

« César-Antéchrist, l'Acte héraldique », *Mercure de France,*
mars 1895, p. 304.

« La vierge et l'enfant », *l'Ymagier,* n° 3, avril 1895, p. 151-
154.

« La passion des clous du Seigneur », *l'Ymagier,* n° 4, juillet 1895, p. 219-227.

« César-Antéchrist, l'Acte terrestre », *Mercure de France,*
septembre 1895, p. 281.

César-Antéchrist, Ed. du Mercure de France, 1895, 153 p.
153 p.

1896

« Premier son de la messe », *Perhinderion,* n° 1, mars 1896.

« Ubu roi », *le Livre d'Art,* n° 2, n° 3, avril-mai 1896.

« Augustin Léger », *Mercure de France,* mai 1896.

a - « Le Vieux de la Montagne », *la Revue Blanche,* 1er mai
   1896, p. 401.

b - *Le Vieux de la Montagne,* préface de Raymond Queneau, Genève, Ed. Connaître, 1957, 21 p.

« Considérations pour servir à l'intelligence de la précédente
image », *Perhinderion,* n° 2, juin 1896.

a - *Ubu Roi,* drame en cinq actes en prose, restitué en son
   intégrité tel qu'il a été représenté par les marionnettes
   du Théâtre des Phynances en 1888; Ed. du Mercure de
   France, 1896, 172 p.

b - *Ubu Roi,* avec la musique de Claude Terrasse, Ed. du
   Mercure de France, 1897; édition autographique repro-
   duisant le fac-similé du manuscrit , 175 p.

c - *Ubu Roi,* drame en cinq actes, d'après les éditions publiées du vivant de l'auteur et les documents icono-bio-bibliographiques qui s'y rapportent, avec les croquis de l'auteur; préface de Jean Saltas, Fasquelle, 1921, 192 p.

d - *Ubu Roi,* avec 25 lithographies originales en couleurs et 10 bois par Edmond Heuzé, Marcel Sautier, 1947, 142 p.

e - *Ubu Roi* ou Les Polonais (Avec 14 images de Paul Marionnet, Ubu enchaîné et Les Paralipomènes d'Ubu; préface de J.-H. Sainmont), Paris, Le Club français du livre, 1950, XIX, 293 p.

f - *Ubu Roi,* drame en 5 actes, avec 20 dessins originaux d'André François, Paris, Le Club du meilleur livre, 1958, 194 p.

g - *Ubu Roi,* suivi de Ubu enchaîné, préface de Claude Bonnefoy, Paris, Livre club du libraire, 1965, 240 p. ill.

h - *Ubu Roi,* Ubu enchaîné, Les Paralipomènes d'Ubu, Paris Club français du livre, 1966, 281 p. ill.

i - *Ubu Roi,* Lithographies originales de Joan Miro, Paris, Tériade, 1966, 137 p. pl. en coul.

« De l'inutilité du théâtre au théâtre », *Mercure de France,* septembre 1896, p. 467.

a - « L'autre Alceste », *la Revue Blanche,* 15 octobre 1896, nº 81, p. 369.

b - *L'autre Alceste,* commenté par Maurice Saillet, *Fontaine,* 1947, 49 p.

« Les Paralipomènes d'Ubu », *la Revue Blanche,* 1er décembre 1896, nº 84, p. 489.

[autre présentation d'Ubu Roi] a - *La Critique,* décembre 1896.

b - *La Phalange,* 15 novembre 1907.

1897

« Réponse à l'enquête sur l'Académie », *Mercure de France,* janvier 1896.

« Questions de théâtre », *la Revue Blanche,* nº 86, 1er janvier 1896, p. 16.

Discours d'Alfred Jarry pour la première d'*Ubu Roi :*

a - *Mercure de France,* janvier 1897, p. 217-219.

b - *Vers et prose,* avril-mai-juin 1910, p. 68-69.

a - *Les jours et les nuits,* roman d'un déserteur, Ed. du Mercure de France, 1897, 279 p.

b - *Les jours et les nuits, roman d'un déserteur;* suivi d'une note sur l'ethnographie d'un peuple étranger à la Chine [par Maurice Saillet]. Paris, Mercure de France, 1964, 231 p.

« Théâtre de l'Odéon : *Don Juan en Flandre* », *la Plume* n° 199, 1er août 1897, p. 535.

Réponse à l'enquête sur l'Alsace-Lorraine, *Mercure de France,* décembre 1897.

1898

« La peur chez l'amour », *la Revue Blanche,* n° 177, 15 avril 1898, p. 577-581.

a - *L'Amour en visites,* P. Fort, 1898, 220 p., ill.

b - *L'Amour en visites,* Préface de Louis Perceau, Au Cabinet du Livre, 1927, 197 p., ill.

« Gestes et opinions du Docteur Faustroll », *Mercure de France,* mai 1897, p. 390-421 [chapitres VI à XXV de l'ouvrage].

Almanach du Père Ubu, illustré, janvier-février-mars 1899.

1899

a - « Commentaire pour servir à la construction pratique de la machine à explorer le temps », *Mercure de France,* n° 110, février 1899, p. 387-396.

b - Collège de Pataphysique, 1951.

a - *L'Amour absolu,* roman, Mercure de France, 1899, [fac-similé autographe].

b - *L'Amour absolu,* Les Marges, 1932, 156 p. (souvenirs du docteur Saltas et notes de Charlotte Jarry).

c - *L'Amour absolu* suivi de *l'Autre Alceste;* préface de Maurice Saillet, Mercure de France, 1952, 127 p.

1900

a - *Ubu Enchaîné,* précédé d'*Ubu Roi,* Ed. de là Revue Blanche, 1900, 248 p.

b - *Ubu Enchaîné* suivi d'*Ubu sur la Butte,* des Paralipomènes
et d'essais sur le théâtre, préface de Jean Saltas, Fasquelle, 1938, IX, 185 p.

« Les Silènes » de C.D. Grabbe, trad. Alfred Jarry, *la Revue
Blanche,* janvier 1900, p. 5 à 15.

« Messaline », *la Revue Blanche,* du 1er juillet au 15 septembre 1900.

1901

Messaline, roman de l'ancienne Rome, Ed. de la Revue
Blanche, 1901, 235 p.

a - *Almanach illustré du Père Ubu* (XXe siècle), 1er janvier
1901, A. Vollard.

b - *Almanach illustré du Père Ubu* (XXe siècle), Lausanne,
Ed. du Grand Chêne, 1949, 62 p.

« Spéculations », *la Revue Blanche,* du 1er janvier au 15
décembre 1901.

« Gestes », *la Revue Blanche,* du 15 décembre 1901 au 15
décembre 1902.

a - *Olalla,* traduit de R.-L. Stevenson.

b - *Olalla,* nouvelle de R.-L. Stevenson, traduite par Alfred
Jarry, précédée de ses XII arguments sur le théâtre et
trois fantaisies parisiennes; note liminaire de Maurice
Saillet, Collège de Pataphysique, 1959, 59 p., ill.

1902

a - *Le Surmâle,* roman moderne, *Ed. de la Revue Blanche,*
1902, 253 p.

b - *Le Surmâle,* roman moderne, *Fasquelle,* 1945, 173 p.

c - *Le Surmâle,* 19 pointes sèches originales de Roger Vale-
rio, P.-A. Chavanne, 1948, 209 p.

d - *Le Surmâle,* roman moderne, illustrations de Tim, Club
français du Livre, 1963, 272 p. ill.

« Le Journal d'Alfred Jarry », *la Renaissance latine,* 15 no-
vembre-15 décembre 1902.

1903

« Le périple dans la littérature et l'art », *la Plume,* du 1er janvier 1903 au 15 janvier 1904.

« Poèmes », *la Revue Blanche,* 15 février 1903, n° 233, p. 282.

« La Bataille de Morsang », *la Revue Blanche,* n° 236, 1er avril 1903, p. 481.

« Poèmes », *la Revue Blanche,* n° 237, 15 avril 1903, p. 587.

a - L'Objet Aimé », *Festin d'Esope,* décembre 1903 [partiel].

b - L'Objet Aimé », *Quatre vents,* n° 1, 1945 [partiel].

c - « L'Objet Aimé », *Poésia* (Milan), n° 11-12, décembre-janvier 1908-1909 (intégral).

d - L'Objet Aimé », *Fantasio,* 1er août 1909, p. 13-16 [texte intégral].

e - *L'Objet Aimé ,* pastorale en un acte, note liminaire de Roger Shattuck. *Arcanes,* 1953, 67 p.

f - « L'Objet Aimé », *Paris-Théâtre,* n° 240, 1967, p. 22-33.

1904

« Le 14 juillet », *Le Figaro,* 14 juillet 1904.

1906

a - *Par la taille. Un acte comique et moral en prose et en vers pour esjouir grands et petits,* E. Sansot, 1906, 35 p.

b - *Par la taille : Paris-théâtre,* n° 240, 1967, p. 35-42.

« Omne viro soli », *Vers et prose,* 25 avril 1906, p. 66-76.

Ubu sur la Butte. Réduction en deux actes d'*Ubu Roi,* E. Sansot, 1906, 63 p.

1907

Albert Samain (Souvenirs), Victor Lemasle, 1907, 29 p.

Le Moutardier du Pape, opérette-bouffe en trois actes, ornée d'un portrait de l'auteur par F.-A. Cazals et de vignettes de Paul Ranson ; s.-l. 1907, 124 p.

1908

La Papesse Jeanne, roman d'Emmanuel Rhoïdès, traduit du grec moderne par Alfred Jarry et Jean Saltas, E. Fasquelle, 1908, 302 p.

Posthumes

Alfred Jarry et Eugène Demolder : *Pantagruel*, opérette-bouffe en cinq actes et six tableaux, musique de Claude Terrasse, Société d'éditions musicales, 1911, 92 p.

a - *Gestes et opinions du Docteur Faustroll, pataphysicien.* Roman néo-scientifique, suivi de Spéculations, Fasquelle, 1911, 324 p.

b - *Le Docteur Faustroll,* Stock, s.d., [1920], 128 p.

c - *Gestes et opinions du Docteur Faustroll,* préface de P. Soupault, Stock, 1923, 125 p.; portrait par Picasso.

d - *Gestes et opinions du Docteur Faustroll,* Fasquelle, 1955, 159 p.

La Ballade du vieux marin, d'après S.-T. Coleridge, avec 7 bandeaux, 1 cul de lampe, dessinés et gravés par A. Deslignères, Ronald Davis, 1921, 32 ff.

Gestes, suivis des Paralipomènes d'Ubu, Ed. du Sagittaire, S. Kra, 1921, 160 p.

Les Silènes, avec un frontispice gravé à l'eau-forte, Papeete, les Bibliophiles créoles, s.d. [1926], 68 p.

La Dragonne, roman. Préface de Jean Saltas, Gallimard, 1943, 182 p.

Ubu Cocu, restitué en son intégrité tel qu'il a été représenté par les marionnettes du théâtre des Phynances. Cinq actes, Genève, Ed. des Trois collines, 1944.

a - « Compléments aux Minutes de sable mémorial », *Mercure de France,* décembre 1948, p. 591-610, janvier 1949, p. 5-18, présentation de Maurice Saillet.

b - *La Revanche de la nuit,* poèmes retrouvés, édition critique établie par Maurice Saillet, Ed. du *Mercure de France,* 1949, 96 p. (même texte qu'en a).

Œuvres complètes (8 volumes). t. I : *l'Amour absolu, l'Amour en visites, gestes et opinions du Docteur Faustroll;* t. II : *la Papesse Jeanne;* t. III : *Messaline, le Surmâle;* t. IV : *Ubu Roi, Ubu Enchaîné, les Paralipomènes d'Ubu,* questions de théâtre, *les Minutes de Sable mémorial, César-Antéchrist, les Poésies, le Dit du vieux Marin, l'Autre Alceste,* dessins de Pierre Bonnard; t. V : *la Dragonne, les Jours et les nuits;* t. VI : *le Moutardier du Pape, Pantagruel, Ubu sur la Butte, Par la taille, les*

Silènes, Spéculations; t. VII : Spéculations, gestes, critiques, articles et correspondance, bibliographie; t. VIII : Reproduction de l'*Imagier* et *Perhinderion,* Almanachs du Père Ubu. Monte-Carlo, Lausanne, Henri Kaeser, 1948.

Guignol, opuscule illustré par Guastalla, préface de Jean Saltas.

L'Autoclète, édité par les mêmes; 1949.

Les Alcoolisés, opéra chimique : [Avertissement de J.-H. Sainmont; Dessin de l'auteur], Paris, Collège de Pataphysique, 1952, 23 p. ill.

Les Nouveaux timbres, Paris, Collège de Pataphysique, [1952], 33 p.

L'ouverture de la pêche, comédie en 5 scènes et 5 tableaux. Postface de J.-H. Sainmont, Paris, Collège de Pataphysique, 1953, 12 p.

Le Futur malgré lui, Paris, Collège de Pataphysique, 1954, 10 p.

Tatane, note signée par J.-M. (Jean Mauvoisin), dessins de l'auteur et de Pierre Bonnard, Paris, Collège de Pataphysique, 1954, 25 p.

Soleil de printemps, par Pierre Bonnard et Alfred Jarry, Paris, Collège de Pataphysique, 1957, 23 p.

Le Temps dans l'art, conférence prononcée par Alfred Jarry au Salon des Indépendants en 1901, Paris, Collège de Pataphysique, 1958, 16 p.

Ubu. Texte des représentations du T.N.P., l'Arche, 1958, 76 p.

Le Vieux de la Montagne, cinq actes schématiques, préface de Raymond Queneau, Genève, Ed. Connaître, 1958.

Ubu Roi, Ubu Enchaîné, les Paralipomènes d'Ubu, questions de théâtre, les Minutes de sable mémorial, César-Antéchrist, Poésies, l'Autre Alceste, préface de René Massat, illustré de gravures sur bois de Jarry, Ed. du Grand Chêne, Lausanne, 1959.

Tout Ubu, [*Ubu Roi, Ubu Cocu, Ubu Enchaîné, Almanachs du Père Ubu, Ubu sur la butte* avec leurs prolégomènes et paralipomènes], édition établie par Maurice Saillet, Le Livre de poche, 1962, 502 p.

Saint-Brieuc des Choux, poésies tirées d'*Ontogénie,* Mercure de France, 1964.

L'Amour absolu précédé de *Le Vieux de la Montagne* et de *l'Autre Alceste,* gloses de Raymond Queneau, Louis Fieu, J.-H. Sainmont et Maurice Saillet, Paris, Mercure de France, 1964, 219 p.

Ubu, Marseille, Théâtre Universitaire de Marseille, 1964, 56 p.

Les Antliaclastes (2ᵉ version), Paris, Collège de Pataphysique, 1964, 29 p.

Album de l'Antlium (ou pompe à merdre), textes et dessins de Jarry enfant, 1886 ⌊Les Antliaclastes. Bidasse et compagnie⌋, Paris, Collège de Pataphysique, 1965, 44 p. ill.

La Chandelle verte, lumières sur les choses de ce temps, dessins de Pierre Bonnard, édition établie et présentée par Maurice Saillet, Le Livre de Poche, 1969, 696 p.

Œuvres complètes I : textes établis, présentés et annotés par Michel Arrivé, Gallimard, 1972, Bibliothèque de la Pléiade, 1317 p.; ce volume contient l'essentiel des textes qui intéressent la présente étude, soit : *Ontogénie, les Minutes de sable mémorial, la Revanche de la nuit, César-Antéchrist, Ubu Roi, Ubu Enchaîné, Ubu Cocu* (« les Paralipomènes d'Ubu », « Onésime ou les Tribulations de Priou »,« Ubu cocu ou l'Archéoptéryx »), *Almanachs du Père Ubu, Ubu sur la Butte, Gestes et opinions du Docteur Faustroll, pataphysicien, les Jours et les nuits, l'Amour en visites, l'Autre Alceste, l'Amour absolu, l'Ymagier, Perhinderion,* textes critiques et correspondance jusqu'en 1899.

N.B. Nous n'avons pas repris ici le détail des articles publiés par Jarry dans *la Revue Blanche, la Plume, le Canard sauvage,* etc., recueillis dans *la Chandelle verte.*

Etudes sur le mouvement symboliste

E. Raynaud, *La mêlée symboliste,* Nizet, 1971, 570 p.

G. Michaud, *Message poétique du symbolisme,* Nizet.

M. Décaudin, *La Crise des valeurs symbolistes, vingt ans de poésie française,* 1895-1914, Toulouse, Privat, 1960.

R. Shattuck, *The banquet years, the origins of the avant-garde in France, 1885 to World war I,* New York, Vintage Books, 1968, 400 p. (revised edition).

Sur le théâtre

D. Knowles, *La Réaction idéaliste au théâtre depuis 1890,* Genève Droz, 1934, 558 p.

J. Robichez, *Le Symbolisme au théâtre* (Lugné-Poe et les débuts de l'Œuvre), L'Arche, 1957, 568 p.

D. Bablet, *Esthétique générale du décor de théâtre de 1870 à 1914,* Ed. du C.N.R.S., 1965, XVIII, 445 p. 48 pl. ht.

F. Pruner, *Les luttes d'Antoine au Théâtre Libre I,* Minard, 1964, 443 p.

Ouvrages cités en référence

A. Aderer, *le Théâtre à côté,* préface de F. Sarcey. Librairies Imprimeries réunies, 1894, 269 p.

Alain, *Préliminaires à l'esthétique,* Gallimard, 1939, 306 p.

M. Arrivé, *Peintures, gravures et dessins d'Alfred Jarry,* préface et commentaire des œuvres par Michel Arrivé. Collège de Pataphysique et Cercle français du Livre, 1968, 128 p.

— *Les langages de Jarry,* thèse pour le doctorat d'état, dactylographiée (Sorbonne W, 1970 81 4e).

H. Béhar, *Etudes sur le théâtre dada et surréaliste,* Gallimard, 1967, coll. « Les Essais », CXXXI, 358 p.

— *Roger Vitrac, un réprouvé du surréalisme,* Nizet, 1966, 330 p.

M. Benedikt et G.E. Wellwarth : *The avant-garde, dada and surrealism modern french theatre, an anthology of plays* (edited and translated by), New-York, Dutton and C°, 1964, XXXV, p. 406 p.

R.D. Bensky, *Structures textuelles de la marionnette de langue française*, Nizet, 1969, 219 p.

H. Bergson, *Le Rire, essai sur la signification du comique*, Presses universitaires de France, 1967 (233ᵉ éd.), 160 p.

A. Breton, *Manifestes du surréalisme*, Gallimard, coll. Idées, 1963, 190 p.

— *Anthologie de l'humour noir*, Livre de poche, 1970, 448 p.

— *Perspective cavalière*, texte établi par Marguerite Bonnet, Gallimard, 1970, 244 p.

R. Caillois, *L'Homme et le sacré*, éd. augmentée de trois appendices sur le sexe, le jeu, la guerre dans leurs rapports avec le sacré, Gallimard, coll. « Idées », 1963, 246 p.

L. Carroll, *Alice au pays des merveilles* et *Ce qu'Alice trouva de l'autre côté du miroir*, traduction de Jacques Papy, Pauvert, 1961, 457 p.

C. Chassé, *Sous le masque d'Alfred Jarry (?). Les sources d'Ubu Roi*, Paris, H. Floury, 1921, 96 p.

— *Dans les coulisses de la gloire : d'Ubu Roi au Douanier Rousseau*, Ed. de la *Nouvelle Revue critique*, 1947, 184 p.

Reprend le texte de *Sous le masque...*, en y ajoutant quelques articles et notes complémentaires.

P. Chauveau. *Alfred Jarry ou la Naissance, la Vie et la Mort du Père Ubu avec leurs portraits*, Mercure de France, 1932, 238 p.

E.G. Craig, *De l'art du théâtre*, O. Lieutier, 1942, 200 p.

J.M. Domenach, *Le Retour du tragique*, Le Seuil, 1967, 303 p.

M. Esslin, *Le Théâtre de l'absurde*, traduit de l'anglais par Marguerite Buchet, Francine Del Pierre, France Franck, Buchet-Chastel, 1963, 456 p.

P. Fort, *Mes mémoires, toute la vie d'un poète*, 1872-1944, Flammarion, 1944, 234 p.

A. France, *La vie littéraire*, Calmann-Lévy, 1899, tome II : « Les marionnettes de M. Signoret » p. 144-150, tome III « M. Maurice Bouchor et l'histoire de Tobie », p. 218-232.

S. Freud, *Le mot d'esprit et ses rapports avec l'inconscient*, traduit de l'allemand par Marie Bonaparte et le docteur

M. Nathan, Gallimard, 1969, coll. « Idées », 378 p.

R. Garapon, *La fantaisie verbale et le comique dans le théâtre français du Moyen Age à la fin du XVIIᵉ siècle*, Armand Colin, 1957, 368 p.

H. Ghéon, *Dramaturgie d'hier et de demain.* Lyon, Emmanuel Vitte, 1963, 184 p.

A. Gide, *Les Faux-Monnayeurs,* le Livre de poche, 1956, 499 p.

R. de Gourmont, *Le Joujou patriotisme,* suivi de *la Fête nationale;* introduction et notes de J.P. Rioux; J.J. Pauvert coll. « Liberté », 1967, 128 p.

C.-D. Grabbe, *Raillerie, satire, ironie et signification crachée,* traduit de l'allemand par Robert Valançay, *Fontaine,* 1946, coll. « L'Age d'Or », 142 p.

A. J. Greimas, *Sémantique structurale,* Larousse, 1966, 263 p.

G. Hanoteau, *Ces nuits qui ont fait Paris, un demi-siècle de théâtre,* d'« Ubu Roi » à « Huis Clos », Fayard, 1971, 678 p.

J. Huizinga, *Homo Ludens, essai sur la fonction sociale du jeu,* traduit du néerlandais par Cécile Seresia, Gallimard, coll. « Essais », XLVII, 1951, 344 p.

E. Ionesco, *Notes et contre notes,* Gallimard, 1966, coll. « Idées », 378 p.

P. Jacopin, *L'originalité du langage théâtral dans Ubu Roi,* D.E.S. 1966-67, 104 ff. dactylographiées, Institut d'Etudes Théâtrales, cote D111.

R. Jakobson, *Essais de linguistique générale,* traduit de l'anglais et préfacé par Nicolas Ruwet, Editions de Minuit, coll. « Points », 1970, 258 p.

M. Jean et A. Mezeï, *Genèse de la pensée contemporaine dans la littérature française.* Corrêa, 1950, 232 p.

M. Jean, *Histoire de la peinture surréaliste,* Le Seuil, 1959, 382 p.

J. Kott, *Shakespeare, notre contemporain,* traduit du polonais par Anna Posner, Verviers, Marabout Université, 1965, 398 p.

P. Larthomas, *Le langage dramatique, sa nature, ses procédés,* A. Colin, 1972, 480 p.

R. Launoir, *Clefs pour la Pataphysique*, Seghers, 1969, 185 p.

A. Lebois, *Alfred Jarry l'irremplaçable*, le Cercle du Livre, 1950, 233 p.

F. Lot, *Alfred Jarry, son œuvre*, Ed. de la Nouvelle revue critique, 1934, 80 p.

Lugné-Poe, *La Parade*, tome II : *Acrobaties*, souvenirs et impressions de théâtre (1894-1902), Gallimard, 1931, 292 p.

E. Maindron, *Marionnettes et guignols . Les poupées agissantes et parlantes à travers les âges.* Félix Juven, 1900, 382 p.

J. Morienval, *De Pathelin à Ubu : le bilan des types littéraires*, Bloud et Gay, 1929, 287 p.

G. Mounin, *Introduction à la sémiologie*, Ed. de Minuit, coll. « le Sens commun », 1970, 244 p.

L. Perche, *Alfred Jarry*, Ed. universitaires « Classiques du XXᵉ siècle », 1965, 128 p.

Platon, *La République*, traduction d'Emile Chambry, Gonthier, coll. « Médiations », 1966, 366 p.

L. C. Pronko, *Théâtre d'avant-garde, Beckett, Ionesco et le théâtre expérimental en France*, traduit de l'américain par Marie-Jeanne Lefèvre, Denoël, 1963, 272 p.

V. Propp, *Morphologie du conte*, suivi de : Les transformations des contes merveilleux..., traduit par Marguerite Derrida, Tzvetan Todorov et Claude Kahn, Le Seuil, 1970, 256 p.

F. Rabelais, *Œuvres complètes,* Gallimard, Bibliothèque de la Pléiade.

Rachilde, *Théâtre*, avec un dessin de Paul Gauguin et une préface de l'auteur (Madame la Mort, le Vendeur de Soleil, la Voix du sang,), Paris, A. Savine, 1891, 295 p.

— *Alfred Jarry ou le Surmâle de Lettres*, orné d'un portrait par Cazals, Bernard Grasset, 1928, 226 p.

J. Renard, *Journal* (1887-1910), Gallimard, la Pléiade, 1960, 1414 p.

T. Ribot, *Les Maladies de la mémoire*, Alcan, 1889, 169 p., 1re édit. 1881.

H. Rousseau, *La vengeance d'une orpheline russe*, drame en

cinq actes et dix-neuf tableaux, avec deux illustrations, Genève, Pierre Cailler, 1947, 169 p.

A. Rousseaux, *Le Monde classique,* Albin Michel, 1951, tome III : 274 p.

L. Roussel, *Karagheuz ou un théâtre d'ombres à Athènes,* fasc. I - II, Athènes, A. Raffanis, 1921, 497 p.

C. Roy, *Descriptions critiques, le commerce des classiques,* Gallimard, 1953, 317 p.

J. Schérer, *La dramaturgie classique en France,* Nizet, 1950.

— *Le « Livre » de Mallarmé,* premières recherches sur des documents inédits, préface de Henri Mondor, Gallimard, 1957, 382 p.

L. Tailhade, *Au pays du mufle,* préface d'Armand Silvestre, dessins d'Hermann Paul; Nouvelle édition revue et considérablement augmentée, Bibliothèque artistique et littéraire, 1894, 132 p.

— *Quelques fantômes de jadis,* l'Edition française illustrée, 1919, 288 p.

M. Temporal, *« Comment construire et animer nos marionnettes »,* Bourrelier, 1942, 150 p.

M. Tison-Braun, *La crise de l'humanisme. Le conflit de l'individu et de la société dans la littérature française moderne,* tome I : 1890-1914, 520 p.; tome II : 1914-1939, 471, p. Nizet, 1958-1967.

R. Töpffer, *Histoire de M. Vieuxbois,* Genève, 1937.

— *Le Docteur Festus,* Garnier, s.d., 88 pl. ill.

— *Histoire de M. Cryptogame,* Paris, impr. E. Blot et fils aîné, s.d. 64 pl. ill.

— *Voyages et aventures du Docteur Festus,* Genève, 1840.

— *Histoire de M. Crepin,* impr. E. Dufrénoy, s.d. 88 pl. ill.

— *Rosa et Gertrude,* précédé de notices sur la vie et les ouvrages de l'auteur par MM. Saint-Beuve et de La Rive, J. J. Dubochet, 1847, LXIII, 263 p.

T. Tzara, *Sept manifestes Dada,* Pauvert, 1963, 152 p.

J. Vaché, *Lettres de guerre,* K. éditeur, 1949.

P. Valéry, *Monsieur Teste, Gallimard,* 1969, coll. « Idées ».

A. Vollard, *Souvenirs d'un marchand de tableaux,* Albin Michel, 1937, 448 p.

Imprimerie BERGER-LEVRAULT, Nancy. — Janvier 1973.
Dépôt légal 1973-1ᵉʳ. — Nº 779273. — Nº de série Editeur 6 007.
IMPRIME EN FRANCE *(Printed in France).* — 35015-1-73.